Historia de Mesoamérica

Una fascinante guía sobre las cuatro antiguas civilizaciones que existieron en México: la olmeca, la zapoteca, la maya y la azteca

Índice

PRIMERA PARTE: OLMECAS 1

INTRODUCCIÓN 2

CAPÍTULO 1 - ¿QUIÉNES FUERON LOS OLMECAS? 4

CAPÍTULO 2 – EMERGIENDO DE LA SELVA 8

CAPÍTULO 3 – DESAPARECIENDO EN EL OLVIDO 12

CAPÍTULO 4 - ARTE OLMECA 16

CAPÍTULO 5 - LOS COMERCIANTES OLMECAS 24

CAPÍTULO 6 - LOS OLMECAS Y SUS VECINOS 30

CAPÍTULO 7 - EJÉRCITO OLMECA 35

CAPÍTULO 8 - LOS OLMECAS EN CASA 42

CAPÍTULO 9 - RELIGIÓN Y CREENCIAS DE LOS OLMECAS 51

CAPÍTULO 10 - INNOVACIÓN CULTURAL DE LOS OLMECAS 57

CAPÍTULO 11 - LOS OLMECAS, ¿UNA CULTURA MADRE DE
MESOAMÉRICA? 69

CONCLUSIÓN 72

SEGUNDA PARTE: CIVILIZACIÓN ZAPOTECA 74

INTRODUCCIÓN 75

CAPÍTULO 1 – UNA MIRADA AL PASADO 77

EL PUEBLO DE LAS NUBES 78

EL VALLE DE OAXACA 80

EL DOMINIO DEL PUEBLO DE LAS NUBES 82

CAPÍTULO 2 – ENTENDIENDO LOS INICIOS DE LOS ZAPOTECAS 85

La Fundación de Monte Albán 85

Monte Albán - Fase 1 86

Monte Albán - Fase 2 87

Monte Albán - Fase 3 89

Monte Albán - Fase 4 90

Monte Albán - Fase 5 91

Un Futuro Prometedor 91

CAPÍTULO 3 – RAÍCES AGRARIAS Y CONSTRUCCIÓN DE LA CIVILIZACIÓN 93

Primera Estratificación Social 95

Jerarquías Sociales y la Pérdida de la Autonomía 97

Alianzas y Competencias 98

Guerras y el Comienzo de la Escritura 100

CAPÍTULO 4 – RELIGIÓN, MITOS Y ESTRUCTURA DE PODER... 101

CAPÍTULO 5 – UNA SOCIEDAD DE FAMILIA Y ESTRATOS 109

La Nobleza y sus Clases 109

La Clase Común y sus Capas 111

Orden Religioso 114

CAPÍTULO 6 – UN DÍA COMÚN EN LA VIDA DE LOS ZAPOTECAS 116

Estilos de Vida Variados 116

En Casa 117

Astronomía y Calendarios 118

Cultivo Principal 120

Rubros y Comidas 120

La Importancia de los Tributos 122

CAPÍTULO 7 – ARTES, DEPORTE Y TECNOLOGÍA 123

La Complejidad de la Lengua Escrita 124

Objetos Importantes 126

Sana Competencia 127

Las Raíces de la Tecnología 128

CAPÍTULO 8 – UN CONQUE ENTRE DOS MUNDOS 130

El Final de una Guerra 130

La Llegada de los Conquistadores 131

Una Promesa de Paz 132

La Caída del Imperio 134

CONCLUSIÓN 136

TERCERA PARTE: HISTORIA MAYA 138

INTRODUCCIÓN 139

CAPÍTULO 1 - CONOZCA A LOS MAYAS 141

CAPÍTULO 2 - DE LAS ALDEAS TRIBALES A LOS PRIMEROS ESTADOS 150

CAPÍTULO 3 - LA EDAD DE ORO 163

CAPÍTULO 4 - DE LA EDAD DE ORO A LA EDAD DEL DESASTRE 177

CAPÍTULO 5 - EL GOBIERNO Y LA SOCIEDAD MAYA 190

CAPÍTULO 6 - LA GUERRA DE LOS MAYAS 206

CAPÍTULO 7 - ECONOMÍA DE LA CIVILIZACIÓN MAYA 220

CAPÍTULO 8 - LOS LOGROS DE LOS MAYAS EN EL ARTE Y LA CULTURA 233

CAPÍTULO 9 - LA RELIGIÓN Y LOS RITUALES EN LA SOCIEDAD MAYA 248

CAPÍTULO 10 - MITOS, LEYENDAS Y LOS DIOSES DE LOS MAYAS 260

CAPÍTULO 11 - LA VIDA COTIDIANA DE LOS MAYAS 269

CAPÍTULO 12 - DESDE LA ÉPOCA COLONIAL HASTA HOY, LOS MAYAS PERSISTEN 277

CONCLUSIÓN 287

CUARTA PARTE: LA HISTORIA AZTECA 289

INTRODUCCIÓN 290

CAPÍTULO 1: ¿DÓNDE VIVÍAN LOS AZTECAS? 292

CAPÍTULO 2 - ¿QUIÉNES ERAN LOS AZTECAS?............................295

CAPÍTULO 3 - EL GOBIERNO, CIUDADES-ESTADO Y LA EXPANSIÓN...300

CAPÍTULO 4 -LA LLEGADA DE LOS ESPAÑOLES Y LA DECADENCIA DEL IMPERIO...308

CAPÍTULO 5 - UN DÍA EN LA VIDA DE UN CIUDADANO AZTECA...312

EL SOBERANO, LOS DIGNATARIOS Y LOS NOBLES...............................313

EL SOBERANO 313

LOS DIGNATARIOS...316

NOBLES..318

LOS PLEBEYOS 321

LOS CAMPESINOS SIN TIERRA 326

LOS ESCLAVOS...327

CAPÍTULO 6 - LA AGRICULTURA Y LA DIETA 332

CAPÍTULO 7 - LA RELIGIÓN..337

LA CREACIÓN, LA VIDA, LA MUERTE Y LOS CUATRO SOLES 337

SACRIFICIO HUMANO 340

LOS DIOSES 343

QUETZALCÓATL..344

HUITZILOPOCHTLI 346

TLALOC 347

CHALCHIHUTLICUE..349

COATLICUE..349

EL CALENDARIO..350

CAPÍTULO 8 - DEPORTES 354

CONCLUSIÓN 356

BIBLIOGRAPHY 358

Primera Parte: Olmecas

Una Guía Fascinante de la Civilización Antigua Más Importante Conocida En México

Introducción

Cuando la mayoría de la gente piensa en la Mesoamérica precolombina, a menudo se dirigen directamente a los aztecas y mayas, probablemente las civilizaciones nativas más famosas y conocidas de esta región. Por supuesto, no tienen la culpa, ya que los mismos historiadores otorgan a esas culturas la mayor parte de su atención. Esto, a menudo, lleva a conceptos erróneos sobre cómo la vida civilizada comenzó realmente en las Américas. Algunas personas piensan que la civilización no existía en América del Norte hasta que llegaron los europeos; otros piensan que todo comenzó con los mayas.

En realidad, las primeras personas que lograron ascender a la vida civilizada fueron los olmecas. Siguen siendo relativamente desconocidos, permaneciendo escondidos en los largos y oscuros pasadizos de la historia olvidada. La mayor parte de su cultura permanece envuelta en un halo de misterio, lo que puede explicar por qué tan pocos historiadores están listos para abordar la tarea de descubrir la verdadera historia de los olmecas. Es un trabajo difícil, e incluso después de muchas décadas dedicadas a la investigación de los olmecas, las respuestas pueden continuar sin aparecer. Y, generalmente, con cada respuesta, surge una nueva pregunta. En cierto modo, es una tarea de Sísifo. Debido a que no hay fuentes escritas ni historias sobre los olmecas, su historia exacta permanece desconocida. Y la mayor parte de nuestro conocimiento sobre ellos son solo teorías basadas en hallazgos arqueológicos.

Entonces, cualquiera que sea lo suficientemente valiente como para asumir la tarea de aprender acerca de los olmecas, debe estar preparado para una gran cantidad de suposiciones, presunciones, probabilidades y posibilidades, sin mencionar las opiniones en conflicto de varios historiadores. Con todo eso en mente, uno podría desanimarse incluso antes de intentarlo. Pero, por ser la civilización más antigua conocida en América, merecen algo de nuestra atención. Su historia merece ser contada.

Capítulo 1 - ¿Quiénes fueron los olmecas?

La respuesta más honesta que obtendrá a esta pregunta es "no estamos exactamente seguros". Estas personas, conocidas como los olmecas, ocuparon partes del sur central del México actual, territorios que hoy conforman los estados de Veracruz y Tabasco, en las costas del Golfo de México. Surgieron en estas tierras bajas tropicales alrededor del 1400 a.C. y crearon lo que se considera una de las primeras civilizaciones de Mesoamérica. Durante aproximadamente mil años, fueron la nación más desarrollada y poderosa en este área. A lo largo de ese periodo, dominaron la región a través del comercio y el poderío militar, extendiendo su cultura y civilización más sofisticada a las tribus vecinas. Y luego, alrededor del 400 a.C., tan pronto como llegaron, desaparecieron en las espesas selvas mexicanas.

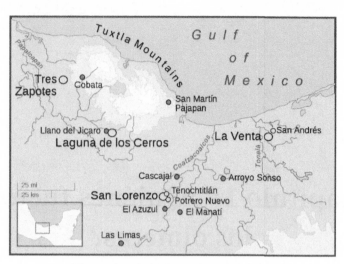

El corazón de la tierra de los olmecas.

Durante casi dos mil años fueron olvidados, pero durante el siglo XIX, cuando la arqueología comenzó a expandirse y a evolucionar hacia una ciencia seria, los historiadores comenzaron a identificar un tipo específico de escultura de jade con rasgos de jaguar. Era un estilo único y poderoso que llamó su atención. Después de algunas investigaciones, descubrieron que venían de la región que ahora conocemos como el corazón de la tierra de los olmecas, ubicada a lo largo de la costa del Golfo. Los primeros arqueólogos modernos no estaban seguros de cómo nombrar a esta nueva civilización, pero uno de ellos recordó que los aztecas del siglo XVI les contaron a los españoles acerca de las personas que vivían en ese área, a quienes llamaron olmeca (Ōlmēcah). En idioma náhuatl azteca, eso significa "gente de goma". El nombre proviene del uso generalizado del caucho en la población de esa región. Aunque no existe una conexión real entre las civilizaciones que en diferentes momentos ocuparon el mismo territorio, el nombre perduró. Pero estamos casi seguros de que ellos no se llamaron a sí mismos olmeca.

Vale la pena mencionar que un poema en náhuatl, escrito mucho después de que los europeos llegaran a América, cuenta la historia de una tierra legendaria a orillas del "mar oriental". En el poema, esta tierra mítica, Tamoanchan, se estableció mucho antes

5

de que los aztecas fundasen sus ciudades, en una época que nadie puede recordar. Y su dominio existió por un largo tiempo. Lo que es aún más intrigante acerca de este poema es que el nombre Tamoanchan no era de origen azteca, sino más bien maya; la palabra Tamoanchan significa "en la tierra de la lluvia o la niebla". Algunos historiadores creen que el corazón de la tierra de los olmecas fue descrito en el poema y que, en realidad, hablaban una variación del idioma maya. Pero otros no están de acuerdo, alegando que la lengua de los olmecas originales era realmente una forma arcaica de la lengua mixe-zoco, que todavía se habla en el área. Aunque la última teoría es ahora ampliamente aceptada, la verdad es que, debido a la falta de hallazgos arqueológicos, todavía no estamos seguros acerca de qué idioma exacto hablaron los olmecas.

Después de que los arqueólogos comenzaran a explorar los lugares olmecas más a fondo durante el siglo XX, descubrieron muchos sitios que podrían vincularse con la llamada gente de goma. Pero dos de ellos destacaron como las ciudades más grandes e importantes de los olmecas. La primera fue San Lorenzo, situada en la cuenca del río Coatzacoalcos. Las primeras señales de las comunidades humanas en esa ubicación a veces incluso datan de 1800 a.C., pero esos primeros asentamientos generalmente se consideran sociedades pre-civilizadas. El ascenso real de esta ciudad coincide con el surgimiento de la civilización olmeca, alrededor de 1400 a.C. Pero en el año 900 a.C., este sitio fue en su mayoría abandonado. El centro de poder y cultura olmeca se habían mudado en ese momento.

El segundo sitio arqueológico olmeca importante es La Venta, ubicado al noreste de San Lorenzo en la cuenca pantanosa del río Tonalá. Comenzó a surgir alrededor de 1200 a.C., pero, después de la caída de San Lorenzo, fue impulsado como el centro de la civilización olmeca. Se mantuvo como un bastión de los olmecas, siendo el hogar de algunas de sus creaciones arquitectónicas más importantes. Esta ciudad fue abandonada alrededor de 400 a.C., lo que también marcó el final de los olmecas (al menos en la forma en que los conocemos ahora). Por supuesto, estas no fueron las únicas ciudades. Hubo muchas otras, como Tres Zapotes, Laguna de Los Cerros y El Manatí, pero nunca lograron igualar la riqueza y el poder de San Lorenzo o La Venta. Para evitar cualquier malentendido, es importante tener en cuenta que estos nombres no son nombres olmecas, sino que fueron dados a los sitios por los arqueólogos que trabajan en estas ciudades de las inhóspitas selvas mesoamericanas.

A primera vista, incluso para el ojo entrenado de un historiador, la ubicación del corazón de la tierra de los olmecas podría parecer una mala elección para el comienzo de una civilización joven, ya que se encuentra entre densas selvas y pantanos, y con un clima húmedo. Pero cuando se tiene en cuenta que todas las ciudades principales estaban ubicadas cerca de los ríos, lo que proporcionaba un suelo fértil y un viaje más fácil, las cosas empiezan a tener mucho más sentido. Y, dando un paso atrás para ver una imagen geográfica más amplia, podemos observar que los olmecas estaban ubicados en una importante ruta comercial que conectaba regiones que más tarde engendraron a los aztecas y mayas. La ubicación de la civilización olmeca podría compararse con otras civilizaciones importantes, como los sumerios en Mesopotamia, los egipcios en las orillas del Nilo o la civilización bien definida del valle del Indo. La combinación de esos dos elementos esenciales explica por qué la civilización mesoamericana más antigua comenzó en ese lugar.

Estos pocos detalles amplios y vagos acerca de los olmecas que se dan en este capítulo solo sirven como introducción a esta civilización. Ahora es el momento de profundizar en la historia olmeca y, al igual que los arqueólogos e historiadores, obtener una respuesta más explícita a la pregunta planteada en este capítulo. Y, con suerte, al final de este libro, tendrá su propia impresión de quiénes fueron los olmecas.

Capítulo 2 – Emergiendo de la Selva

Aunque la procedencia de los olmecas se desconoce en realidad, uno no debería pensar que las personas simplemente aparecieron mágicamente en las Américas o que evolucionaron por separado de los humanos en otros continentes. La teoría actualmente aceptada es que, durante la última Época Glacial, hace entre 30.000 y 10.000 años, los primeros humanos llegaron a América del Norte. Estos primeros hombres cruzaron un puente de tierra llamado Beringia que conectaba Alaska con las costas orientales de la actual Rusia. Otra teoría que es menos aceptada sostiene que los primeros colonos realmente viajaron en barcos a lo largo de la costa del Pacífico. No importa cuál es la teoría más cercana a la verdad, una cosa es cierta: las personas migraron lentamente hacia el sur hacia climas más cálidos y tierras más fértiles.

Alrededor de 8000 a.C., debido a los cambios en la temperatura y el nivel del mar que llegaron con el final de la Época Glacial, los primeros colonos en el México actual comenzaron a cambiar su estilo de vida. Comenzaron a incluir cada vez más las plantas domesticadas como su principal fuente de alimentos. Sin embargo, su organización tribal se mantuvo en un nivel bastante básico, más similar a la forma en que vemos a los humanos prehistóricos. El siguiente paso importante en el desarrollo de un estilo de vida más complejo ocurrió más o menos alrededor de 2000 a.C. Fue entonces cuando se estableció la vida en las aldeas. Era una forma de vida más organizada que la que habían estado llevado, un paso vital en el desarrollo de la vida civilizada en la región mesoamericana, ya que trajo crecimiento en la población y la producción de excedentes de alimentos, una necesidad para el desarrollo de una vida social y cultural más compleja. Esos cambios cruciales en la sociedad y el modo de vida llevaron al desarrollo de las artes, así como a la estratificación política y de clase de la mayoría de las sociedades mesoamericanas.

Al mismo tiempo, en circunstancias similares a todas las demás a su alrededor, los olmecas comenzaron a construir su civilización. Al principio, alrededor de 1800-1700 a.C., probablemente no eran muy diferentes a otras tribus que los rodeaban. Tenían algo similar a los cacicazgos, que tenían tanto poder como desarrollo cultural limitado. Pero para el año 1300, los olmecas, en su asentamiento de San Lorenzo, llegaron a niveles completamente nuevos de complejidad cultural. Viendo lo sofisticado que se volvió su arte, cuán majestuosas eran sus enormes estatuas y cuán grande creció la ciudad, los arqueólogos concluyeron que San Lorenzo no tenía comparación con ningún otro asentamiento en Mesoamérica en ese momento.

Además de ser increíblemente hermosos e intrigantes para los arqueólogos, estos magníficos proyectos de construcción de los olmecas en San Lorenzo muestran que tenían, al menos, una estratificación social y política básica, con un pequeño grupo de élites gobernantes y un gran grupo de personas comunes. Porque sin tener al menos un mínimo de organización social, tales esfuerzos serían prácticamente imposibles. Por supuesto, dado que no tenemos evidencia escrita, no podemos estar seguros de que no lograron desarrollar clases más finamente diversificadas y en qué medida su sociedad fue estratificada. Pero al observar esas impresionantes creaciones, es evidente que los gobernantes olmecas y la élite fueron capaces de movilizar a su población y obligarlos a trabajar en la construcción de maravillas arquitectónicas. Esto significaba que los líderes olmecas tenían más poder que sus semejantes de otras tribus que los rodeaban. De hecho, podría argumentarse que el poder que la clase dominante ejercía sobre su gente es, en realidad, el atributo más relevante que diferenciaba a los olmecas de otros pueblos mesoamericanos en ese momento.

La estatua de cabeza colosal olmeca encontrada en San Lorenzo.

Esa autoridad de la élite olmeca, que resultó ser vital para su desarrollo como civilización, probablemente se basó en las clases dominantes que controlaban las tierras fértiles cerca del río, de manera similar a la élite en el antiguo Egipto y Mesopotamia. Y, a diferencia de los cacicazgos vecinos, la élite olmeca también logró tomar el control de las negociaciones con sus vecinos. Eso permitió que la selección gobernante olmeca se convirtiera en la élite y obtuviera el mando de las clases más bajas, obligándoles a trabajar en proyectos públicos, como la construcción de templos y estatuas. Por supuesto, debe tenerse en cuenta que la adquisición de esta autoridad política y el control de la élite olmeca no ocurrió de la noche a la mañana, sino que fue un proceso lento que duró mucho tiempo.

Gracias a estos factores, el asentamiento olmeca en San Lorenzo logró mantener su dominio durante unos tres siglos, con su "Edad de Oro" que dura desde alrededor de 1200 a 900 a.C. Para el final de esa era, esta comenzó a declinar, perdiendo tanto poder como a sus habitantes. Se convirtió en un cascarón vacío de su gloria anterior. Los historiadores no están completamente seguros de lo que causó esta caída. Algunos piensan que podría deberse a problemas naturales, como enfermedades o malos años de cosecha. Otros creen que podría ser el resultado de una lucha interna por el poder o algún tipo de guerra civil. Hubo teorías de que una amenaza militar externa, ya sea de los vecinos de los olmecas o de otras tribus, logró poner de rodillas al asentamiento de San Lorenzo. La única cosa de la que los arqueólogos están seguros es que en el año 800 a.C., esta ciudad estaba prácticamente abandonada. Pero eso no marcó el final de todos los olmecas. Cuando San Lorenzo comenzó a desvanecerse, La Venta comenzó a levantarse. Y alrededor del 900 a.C. se convirtió en el nuevo centro de poder para los olmecas y toda Mesoamérica.

Capítulo 3 – Desapareciendo en el olvido

Como suele ocurrir en la historia, cuando una ciudad o estado cae, otra se levanta para ocupar su lugar. En el caso de los olmecas, La Venta tomó el lugar de San Lorenzo como la ciudad olmeca más importante durante el siglo 10 a.C. Como se señaló en el capítulo anterior, probablemente no fue un cambio repentino, sino que sucedió gradualmente. Y bajo la supremacía de La Venta, la civilización olmeca alcanzó su punto máximo. Pero, a diferencia de San Lorenzo, el entorno pantanoso natural de La Venta no era del todo adecuado para la agricultura, lo que plantea el interrogante de qué fue lo que le dio a ese asentamiento la ventaja que necesitaba para convertirse en el nuevo centro de poder olmeca. Nuevamente, aquí es donde los historiadores no están de acuerdo. Una teoría sugiere que el río Tonalá tenía un curso diferente en aquel momento, por lo que los pantanos no eran tan dominantes en ese área. La otra teoría es que los olmecas de La Venta usaron tierras fértiles cercanas como fuente de alimento y trabajo a través de alguna forma de ocupación y explotación. Pero, teniendo en cuenta que los estudios arqueológicos mostraron que el área de La Venta se estableció ya en 1750 a.C., la primera opción parece más probable, ya que es más similar a lo que ocurrió con el asentamiento de San Lorenzo.

Por eso, no es sorprendente que La Venta haya basado su propia supremacía en una base similar a la de San Lorenzo, donde la élite olmeca tenía el control de la producción y el comercio agrícola. Pero también hubo una diferencia más importante. En cuanto a la evidencia arqueológica, los historiadores concluyeron que este asentamiento también sirvió como un centro religioso y ceremonial. Esto significaba que los gobernantes de La Venta tenían incluso más poder que sus predecesores, y que probablemente abarcaron un área mayor, ya que esto significaba que todos los olmecas que los rodeaban venían a La Venta, trayendo ofrendas a sus dioses y a los gobernantes de la ciudad. Con edificios y estatuas aún más monumentales que los de San Lorenzo, que mostraban su riqueza y poder, es claro que el asentamiento de La Venta alcanzó alturas mayores que cualquier ciudad en Mesoamérica en ese momento, y parece que tuvo mucho que ver con el aspecto religioso de la colonia.

Pero uno debería descartar este sitio como una ciudad puramente religiosa. Existe evidencia arqueológica de que era una ciudad próspera, con gente viviendo tanto en ella como en los asentamientos más pequeños a su alrededor. Y, dentro de esa gran cantidad de residentes, había más especialistas que en las antiguas sociedades olmecas. Además de los sacerdotes y artesanos que crearon las maravillosas piezas de arte por las que los olmecas son más conocidos hoy en día, hubo comerciantes, constructores e incluso indicaciones de profesionales orientados a las fuerzas armadas. Solo podemos adivinar cuántas profesiones más y obreros cualificados había en La Venta. Es importante señalar que lo más probable es que la estructura social olmeca no se limitaran solo a la élite gobernante y a los plebeyos trabajadores en este momento. Su sociedad probablemente se hizo más diversa según sus clases. A medida que su sociedad se volvía más compleja, la cultura olmeca también se volvía más sofisticada.

Estatua de un cacique olmeca en La Venta.

Gracias a esa complejidad y sofisticación de la sociedad olmeca, durante casi cinco siglos, La Venta logró mantener su dominio tanto en la civilización olmeca como en toda la región mesoamericana. Pero su poder finalmente comenzó a disminuir. Hacia 400 a.C., el asentamiento de La Venta comenzó a desaparecerse en el olvido. En el siglo siguiente, la ciudad fue prácticamente abandonada. A diferencia de San Lorenzo, los arqueólogos están seguros de que la caída de La Venta fue violenta, ya que encontraron indicios de una destrucción deliberada de monumentos y edificios. Aunque no están muy seguros de si el ataque provino de fuerzas externas o si fue una especie de levantamiento, la mayoría cree que fue una potencia extranjera la que invadió La Venta, ya que es muy poco probable que la población nacional destruya sus propios monumentos. Y aunque los olmecas abandonaron La Venta, la ciudad no pareció perder su importancia como centro cultural. Los arqueólogos encontraron ofrendas enterradas que datan de principios de la época colonial, que contienen productos como las aceitunas españolas. Esto significa que durante más de un milenio la gente regresó a este sitio para practicar sus rituales religiosos a pesar de que se olvidara quién lo construyó y con qué propósito exacto. Esta es quizás la mejor prueba de lo importantes y poderosos que fueron los olmecas y La Venta.

Sin embargo, esto no cambia el hecho de que en algún momento este asentamiento fuera abandonado. Cualquiera que fuera la causa exacta, con la caída de este centro olmeca, la civilización olmeca también llegó a su fin. Y al igual que no sabemos exactamente de dónde vinieron, no estamos seguros de a dónde fueron, o, para ser más precisos, de lo que les sucedió. Es probable que la mayoría simplemente se trasladara o se integrara a otras culturas, o alguna mezcla de ambos escenarios. Y la integración con diferentes culturas, que fueron tan influenciadas por la civilización olmeca en esta época, no fue una transición demasiado impactante para la mayoría de las personas. En última instancia, solo podemos estar seguros de que no desaparecieron mágicamente o de que fueron todos asesinados, ya que todavía existe una población nativa en el corazón de la tierra de los olmecas que habla un idioma que desciende de uno que, suponemos, hablaban los olmecas.

Capítulo 4 - Arte Olmeca

Lo primero que descubrieron los arqueólogos sobre los olmecas fue su arte, por lo que parece ser un tema apropiado para comenzar nuestro viaje y comprender mejor su civilización. No hubo ningún descubrimiento innovador de esculturas olmecas u otras formas de arte que pusieran de manifiesto su cultura. Durante mucho tiempo, muchas esculturas más pequeñas y figuras talladas de los olmecas circulaban por los hallazgos arqueológicos y los antiguos mercados de arte. Pero la mayoría de los expertos pensaban que formaban parte de la civilización maya o azteca o, al menos, de alguna derivación de ellos. Entonces, no atrajeron mucha atención por sí solos. Sin embargo, todo eso cambió en la segunda mitad del siglo XIX cuando José Melgar y Serrano, uno de los exploradores mexicanos, encontró las ahora famosas cabezas colosales olmecas. Después de ese descubrimiento, los olmecas finalmente fueron reconocidos como una cultura individual y única. Al principio muchos pensaron que esta nueva civilización extraña floreció en el casi mismo período que los mayas y que tomaron algunos aspectos de la cultura maya que explicarían las similitudes entre ellos. Pero Matthew Sterling, arqueólogo del Instituto Smithsoniano, se opuso a estas teorías, argumentando que los olmecas eran antecesores a otros, como los mayas y los aztecas. La lucha entre las dos escuelas históricas de la historia mesoamericana finalmente se resolvió en la década de 1940 cuando el arqueólogo mexicano Alfonso Caso logró influenciar a la mayoría de la comunidad científica hacia el lado de Sterling. Otras pruebas de datación por carbono, para consternación de muchos mayanistas, personas especializadas en la historia maya, dieron un apoyo más concluyente a la teoría de que los olmecas fueron una de las primeras civilizaciones mesoamericanas conocidas.

Las cabezas colosales que devolvieron a los olmecas el protagonismo de la historia se convirtieron con toda razón en el símbolo más conocido de su civilización y su arte. Aunque todas son bastante grandes, varían en tamaño, con un peso entre 6 y 50 toneladas y una altura de 1.6 a 3.5 metros (5.2 a 11.4 pies). Todas ellas fueron hechas de basalto extraído en la Sierra de los Tuxtlas de Veracruz, en el extremo norte de lo que ahora se considera el corazón de la tierra de los olmecas. Estas estatuas representan hombres maduros con rasgos de cara plana y labios gruesos, mejillas carnosas y con varios tipos de protección para la cabeza que se asemejan a los cascos de rugby actuales. Debido a esos cascos, algunos investigadores al principio pensaron que representaban a ganadores y campeones de algún juego de pelota mesoamericano, pero esa teoría ha sido en gran parte abandonada. Lo más probable es que representen a los gobernantes, considerando que fueron ellos quienes tuvieron suficiente poder para crear ese tipo de monumentos, que tardaron en ser tallados y trasladados al menos 50 años, según los investigadores. Además, el casco ahora se asocia generalmente con el simbolismo militar o ceremonial.

Una de las características más prominentes de estas cabezas enormes es el naturalismo, que es uno de los elementos básicos del arte olmeca en general. El naturalismo significa que el arte generalmente representa objetos reales con características naturales, aunque típicamente estilizadas. Los hombres representados en esas estatuas no parecen estar retratados en una imagen idealizada, sino más bien como los artistas los vieron. Algunos de ellos tienen un aspecto más serio, mientras que otros parecen estar relajados o incluso sonriendo. Debido a que se encontraron algunos rastros de pintura en ellos, existe la posibilidad real de que fueran de colores brillantes en el momento de su construcción. Por supuesto, con el paso del tiempo, las características del estilo artístico también comenzaron a cambiar un poco. Por lo tanto, a pesar de que son bastante similares en estilo, hay pequeñas diferencias entre las cabezas anteriores de San Lorenzo y las posteriores de La Venta. Las de San Lorenzo parecen estar más hábilmente ejecutadas y muestran un realismo más claro, mientras que las de La Venta muestran una tendencia hacia una forma de arte más estilizada.

En cuanto al tema de las cabezas colosales olmecas, hay un mito sobre ellas que debe ser desacreditado. Algunos investigadores, después de observar los labios gordos y otras características de estos monumentos, afirmaron que se parecían más a los africanos que a los mesoamericanos, y llegaron a la conclusión de que los olmecas eran de origen africano. Pero varios historiadores han demostrado que esto está equivocado. Al comparar estas estatuas con la población nativa actual que vive en el área, mostraron que las características de las caras de las cabezas colosales eran y siguen siendo comunes entre los indios mesoamericanos. Además, otros tipos de arte olmeca no representan esas características tan claramente o en gran medida. Los arqueólogos explican este hecho al afirmar que el basalto es un material con el que es difícil trabajar en comparación con otros materiales que usaron los olmecas. Es una sustancia más dura que solo permite tallados poco profundos, lo que obliga a los artistas a crear ciertas características en las caras que pueden no haber sido comunes entre la población olmeca. Dicho esto, la mayoría de la comunidad científica no está de acuerdo con esta teoría de descendencia africana olmeca, situándola en una categoría más de pseudohistoria.

Más allá de las icónicas cabezas colosales, los olmecas también crearon otros ejemplos de artes monumentales, tales como altares y estelas. Hechos de piedra, estaban decorados con hermosas tallas que mostraban la habilidad olmeca tanto en alto como en bajo relieve. La representación más común en estos monumentos era una persona mayor sosteniendo a un niño en su regazo. Aquí se ve cómo los olmecas difieren de la mayoría de las otras culturas en todo el mundo, ya que esta iconografía generalmente se conecta con un motivo madre-hijo. Pero en los relieves olmecas, siempre se muestra que la persona mayor tiene rasgos masculinos, lo que hace que descifrar el significado de estas tallas sea algo complicado. Algunos eruditos piensan que representan una conexión con la religión, mostrando representaciones de deidades. Otros se inclinan hacia un significado más dinástico, como el paso del poder de padre a hijo. Por supuesto, también había otros motivos tallados, como una representación más clara de gobernantes y sacerdotes, así como de guerreros y animales, entre los que destacan las serpientes y los jaguares. Casi todos ellos se crearon con el estilo naturalista que era tan común en el arte olmeca. Pero la característica más sorprendente de su arte es la capacidad del artista olmeca para capturar el movimiento en sus relieves. Tallar varias escenas en las que los sujetos están capturados en medio de una acción hace que su arte se sienta más enérgico.

Los olmecas, por supuesto, no solo produjeron piezas de arte monumentales. También son bastante conocidos por sus estatuas, pequeñas figurillas, celtas (herramientas con forma de hacha) y colgantes, todos realizados de diversos materiales, siendo los más bellos y finamente detallados hechos de jade y serpentina. Como estas piedras eran raras y preciosas, está claro que esas estatuas fueron hechas para las personas más ricas de la sociedad olmeca, probablemente la familia real. También hicieron efigies y pequeñas hachas para rituales que tenían un propósito más ceremonial que práctico, ya que nunca fueron lo suficientemente afiladas como para ser utilizadas. Todas estas formas de arte conservaron el distintivo estilo olmeca y estaban enraizadas en el naturalismo y el realismo. Este estilo no solo estaba ligado a las esculturas olmecas de varios tamaños, sino que también estaba representado en recipientes y vasijas hechas de arcilla. Tenían relieves intrincados que mostraban representaciones estilizadas de animales y plantas. En algunos casos, los recipientes eran incluso zoomorfos, con forma de animales.

Un paso más lejos de las características naturalistas y más hacia el tipo estilizado de arte olmeca son las pequeñas figurillas con cara de bebé. El nombre se explica por sí mismo, ya que las características principales de estas pequeñas estatuas son cuerpos regordetes, mejillas abultadas infantiles, ojos llorosos hinchados y cejas fruncidas. Estos bebés generalmente se posan sentados o acostados, imitando la forma en que los niños gatean y juegan en el suelo. Y aunque siempre se representan desnudos, no hay signos de género en ellos. Otra característica interesante de estas figurillas es que la mayoría de ellas tienen cascos en la cabeza, similares, sino idénticos, a los que coronaban las cabezas colosales. Con esto en mente, existe la posibilidad de que las esculturas con cara de bebé sean una representación de los hijos de los gobernantes, pero su verdadero propósito y significado iconográfico aún no se ha determinado.

Pero la excepción más prominente al naturalismo típico del arte olmeca son los motivos de los hombres-jaguares, en los que la forma humana se mezcla con las características de un jaguar. Y esos motivos fueron sorprendentemente bastante comunes para algo que consideramos como una excepción. Por lo general, se ven en esculturas donde los hombres-jaguares a menudo se representan como infantiles. Tienen cuerpos regordetes y facciones abultadas, pero también bocas que gruñen, encías desdentadas o colmillos largos. En algunos casos también tienen garras. Y al igual que las figurillas con cara de bebé antes mencionadas, tampoco presentaban género. Una de las composiciones más comunes que incluía a los hombre-jaguar bebés era la de una figura adulta más grande que sostenía al bebé con los brazos extendidos como si fuera presentado. Mirando algunos de los detalles más precisos, como sus cabezas usualmente hendidas y decoraciones en sus ropas, los arqueólogos vieron similitudes con la forma en que las civilizaciones mesoamericanas representaron a sus dioses, lo que los llevó a creer que los hombre-jaguares son una representación de un cierto ser divino, probablemente una deidad de lluvia. Pero al igual que todas las otras culturas mesoamericanas, los olmecas también creían en una serie de dioses, por lo que la pregunta sigue siendo por qué los hombres-jaguares eran tan frecuentes y las representaciones de otros dioses no lo eran.

Una clásica escultura de hombre-jaguar de San Lorenzo.

Otro tipo interesante de artefacto hecho en el distintivo estilo olmeca son las máscaras de jade. Tienen bocas asimétricas abiertas y caídas, anchas fosas nasales y ojos entrecerrados, lo que sugiere que son parte de la tradición olmeca. Sin embargo, los arqueólogos nunca han encontrado este tipo de máscaras en ningún lugar olmeca hasta el día de hoy, a pesar de que la mayoría de ellos fueron creados durante la era olmeca. Esto ha llevado a algunos investigadores a la hipótesis de que esas máscaras no fueron hechas por olmecas y solo fueron influenciadas por su estilo. Otros señalan que las máscaras de madera, hechas en los comienzos de la civilización olmeca, muestran claramente que tenían una larga tradición elaborando máscaras. Y piensan que es solo cuestión de tiempo hasta que los arqueólogos encuentren las máscaras de jade en un emplazamiento olmeca. Otro detalle interesante que rodea a estas máscaras es que una de ellas fue encontrada recientemente en una tumba azteca, a pesar de que la datación por carbono pone su fecha de creación alrededor del 500 a.C. Esto sugiere que estas máscaras fueron muy apreciadas a lo largo de la historia mesoamericana y es muy posible que sus sucesores las extrajeran de yacimientos olmecas.

Por supuesto, los olmecas hicieron muchos otros artefactos y obras de arte. Estos fueron solo algunos ejemplos de las representaciones más conocidas y notables de su estilo. Aunque la mayoría del arte olmeca del que hablamos en este capítulo estaba hecho de algún tipo de piedra, minerales preciosos o arcilla, los olmecas también usaron materiales como la tela y la madera para hacer su arte. Pero dado que esos otros materiales eran menos duraderos, casi no quedan rastros de ese tipo de artefactos. Y, a pesar de que hay muchas preguntas y controversias en torno al arte olmeca, como ocurre con toda su historia, no se puede negar su belleza, artesanía y su influencia en otras culturas mesoamericanas que vinieron después de los olmecas. Otro testimonio de la excelencia del arte olmeca es que, siglos después de su desaparición, otras civilizaciones vieron sus artefactos como obras de arte incalculables. Es por eso que fueron elogiados y reunidos, probablemente incluso intercambiados por civilizaciones posteriores. Además, algunas de las características y motivos olmecas fueron copiadas por artesanos de otras civilizaciones durante miles de años y ahora se han convertido en la marca de cómo imaginamos el arte mesoamericano. La influencia del arte olmeca en la sociedad mesoamericana puede ser paralela a la influencia del antiguo arte romano y griego en la sociedad europea posterior.

Capítulo 5 - Los comerciantes olmecas

A pesar de que los arqueólogos han prestado más atención a su arte, el comercio fue una parte mucho más importante de la vida y la sociedad olmeca y jugó un papel crucial en su ascenso al poder. Es significativo observar que, aunque los olmecas fueron los primeros en alcanzar un nivel de desarrollo que asociamos con la vida civilizada, ciertamente no fueron la única sociedad compleja en Mesoamérica, especialmente en los últimos períodos de esta civilización. A su alrededor había muchos cacicazgos que variaban en desarrollo cultural y social, así como en riqueza y poder. Y, junto con los olmecas, crearon una red comercial que permitió no solo el transporte de materiales y recursos, sino también un intercambio de ideas y cultura. Pero surge la pregunta de cómo se diferenciaban los olmecas de sus vecinos; ¿qué les permitió usar el comercio para amasar riquezas mejor que otros?, ¿cómo fueron capaces de reunir fuerza e influencia a través del comercio y usarlo para desarrollar su cultura y florecer como civilización?

De hecho, estar situado en un epicentro comercial vital que conectaba las áreas ricas en recursos de la actual península de Yucatán y el centro de México fue indudablemente útil. Pero los historiadores también piensan que fue porque los olmecas probablemente estaban entre los primeros en utilizar el comercio a larga distancia en lugar de comerciar solo con los pueblos de sus alrededores más cercanos. Con una red comercial tan extendida, los olmecas pudieron comerciar por los mismos tipos de recursos con diferentes tribus, mientras que, al mismo tiempo, exportaron sus productos a numerosos compradores. Esa diversidad de socios comerciales lo más probable es que hiciera que su éxito en este campo fuera mejor y más fácil, haciendo su civilización más rica que ninguna otra en ese momento. Pero los arqueólogos piensan que los olmecas no comenzaron a comerciar para hacerse ricos. Creen que todo empezó porque su región fértil y rica en alimentos carecía de obsidiana, una roca volcánica similar al vidrio que era un recurso esencial para la agricultura y otras herramientas de trabajo, armas, objetos decorativos y muchas otras cosas. E incluso en las últimas etapas del desarrollo olmeca, parece que el núcleo de su comercio siguió siendo la necesidad básica de esa piedra preciosa.

Pero la obsidiana no era el único recurso que los olmecas necesitaban importar. A medida que el poder y la riqueza de su élite crecieron, también lo hizo su demanda de materiales necesarios para artículos de lujo. Es por eso que, en períodos posteriores, empezaron a importar mineral de hierro, serpentina, magnetita y, lo más importante, jade, al cual los olmecas accedieron al comerciar con los predecesores mayas en la Península de Yucatán y la actual Guatemala. El jade probablemente se convirtió en el mineral precioso más utilizado en la sociedad olmeca y se utilizó con más frecuencia para crear máscaras y figurillas. Usando eso como una conexión, algunos historiadores que se inclinan hacia las especulaciones y las teorías disparatadas idearon otra teoría sobre el origen de los olmecas, conectándolos con la antigua China, específicamente con la dinastía Shang (1600-1000 a.C.). Según esa teoría, los refugiados chinos cruzaron el Océano Pacífico para formar, o al menos influenciar, la creación de la civilización olmeca. Las principales conexiones entre las dos civilizaciones fueron su uso y alta consideración del jade y las similitudes entre las obras de arte olmeca y el arte chino que circularon en ese período. Por supuesto, estas especulaciones son rechazadas por la mayoría de los historiadores y arqueólogos mesoamericanos por considerarse una historia disparatada.

Al alejarse de los lujos, es interesante que no haya habido ningún rastro de alimentos importados en gran escala por los olmecas, ya que sus tierras eran lo suficientemente fértiles como para proveer a la población por su cuenta. Sin embargo, los olmecas sí comerciaron con la sal y el cacao. Aunque tenían acceso a la sal desde la costa del Golfo, parece que no fue suficiente para satisfacer sus necesidades, teniendo en cuenta que ampliaron su red de comercio de sal en muchas direcciones: en el sur, hacia la actual Guatemala, en el oeste, hacia la costa del Pacífico de Oaxaca, y en el norte, al plano central de México, que luego fue habitado por los aztecas. También existe la posibilidad de que los comerciantes olmecas no solo estuvieran transportando sal para usar en su tierra natal, sino que también la vendieran a otras tribus, actuando como intermediarios en el comercio de sal. De esta forma, la sal se convirtió no solo en un producto importante y fundamental para mantener la vida, sino también en un valioso recurso estratégico necesario para el comercio. El cacao, por otro lado, era más un artículo de lujo que llegó a los olmecas desde el sur, desde lo que hoy es Honduras. Habrá una explicación más detallada del uso y la importancia del cacao en la sociedad olmeca en uno de los siguientes capítulos.

Otros productos que comercializaron fueron también pieles de animales y plumas de animales exóticos. La élite olmeca las usó para propósitos ceremoniales y como un signo de su posición. De hecho, cuando combinamos todos los elementos enumerados que adquirieron los comerciantes olmecas, podemos ver que la mayor parte de su importación se centró en las necesidades de las clases superiores. Esto podría explicarse en cierta medida por el hecho de que la clase baja podía encontrar la mayoría de las cosas que necesitaban para sobrevivir en el corazón de la tierra de los olmecas. Y también explica por qué el comercio fue en su mayoría beneficioso para la élite, mientras que los plebeyos vieron pocas ganancias directas. Por supuesto, debemos tener en cuenta que la riqueza extra que se trajo a la sociedad olmeca también benefició a toda la población a largo plazo, ya que fue una de las principales fuerzas impulsoras del desarrollo de su civilización. Por lo tanto, podría decirse que las partes no pertenecientes a la élite de la sociedad tenían al menos algún tipo de beneficio indirecto del desarrollo del comercio, a pesar de que los bienes importados a sus tierras no estaban destinados para su uso.

Hasta ahora, hemos visto qué productos trajeron los olmecas a su país. Pero también tenían mucho que ofrecer a cambio. Como ya sabemos, la región olmeca era bastante fértil, con varios tipos de alimentos, como la calabaza, frijoles, mandioca, camote y, sobre todo, maíz. No solo eso, sino que vivían cerca del océano y de los grandes ríos, donde tenían acceso a los peces, otro importante grupo alimenticio. Por lo tanto, es razonable suponer que estos alimentos fueron uno de los primeros recursos que ofrecieron a sus socios comerciales, ya que fue el primer paso para establecer su red de comercio por la que son famosos ahora - en las primeras etapas de su civilización y su comercio. Claramente, la comida era la base del comercio olmeca. Cabe destacar que, a principios de la era olmeca, el alcance de su comercio todavía se limitaba a la vecindad local, comerciando solo con sus vecinos inmediatos. Los olmecas tardaron un tiempo en desarrollar esta parte significativa de su economía, lo que les permitió avanzar más allá del comercio básico de alimentos.

Aunque la comida probablemente siguió siendo una parte esencial de su comercio, incluso en los períodos posteriores, a medida que la civilización olmeca se desarrolló, también lo hicieron las habilidades de sus diversos artesanos. Y dado que parecían ser los primeros en alcanzar un cierto nivel de complejidad y delicadeza, también se dieron cuenta de que otros podrían estar interesados en los productos que sus artesanos podían ofrecer.

Entonces, en períodos posteriores, los comerciantes olmecas comenzaron a exportar sus creaciones artesanales y artísticas. Estas variaban desde figurillas rituales y máscaras, a varias cerámicas que tenían tanto uso estético como práctico, hasta ropa y herramientas de la vida cotidiana. Como las artesanías no eran tan comunes, especialmente durante la supremacía de San Lorenzo, eran aún más valiosas, dando a los comerciantes olmecas una gran ventaja en el comercio con los demás. Crear estos productos a partir de las materias primas que importaron y exportarlos a precios más altos permitió a los olmecas acumular riqueza rápidamente. De hecho, podríamos establecer un paralelismo entre los antiguos olmecas y la era industrial de Gran Bretaña. Ambas potencias utilizaron sus avances técnicos y su conocimiento para transformar las materias primas importadas en productos terminados que luego cambiarían por precios mucho más altos, obteniendo un beneficio considerable. Pero los olmecas también tenían algo más que exportar además de la artesanía y la comida.

Aunque los olmecas carecían de muchos recursos naturales además de los alimentos, su región era rica en árboles que se utilizaban para producir caucho primitivo. Los olmecas fueron, como era de esperar, los primeros en comenzar a cosechar la savia natural del árbol de Hevea para elaborar un material parecido al caucho. No es de extrañar que los comerciantes olmecas lo utilizaran como una parte importante de sus exportaciones, debido tanto a la escasez del producto como a las numerosas aplicaciones para las que podría ser utilizado. Podemos suponer que el caucho era un producto valioso en ese momento, y es cierto que jugó un papel importante en el prestigio y la prosperidad de los comerciantes olmecas. Ese prestigio también era importante para ellos para dar el siguiente paso en la utilización de su red comercial, asumiendo el papel de intermediarios. Pudieron asumir este papel en parte debido a su ubicación geográfica, pero también porque se les consideró como comerciantes fiables gracias a su reputación. Y este tipo de comercio es probablemente el más rentable, ya que no requiere de ningún esfuerzo en la creación de un producto, y trae ganancia pura. Por supuesto, el papel de un intermediario comercial no era algo que los comerciantes olmecas pudieran hacer desde el principio. Solo después de haber establecido su extensa red comercial, conexiones y reputación pudieron cumplir con esta parte tan rentable del comercio.

Pero queda una última pieza del rompecabezas que añade una razón más por la cual los olmecas fueron unos comerciantes tan exitosos, y que les dio ventaja sobre sus competidores. Esta era el monopolio en el comercio. Es cierto que la chispa inicial que encendió el furioso fuego del comercio olmeca fue su posición geográfica, lo que les permitió comerciar con casi toda Mesoamérica. Pero, lo que era más importante, tenían el monopolio de los artículos que comercializaban. Tenían los mejores artesanos cuyos productos, hábilmente elaborados, no tuvieron competidores durante mucho tiempo, y el caucho único que era distintivo de su región. Es cierto, sin embargo, que los olmecas carecían de obsidiana, jade, sal y otros recursos que deberían haberlos puesto en pie de igualdad con otros cacicazgos y tribus. Pero ese no fue el caso porque muchas tribus diferentes tenían los mismos recursos que los olmecas necesitaban. Eso significaba que podían elegir diferentes socios comerciales según las necesidades y circunstancias que tuvieran. Por otro lado, esas tribus no tenían otra opción que comerciar con ellos por los artículos únicos que los olmecas tenían para ofrecer. Ese es el último componente crucial para el éxito de los comerciantes olmecas.

Capítulo 6 - Los Olmecas y Sus Vecinos

Debería haber quedado claro ahora que los olmecas no estaban solos en las selvas y llanuras de Mesoamérica. Incluso en las primeras partes de la formación y desarrollo de su civilización, estuvieron rodeados de muchos otros asentamientos, tribus y pueblos. Los olmecas no solo prosperaron gracias a su comercio con estos vecinos, sino que también acogieron el poder que llegó con la riqueza que acumularon y la influencia que provenía de su prestigio. Esos factores se convirtieron en instrumentos para el surgimiento de su sociedad desde la oscuridad hasta el mundo civilizado. Pero sería imprudente pensar que las relaciones de comercio, sin importar cuán importante era para ellos, fuesen las únicas relaciones que tenían con las tribus vecinas. Sin embargo, todavía no está claro hasta el día de hoy cuál era la naturaleza exacta de estas interacciones y conexiones. Sin ninguna evidencia clara, existe la posibilidad de que surjan teorías inciertas. Pero, como ya se ha mencionado, ese hecho no debería detenernos en la búsqueda de la historia olmeca.

Los arqueólogos comenzaron a cuestionar las relaciones que los olmecas tenían con otras tribus desde los primeros días que comenzaron a explorar la civilización e historia olmeca. Partiendo del hecho de que muchos artefactos de estilo olmeca se encontraron en una amplia zona de Mesoamérica, los primeros investigadores de los olmecas llegaron a la conclusión natural de que, al menos en algún momento, hubo una clara supremacía de esa civilización en toda la región. Los arqueólogos teorizaron que el número de sus artefactos encontrados en asentamientos lejos del corazón de la tierra de los olmecas significaba que controlaban directamente esos asentamientos. Eso los llevó a pensar que los olmecas tenían una especie de imperio, similar al que tenían los romanos en el Mediterráneo. Pero, a mediados del siglo XX, con nuevas excavaciones y hallazgos arqueológicos, esta teoría se volvió menos atractiva para los historiadores como evidencia que corroboraba que este planteamiento era casi inexistente. Con la falta de pruebas de cualquier tipo, quedó claro que los olmecas no lograron unificar a Mesoamérica en un gran imperio.

Sin embargo, los historiadores no pudieron desechar esta idea por completo. En sus mentes, los signos de la supremacía olmeca todavía estaban allí, ya que todos sus artefactos estaban dispersos por la región. Por lo tanto, algunos de ellos pensaron que, si los olmecas no dominaban Mesoamérica con su control directo, debían haber establecido colonias con sus vecinos. O bien las élites locales se mantuvieron en el poder, dando su respeto y tributos a sus maestros olmecas, similares a los vasallos medievales. O fueron eliminados y sustituidos por los funcionarios olmecas como lo hicieron los europeos con sus colonias en el siglo XIX. Esta regla más indirecta también podría explicar la amplia área de su supremacía, ya que en ambos tipos de gobierno colonial los lugareños habrían intentado replicar el arte olmeca y tendrían estrechos vínculos comerciales con los mismos olmecas. Eso explicaría todos los artefactos encontrados. Pero, como con la teoría anterior de un gran imperio mesoamericano, esto también fue más o menos rechazado por la mayoría de los historiadores en los últimos años. La razón es la misma: no hay una base clara para ello en los hallazgos arqueológicos. La idea más ampliamente respaldada actualmente es que la supremacía olmeca estaba enraizada solo en su cultura y comercio, sin ningún sometimiento forzoso de sus vecinos.

La explicación de todos los hallazgos arqueológicos de artefactos olmecas y de estilo olmeca diseminados por Mesoamérica, en asentamientos no olmecas, se basó menos en la violencia y la fuerza. Por una vez, los historiadores finalmente aceptaron la posibilidad de que la red comercial olmeca fuera tan vasta y estuviera tan bien conectada que sus artesanías podrían haber llegado mucho más lejos de lo que hubieran pensado. Además, con el reconocimiento de su éxito comercial y el reconocimiento de su calidad artesanal, los historiadores ahora creen que sus productos se buscarían entre sus vecinos como un signo de prestigio, como artículos de lujo. Y la explicación de los artefactos que no fueron fabricados por los olmecas, sino que estaban hechos al estilo olmeca, puede ser bastante simple. Los artesanos locales intentaron copiar su trabajo como arte olmeca, y dado que las manualidades eran un signo de alto estatus, incluso las "imitaciones" podrían ser valiosas, ya que no todos podían permitirse la obra original olmeca. Ahora incluso hay algunas teorías de que los olmecas estaban de alguna manera exportando también a sus artesanos, lo que significa que los gobernantes y élites de otros cacicazgos que tenían suficiente riqueza y poder podían contratar artesanos olmecas con el fin de crear arte para ellos. Ahora se ha vuelto más evidente que el gobierno olmeca estaba más localizado en el corazón de la tierra de los olmecas.

Pero saber que los olmecas solo estaban gobernando sobre su propia región es solo una respuesta parcial a la pregunta relacionada con la naturaleza de la relación que tenían con sus vecinos. A partir de nuevas pruebas encontradas tanto en sitios olmecas como no olmecas en toda Mesoamérica, los historiadores ahora piensan que las relaciones entre los cacicazgos y las tribus estaban más igualadas e interconectadas de lo que se pensaba antes. Esto fue definitivamente cierto en la era posterior de la civilización olmeca cuando las culturas circundantes lograron ponerse al día con ellos en su nivel de desarrollo. Eso permitió relaciones diplomáticas más complicadas entre los olmecas y sus vecinos. Un ejemplo de este aumento en la sofisticación de la diplomacia tribal se encuentra en el sitio arqueológico de Chalcatzingo, en el Valle de Morelos, ubicado en la parte sur de las tierras altas centrales del México actual. Ese lugar fue colonizado por una tribu anónima desde el año 1500 a.C., pero se mantuvo en un nivel bastante bajo de desarrollo hasta el año 900 a.C., cuando entraron en contacto con los olmecas y comenzaron a emular su estilo. Alcanzaron la cima de su poder entre 700 y 500 a.C., en el momento de la supremacía de La Venta. Con la gran cantidad de productos olmecas encontrados en Chalcatzingo, los arqueólogos han llegado a la conclusión de que tenían una estrecha relación entre sí, y también creyeron que había una alianza entre ellos que, probablemente, se fortaleció con un matrimonio.

Las conexiones y la diplomacia entre los olmecas y sus vecinos seguramente también fueron fomentadas por las visitas personales y las conexiones entre los gobernantes y los miembros de la élite. Estas acciones ciertamente ayudaron a los olmecas a forjar buenas relaciones con las tribus vecinas. Esto no debería ser una gran sorpresa teniendo en cuenta que el comercio era controlado por las clases altas de la mayoría de las culturas y civilizaciones en la era primitiva de la historia mesoamericana. De ahí podemos extraer claramente que la columna vertebral de las relaciones diplomáticas era, de hecho, el comercio. Y el beneficio parece ser la razón más probable por la cual todas las élites se esforzaron por políticas vecinas más bien pacíficas y buenas, ya que la guerra significaba que el comercio se detendría y que sería malo para todas las partes involucradas. Incluso se podría afirmar que los gobernantes de estos cacicazgos, incluidos los olmecas, pensaban más como mercaderes que generales. Por supuesto, a pesar de que los olmecas parecen ser una sociedad de comerciantes, en general amantes de la paz, no necesariamente significa que no recurrieran a la violencia y la agresión hacia algunas aldeas más pequeñas a su alrededor para imponerles un acuerdo diplomático o comercial u ofrecerles protección de otros cacicazgos o incluso de los propios olmecas. Después de todo, si no había una amenaza externa, ¿por qué una tribu o un estado crearía alianzas con sus vecinos? Además, algunos historiadores también especulan que los olmecas usaron su poder militar y su influencia diplomática para interferir en la política local de algunas tribus y asentamientos más pequeños. De esa manera podrían favorecer a la élite local que los beneficiaría a ellos más y a su comercio aún más. Esta es una evidencia más de la complicada naturaleza de la diplomacia olmeca y sus relaciones con otras tribus mesoamericanas.

Cabe señalar que todas las posibilidades mencionadas en este capítulo son en la actualidad especulaciones y teorías basadas en evidencia escasa, de modo que la verdadera naturaleza de las relaciones intertribales y la diplomacia olmeca permanecen envueltas en el velo del misterio. Al menos hasta que alguna nueva evidencia arroje más luz sobre esto. Y, aunque algunas teorías son más probables que otras, la comunidad histórica no puede estar completamente de acuerdo con ellas. Por lo tanto, la cuestión de cómo exactamente los olmecas interactúan con sus vecinos permanece abierta por el momento, pero, sin embargo, es una pieza esencial del rompecabezas en la historia olmeca.

Capítulo 7 - Ejército Olmeca

En el capítulo anterior, se demostró que los olmecas no eran una sociedad expansionista y sedienta de sangre, sino más bien buscadores de riquezas y comerciantes amantes de la paz que evitaban ir a la guerra. Pero eso no debería llevar a la conclusión de que no tenían soldados ni armas. Incluso en las civilizaciones no violentas, tenía que haber algún tipo de ejército para protegerse de las amenazas e invasores extranjeros, especialmente si eran tan ricos como los olmecas. Algunos historiadores trataron de explicar la falta de fortificaciones defensivas y muros alrededor de los asentamientos olmecas como una señal de que no estaban amenazados en su feudo y por ellos concluyeron que el ejército olmeca en realidad no existía. Pero, después de más investigaciones, los arqueólogos encontraron evidencia que confirma que los olmecas tenían algún tipo de ejército, aunque todavía se debaten los detalles exactos sobre él.

Al igual que en la mayoría de las civilizaciones antiguas en todo el mundo, el ejército en la sociedad olmeca estaba vinculado a la élite y la clase dominante. Esto es más obvio en su arte, ya que los gobernantes a menudo se representaban usando cascos y llevando varios tipos de armas. Los que se oponen a la idea de la existencia de los ejércitos olmecas trataron de explicar este arte sugiriendo que esas armas y armaduras tenían un propósito más ceremonial y religioso, en lugar de práctico. Y es probable que el equipamiento militar tuviera cierta importancia ritual y fuera una señal de poder y prestigio. Pero otra evidencia sugiere que el equipamiento fue utilizado para algo más que su simbolismo. Por un lado, en algunas representaciones artísticas, los gobernantes olmecas están acompañados por hombres desnudos y atados. Estos probablemente fueron prisioneros de algún tipo de labor militar, ya que se encontraron los huesos quemados en algunas fosas de enterramiento. Se ha sugerido que eran restos de forasteros, ya que los olmecas enterraban a sus muertos. También es probable que creyeran, como la mayoría de las otras civilizaciones mesoamericanas, que la quema del cuerpo condenaría el alma del difunto. Entonces, para algunos historiadores, la explicación lógica de por qué un grupo grande de hombres adultos sería profanado así podría justificarse si fueran prisioneros de guerra, capturados durante una batalla por la élite gobernante.

Estas representaciones artísticas muestran claramente que los olmecas tenían un ejército real y que estaba en manos de la clase superior. Sin embargo, la falta de evidencia escrita limita nuestra comprensión de los detalles de cómo funcionaban exactamente sus ejércitos. Es por eso que, tal vez, la mejor fuente para una comprensión más profunda de este tema proviene de las armas olmecas que se encontraron en los yacimientos arqueológicos. En el período inicial de San Lorenzo, las armas más comúnmente usadas eran lanzas de madera templadas por fuego, que eran primitivas e ineficientes. Por lo tanto, es probable que se usaran principalmente para cazar en lugar de para la guerra. Pero, a medida que el asentamiento comenzó su edad de oro y expansión comercial alrededor de 1150 a.C., los olmecas también adoptaron una innovación importante en su equipamiento militar. Empezaron a usar puntas de obsidiana en sus lanzas, lo que las hizo más afiladas, con bordes más largos que también podrían usarse para cortar y apuñalar. A juzgar por algunas esculturas de ese período, los olmecas también adoptaron el uso de palos y mazas, que son tipos de armas de impacto más primitivas. Este es un paso importante, ya que, por primera vez, las armas se fabricaron con una aplicación exclusivamente marcial y no eran meras adaptaciones de las herramientas utilitarias cotidianas. Y, como con muchas otras cosas, podría argumentarse que los olmecas fueron los primeros en dar ese salto, dándoles una ventaja en la carrera armamentista de la antigua Mesoamérica.

Un rey olmeca sosteniendo un arma parecida a una maza.

Además de esas armas cuerpo a cuerpo, hay evidencia de que los olmecas también arrojaban lanzas y propulsores, que son unas herramientas para lanzar jabalina muy comunes en la región mesoamericana. Pero su uso parece ser limitado, ya que serían ineficaces en las luchas contra los invasores y en peleas más pequeñas, que probablemente fueron el tipo más común de batallas a los que se enfrentaron los olmecas. Además, el suministro de proyectiles se agotaría rápidamente, dejándolos completamente inútiles, especialmente en conflictos que están más alejados de su feudo. Pero probablemente más interesante es el hecho de que los olmecas no usaban ningún tipo de armadura. Sus soldados generalmente se representan sin ningún equipo de protección en sus cuerpos, a excepción de los cascos. Y los arqueólogos piensan que esos cascos probablemente eran más un símbolo de estatus que una protección funcional para la cabeza. No solo eso, sino que los guerreros olmecas nunca fueron representados llevando un escudo. Algunos historiadores creen que la razón detrás de esto es que necesitaban movilidad extra en el combate cuerpo a cuerpo, mientras que otros piensan que su tecnología aún no era lo suficientemente avanzada como para construir una armadura que ofreciera suficiente protección y, al mismo tiempo, no pesara demasiado. Algunos incluso argumentan que las armaduras en general no serían útiles contra los oponentes que utilizaban tácticas de ataque y retirada, que probablemente fueran el tipo más común de adversarios que los olmecas confrontaban. El uso de armadura se extendió por Mesoamérica solo cuando la mayoría de los ejércitos se volvieron más convencionales en su naturaleza, pero, en ese momento, los olmecas ya habían desaparecido en el olvido.

Sin embargo, los olmecas ofrecieron una contribución militar crucial más antes de desaparecer. Y esta fue la creación de otra arma nueva, un tirachinas, que apareció entre los olmecas durante el dominio de La Venta. Los arqueólogos no están seguros de si realmente fueron ellos quienes lo crearon o si lo adoptaron de alguna otra tribu, pero, a partir de la evidencia arqueológica que se encuentra diseminada por Mesoamérica, los historiadores creen que el tirachinas se extendió por toda la región gracias a los olmecas. En ese momento, era el arma de largo alcance más superior de la región. A diferencia del lanzamiento de jabalina, su munición era menos probable que se agotara, ya que se podían transportar pequeños proyectiles de piedra en grandes cantidades. Y podían reponerse prácticamente en todas partes, incluso en una expedición lejos de casa. Los tirachinas también tenían una velocidad de disparo mucho más alta que las lanzas. Sin embargo, la mayor ventaja de un tirachinas era su alcance, que, en el mejor de los casos, era de hasta 500 metros (aproximadamente 550 yardas).

Cuando tenemos en cuenta que los soldados mesoamericanos no estaban equipados con ningún tipo de armadura, un impacto de un solo proyectil de tirachinas podía ser bastante dañino, si no mortal, de aterrizar en el lugar correcto. Esta nueva arma dio una ventaja a las fuerzas olmecas tanto en acciones ofensivas como defensivas, y los historiadores piensan que también fue bastante útil contra las incursiones de ataque y retirada en caravanas mercantes.

El desarrollo del tirachinas seguramente cambió la estrategia militar que usaron los olmecas. Pero solo podemos dar conjeturas sobre la táctica exacta que podrían haber usado los guerreros olmecas porque no hay evidencia al respecto, ni siquiera en estatuas y tallados. La pregunta principal es si usaron algún tipo de formación cohesiva. De otros ejemplos alrededor del mundo, se sabe que los ejércitos que usaron armas de impacto como los olmecas a menudo tenían al menos algún tipo de formación simple que permitía al soldado centrarse en el enemigo frente a él mientras sus compañeros guerreros protegían sus costados y espalda. Es posible que los olmecas utilizaran una formación táctica simple que permitiera esto, pero la mayoría de los historiadores militares piensan que no es probable. Por un lado, sus oponentes no tenían ejércitos organizados y, muy probablemente, usaban estrategias de guerrilla, por lo que los olmecas no podían utilizar las ventajas de la formación táctica. Además, el hecho de que ya tenían una superioridad técnica significaba que los olmecas no tenían que preocuparse por aprender nuevas formas de guerra. Además, las formaciones requieren al menos algún tipo de entrenamiento militar. Y no hay evidencia convincente para eso. Por lo tanto, es mucho más probable que las batallas se libraran más en una escala individual. Comenzarían como una confrontación masiva entre dos ejércitos, pero, debido a la falta de tácticas organizadas, la lucha se dividiría en duelos entre dos soldados. Pero con la creación del tirachinas, es posible que se desarrollara un tipo de táctica primitiva donde los proyectiles primero fueran disparados en voleas y luego comenzara el combate cuerpo a cuerpo.

Además de las tácticas utilizadas, el tamaño del ejército olmeca también es un tema importante e interesante. Como la población olmeca total no era realmente tan alta, alcanzando la cantidad aproximada de trescientos mil en el corazón de su tierra según las estimaciones más optimistas, sus ejércitos no serían tampoco tan grandes. El segundo factor limitante fue el uso de nuevos tipos de armas. Requirió un poco de entrenamiento especializado para que un soldado dominara el arma en particular, y la gente común no podía solo desarrollar habilidades militares a partir de un uso utilitario de las herramientas. Esto significa que la guerra se convirtió en el negocio de la élite, que podía permitirse el lujo de ganar experiencia militar. La gente común jugó solo un papel secundario en el ejército. Con eso en mente, el ejército más grande posible que los olmecas podrían crear, al menos en teoría, podía constituirse de alrededor de cinco mil hombres. Y eso es si consideramos a todo el corazón de la tierra de los olmecas como la fuente para levantar el ejército, lo cual también era muy poco probable, ya que no existe evidencia de que los olmecas estuvieran unidos en un solo estado. En realidad, sus ejércitos eran mucho más pequeños que eso. Una razón más para justificar el número limitado de tropas olmecas era la necesidad de desarrollar la logística necesaria para mantener un ejército de mayor tamaño durante un período más prolongado o en una campaña de larga distancia. Esa era un área en la que, por muy avanzada que estuviera la sociedad olmeca, no era lo suficientemente eficiente.

Considerar todos estos hechos nos lleva a la conclusión de que la verdadera naturaleza del ejército olmeca estaba mayormente relacionada con las caravanas comerciales armadas. Por un lado, tanto los comerciantes como los guerreros provenían de la clase de la élite y, probablemente, realizaban ambas tareas al mismo tiempo. En segundo lugar, se trataba más bien de partidos pequeños cuyo principal objetivo era proteger los bienes. En tercer lugar, sus equipos y tácticas no fueron diseñados para batallas a gran escala, sino más bien para pequeños combates contra bandidos e invasores. En última instancia, el papel del ejército olmeca era protector, no expansionista. Pero se mantuvo lo suficientemente poderoso como para influir en sus socios comerciales y vecinos con la imagen de su fortaleza y capacidades. Con esa influencia, los olmecas pudieron expandir y mantener su red de comercio, haciendo que las élites locales de otras tribus estuvieran más dispuestas a cooperar con ellos, proporcionando un comercio más seguro que antes. Al final, incluso los militares giraron y evolucionaron en torno al comercio, que parece ser la columna vertebral de toda la civilización olmeca.

Capítulo 8 - Los Olmecas en Casa

Hasta ahora, nos hemos centrado más en cómo los olmecas interactuaban con sus vecinos y tribus circundantes. Pero ahora es el momento de hacer la pregunta de cómo estaba estructurada la vida y la sociedad de los olmecas. Estas preguntas son importantes para comprender a los olmecas y su historia. Especialmente considerando que la historia de la gente común a menudo se descuida involuntariamente en la historia antigua porque no era la fuerza motriz detrás de los eventos históricos sustanciales, lo que significa que dejaron menos rastro de evidencia detrás de ellos. Esta es la razón por la cual en este capítulo trataremos de descubrir tantos detalles acerca de los plebeyos olmecas como nos permitan los hallazgos arqueológicos.

La primera pregunta importante sobre los olmecas comunes es qué hacían para ganarse la vida, ya que sabemos que la élite se encargaba del comercio y las fuerzas armadas. No debería ser una gran sorpresa que, como la mayoría de los otros plebeyos en el mundo antiguo, las clases más bajas de la sociedad olmeca fueran principalmente agricultores trabajando en campos que se encontraban fuera de sus aldeas. Como mencionamos antes, cultivaban maíz, calabaza, frijoles, camote y mandioca. Además de los granjeros, había pescadores, que pescaban tanto en los ríos como en la Costa del Golfo, que traían pescados, cangrejos, tortugas, serpientes y mariscos. Como los mesoamericanos no desarrollaron el pastoreo hasta que llegaron los europeos, todavía tenían cazadores que les proporcionaban carne para complementar la dieta de vegetales y frutas. Cazaban conejos, zarigüeyas, mapaches, pecaríes (también conocidos como puercos de monte) e incluso venados. Además, cazaban pájaros también. Cabe mencionar que esos animales no eran utilizados solo por su carne, sino también por sus pieles y plumas, que se usaban en diversos productos y artesanías hechas por artesanos. Estas profesiones fueron la base de la sociedad olmeca sobre la que se construyeron todas las demás. Pero ellos fueron los estratos menos influyentes y, de alguna manera, estaban explotados y controlados por la clase de la élite que cogió los frutos de su trabajo para sí mismos y, al mismo tiempo, los hizo trabajar en su gran proyecto.

La gente común, en la mayoría de los casos, no vivía en las ciudades centrales como San Lorenzo o La Venta. En cambio, vivían en las aldeas que las rodeaban. Los pueblos comunes eran bastante pequeños, con chozas de madera dispersas y, en algunos casos, si el pueblo era lo suficientemente grande, incluso había un pequeño templo. Por lo general, buscaban terrenos más altos para construir sus aldeas y alrededor de ellos estaban los campos en los que trabajaban la mayoría. Por supuesto, sus casas de madera eran bastante modestas y pequeñas. Pero, generalmente, tenían un jardín cercano que se usaba para cultivar y para cocinar hierbas medicinales que necesitaban para la vida cotidiana. Además, la mayoría de ellos tenía cerca al menos un pozo de almacenamiento excavado que utilizaban para conservar alimentos, similar a la función de una bodega. Pero sus vidas gravitaron hacia el centro de la ciudad a la que estaba asociada su aldea, ya que eran los verdaderos centros sociales, políticos, económicos y religiosos de la sociedad olmeca donde vivía la élite. La naturaleza verdadera de la relación élite-plebeyos es desconocida para nosotros. No podemos estar seguros de si los aldeanos o la clase más alta eran propietarios de la tierra, ni de si los plebeyos pagaban tributos y, de hacerlo, cómo exactamente lo hacían. Y si pagaban, ¿cómo justificaba la élite los impuestos? ¿Pagaban por el uso de la tierra o por protección, ya fuera por ataques externos o por las élites mismas? ¿Estaba la subordinación de los plebeyos enraizada en la religión? Todo esto y mucho más aún nos es desconocido, y, en este momento, lo único que podemos hacer es simplemente suponer.

Otra clase distintiva, en un amplio sentido de la palabra, eran los artesanos, tanto aquellos que crearon las maravillosas piezas del arte olmeca, como los que crearon herramientas y armas, los constructores, etc. Probablemente residieron tanto en pueblos como en centros urbanos, pero ciertamente más en estos últimos. En una escala social, probablemente estaban un nivel por encima de los agricultores, ya que su trabajo involucraba mano de obra cualificada. Y, lo que es más importante, sus productos y artesanía fueron requeridos por la élite, lo que los hizo un poco más valiosos, especialmente considerando que eran menos numerosos que los granjeros. Mientras que algunos de ellos podían acceder a una forma de vida acogedora si eran realmente buenos en su oficio, de ninguna manera se situaban cerca de la élite. Ni siquiera podemos compararlos con la clase media de nuestro tiempo. Los artesanos definitivamente eran todavía una clase baja, no muy cercana a la élite, quienes muy probablemente los incluyeran en el grupo de los granjeros. Es por eso que la élite no tuvo problemas para explotar sus productos para su propio beneficio, como lo hicieron con los agricultores. Aunque, como hemos visto por la idea de exportar artesanos, si un artesano mostraba un nivel de habilidad lo suficientemente alto, podía obtener un considerable nivel de respeto de la clase superior, lo que claramente no era posible para los agricultores.

Se desconocen otros detalles sobre la vida cotidiana de los olmecas de clase más baja. Lo que podemos afirmar con cierto grado de certeza es que no había escuelas, ya que ni siquiera hay indicios de ello entre los hallazgos arqueológicos. Ni siquiera en los círculos de élite. Cualquier educación que obtuvieran provenía de sus familias y vecinos. La vida cultural y religiosa se centró en las ciudades, así como el comercio. Por lo tanto, los plebeyos de las aldeas vecinas tenían que viajar a las ciudades si querían participar en esas esferas de la vida. Además, al observar la escala de edificios y monumentos en los centros de las ciudades, podemos suponer que la élite tenía una forma particular de movilizar a los aldeanos para que participaran en esos grandes proyectos públicos. Algunos historiadores piensan que se hizo mediante el uso de la religión, mientras que otros lo asocian al uso de la fuerza. Otra posibilidad es que, como en algunas otras civilizaciones antiguas en todo el mundo, el trabajo público fuera una de las formas de pagar impuestos. Pero no todo era tan gris para los plebeyos olmecas. Como vivían en relativa paz, tenían vidas tranquilas, aunque muy trabajadoras. Cuando esto se compara con algunos otros ejemplos en la historia, no fue tan malo.

Otra parte de la vida cotidiana de los olmecas, que es bastante poco importante en comparación con otras de las que hemos hablado, aunque bastante interesante, es la ropa que usaban. Y, a diferencia de la mayoría de los otros temas, gracias a la evidencia arqueológica, podemos hablar del asunto con cierto rigor. Para los hombres, lo más común era llevar un simple taparrabos, generalmente sin ninguna decoración. Esto no es sorprendente teniendo en cuenta el clima cálido en el que vivían los olmecas. En algunos casos, sin embargo, usaban túnicas o mantos, muy probablemente en algunas ocasiones especiales, como ceremonias y rituales religiosos. Las mujeres también se vestían de forma bastante simple, usando solo vestidos y cinturones. Como la evidencia de esto yace en los tallados en piedra y otras formas de arte, ya que no se ha conservado ningún tejido real, solo podemos dar conjeturas sobre el material exacto con el que se hizo la ropa olmeca. Los candidatos más probables son el algodón y posiblemente, en algunos casos, el cuero. También parece que estos tipos de ropa eran los mismos tanto para la élite como para los plebeyos, con la diferencia de la calidad de los textiles y algunas sencillas decoraciones y colores.

Un tallado de una mujer olmeca.

Ahora bien, esto no significa que usted no pueda diferenciar a un miembro de la élite de un plebeyo si los ve uno al lado del otro. La distinción más grande y más obvia entre estas dos clases sería los tocados que usaba la élite. A diferencia de otros tipos de ropa, estos eran complejos y adornados con varias decoraciones como cuentas, plumas de pájaros y flecos. La suposición es que los ejemplos más grandes y majestuosos que se muestran en el arte olmeca estaban reservados para las ceremonias, mientras que en la vida cotidiana usaban algo que sería más similar a un simple turbante. También es bastante interesante observar que hay representaciones de sombreros con alas, que son bastante poco comunes en la Mesoamérica precolombina. La élite olmeca también se refleja comúnmente en el arte con varios adornos y joyas en ellos. Estos variaban desde clavijas para la nariz y las orejas, hasta pulseras y tobilleras, incluidos colgantes y collares. Estas piezas de joyería generalmente estaban hechas de jade y otras piedras preciosas, con la posibilidad de que, en algunos casos, los menos ricos las fabricaran con otros materiales perecederos como la madera.

Por desgracia, es hora de desviar nuestra atención de la historia divertida y emocionante de la moda y las baratijas para centrarnos en temas más serios. Tenemos que examinar los roles que jugó la élite olmeca en la vida cotidiana. Eran una clara minoría en la sociedad, como las élites que generalmente se encuentran en todas las culturas del mundo. Vivían casi exclusivamente en los centros de las ciudades, como Tres Zapotes o La Venta, donde disfrutaban de todos los beneficios de ser la clase dominante. Sus casas eran más grandes, construidas con materiales más duraderos que la madera y decoradas con varias piezas de arte. Y, a diferencia de las clases más bajas, no tenían que trabajar tan duro, y hasta se podría suponer que tenían sirvientes de algún tipo, aunque no hay indicios claros de esclavitud. Teniendo en cuenta que en las últimas culturas mesoamericanas la esclavitud no era común ni había desempeñado un papel importante, podemos suponer que tampoco era una parte importante de la sociedad olmeca. Otro beneficio de ser miembro de la élite era viajar. Gracias al comercio, no solo fueron capaces de acumular riqueza, sino que también viajaron por toda la región, lo cual no era algo que los plebeyos hicieran mucho. Con más tiempo libre, los miembros de la élite podían centrarse más en ceremonias religiosas, fiestas y también en aprender nuevas habilidades importantes. Considerando todo eso, sus vidas parecían ser bastante despreocupadas, con la única preocupación de cómo mostrar mejor su poder y riqueza y reafirmar su lugar en la cima de la jerarquía social.

Este es un buen momento para repetir una vez más que el poder de la élite sobre los plebeyos estaba arraigado en el control que ejercían sobre tres pilares: la religión, el comercio y el ejército. Con el desarrollo de armas más sofisticadas, el poder militar de la élite creció sustancialmente, porque, por un lado, solo la élite sabía cómo usarlas de manera competente. Además, esos nuevos tipos de armas eran algo que un agricultor común no podía permitirse. Como resultado, la élite olmeca se volvió distintivamente más fuerte que la clase baja. Eso hizo que la mayoría de las rebeliones de los plebeyos fueran inútiles. Y, a medida que el comercio crecía, se hacía más difícil para un plebeyo entrar en los círculos de comerciantes, si no imposible. Además, la riqueza permitió a la élite amasar más influencia y poder. Por ejemplo, hizo posible la conexión con las élites de otras tribus, lo que amplió su dominio político. Y como los ricos tuvieron más tiempo para practicar sus habilidades de lucha, la élite también expandió su dominio militar.

El último segmento, la religión, es donde las cosas se vuelven un poco menos claras. No podemos estar seguros de cómo y cuándo la élite asumió este poder. Algunos especulan que comenzó mucho antes de que los olmecas comenzaran a desarrollar su civilización. En aquellos tiempos, cuando los antepasados olmecas se pasaron a la agricultura por primera vez, cierto grupo de personas o individuos pudieron haber ganado un nivel de experiencia en el calendario. Con esa habilidad, podrían haber ayudado con la cosecha de alimentos, lo cual, a ojos de los demás, sería como si estuvieran hablando con los dioses a través de los cielos. O los primeros líderes religiosos vinieron de los primeros líderes militares que lograron victorias que beneficiaron a toda la comunidad y fueron considerados como mágicos. Otra posibilidad es que obtuvieran su reconocimiento divino cuando pudieron movilizar a otras poblaciones comunes para construir templos y santuarios.

Cualquiera que fuera la raíz de esto, es seguro que la élite olmeca tenía un papel religioso dogmático en su sociedad, lo cual no era poco común. Simplemente podemos volver nuestra mirada hacia el antiguo Egipto para establecer una comparación, donde el faraón era un dios en la tierra. Algunos han teorizado que los caciques olmecas tenían la misma justificación divina para su gobierno, pero esto es incierto. Con estas características en mente, algunos historiadores han tratado de etiquetar el gobierno de la élite olmeca como una forma de teocracia militar. Con eso se abrió el debate sobre si los olmecas habían desarrollado un estado o no. En este debate, hay dos bandos. Uno afirma que la sociedad olmeca no se difundió lo suficiente, con solo dos clases sociales, y que el dominio de la élite no estaba lo suficientemente definido. Con eso, querían decir que la élite no desarrolló un mecanismo de lo que creemos que es un gobierno apropiado. Esa parte de la comunidad de historiadores está más dispuesta a etiquetar el gobierno olmeca como un cacicazgo, que se ve como un tipo de autoridad de transición que evolucionó desde tribus igualitarias de la época prehistórica hacia un estado completamente desarrollado. El lado opuesto apunta a los principales proyectos públicos como prueba del firme control que la élite ejerció sobre las masas. La gran complejidad de la cultura olmeca es más que suficiente para que los historiadores concluyan que los olmecas sí tenían un estado. Pero no importa cómo lo etiqueten los historiadores, la autoridad de la élite era más o menos absoluta.

En cuanto al tema del dominio olmeca en su feudo, también hay una pregunta importante que debe ser respondida: ¿estaban los olmecas unidos en un solo estado/cacicazgo? Algunos historiadores creen que tenían que estarlo para lograr tal éxito, tanto en la difusión de su cultura como en el comercio. La falta de fortificaciones defensivas y signos de serias batallas en el corazón de la tierra de los olmecas indican que vivieron en paz los unos con los otros (también se esperaría alguna forma de enfrentamiento militar si no hubiera una unidad política entre ellos). Pero, por otro lado, no hay indicaciones claras de que los principales centros urbanos estuvieran de alguna manera conectados políticamente. La conexión a través de la cultura es evidente, pero volviendo a la antigua Grecia y a los mayas, uno puede ver que compartir una cultura no significa necesariamente un estado unificado. Es por eso que algunos historiadores tienden a creer la idea de que los olmecas se dividieron en varias ciudades-estado más pequeñas. Evidentemente, los lazos estrechos entre esas ciudades-estado podrían identificarse como la alianza entre las élites, posiblemente incluso con matrimonios arreglados. Y si esas alianzas estuvieran interconectadas, también existe la posibilidad de que los olmecas tuvieran incluso una especie de asociación de ciudades-estado. La conexión de ese tipo les ayudaría a presentar un frente más unificado hacia todos sus vecinos, ayudándoles con el comercio. Al mismo tiempo, la asociación ayudaría a mantener la paz entre las ciudades-estado, explicando la falta de fortificaciones.

Capítulo 9 - Religión y Creencias de los Olmecas

Como se dijo en capítulos anteriores, la religión desempeñó un papel esencial en la sociedad olmeca. Fue una fuente que legitimó el mando de las élites. Y hemos visto que los centros de las ciudades también se usaron como centros ceremoniales y religiosos. Esta posición les dio un enorme prestigio y atrajo multitudes de otros asentamientos para venir y rendir sus respetos con ofrendas y oraciones. Pero, ¿cómo se estructuraba la religión de los olmecas? ¿En qué creyeron? Afortunadamente para nosotros, los olmecas nos dejaron huellas en su arte, así como en las religiones de sus sucesores, los mayas y los aztecas. Aunque no tenemos el conocimiento exacto de sus rituales, tenemos una idea general de en qué creyeron.

Se ha aceptado generalmente que los gobernantes olmecas desempeñaron una parte importante, si no central, en las prácticas religiosas. Incluso pueden haber sido considerados como una representación de dios(es) en la tierra. Junto a ellos, también había sacerdotes a tiempo completo, cuya única preocupación era mantener los rituales, realizar ceremonias y apaciguar a los dioses. Estaban casi indudablemente conectados con los templos, como en otras civilizaciones antiguas. Uno de sus trabajos como sacerdotes también era conectarse con los poderes espirituales a través de diversas disciplinas, como la meditación, el ayuno e incluso autolesiones ritualistas. Algunos estudiosos incluso llegan a afirmar que los olmecas también practicaron sacrificios humanos, a pesar de que no hay pruebas contundentes de ello. Es posible que el ritual de autolesionarse de los olmecas fuera un trampolín hacia el sacrificio humano de las culturas mesoamericanas posteriores. Pero es evidente que la religión estaba mayoritariamente centralizada y giraba alrededor de los templos en los principales centros de las ciudades.

Posiblemente, hay una última figura religiosa en la sociedad olmeca, y ese es el chamán. Probablemente eran residuos de la religión no organizada de sus antepasados, vinculados más con los plebeyos. Y, a diferencia de los sacerdotes, es probable que cada pueblo y comunidad tuvieran uno. Se desconocen sus prácticas exactas, pero después de observar a otros pueblos indígenas de las Américas, los eruditos piensan que probablemente se centraban en alterar el estado mental humano con alucinógenos, tratando de trascender la conciencia humana y conectarse con animales como el jaguar. Es por eso que algunos arqueólogos piensan que llevaban máscaras que representaban el hombre-jaguar, una mezcla de humano y jaguar, que, como ya sabemos, era un motivo común en el arte olmeca. Algunos también vinculan a estos chamanes con astrónomos y astrólogos, o incluso posiblemente con los curanderos. Pero está claro que se centraron en ayudar a su comunidad en la vida cotidiana.

Basándonos en la evidencia que tenemos, los chamanes eran algo opuestos a los sacerdotes de la ciudad. Los sacerdotes se centraban en las cuestiones más amplias de la religión, encargadas de complacer a los dioses, practicar ceremonias y dar y recibir las ofrendas. Su papel estaba en el esquema más grandioso del universo. Los chamanes, por otro lado, no se centraban en orar a los dioses tanto como tratar de entender e interpretar su acción. Se centraban en problemas más pequeños que a gran escala no eran tan importantes para toda la sociedad olmeca. Pero jugaron un papel importante en las comunidades locales. Podemos suponer que, a medida que la civilización olmeca se hacía más fuerte y se desarrollaba más, el equilibrio entre chamanes y sacerdotes cambió. Al principio eran igualmente importantes, al menos para la gente común. Pero, en períodos posteriores, cuando los sacerdotes adquirieron sus grandes templos y ganaron más autoridad, así como el monopolio de los asuntos religiosos, la importancia y el prestigio de los chamanes disminuyeron. Es algo que es común para todas las civilizaciones tempranas del mundo durante el proceso de avanzar hacia lo que hoy llamamos religión organizada.

Tras haber tratado el tema de los rituales y la ceremonia, ahora nos toca ver en qué y en quien creían los olmecas. Sabemos que fueron politeístas, que creyeron en una serie de dioses, aunque no sabemos sus nombres exactos. Su visión del universo era a través de la energía y el espiritualismo vinculados estrechamente con los animales. Eso es evidente por el hecho de que sus dioses tenían formas de diferentes animales, a veces incluso mezclados con humanos o con otros animales. Sus roles exactos como dioses son una cuestión de especulación, pero, ciertamente, estaban vinculados a diversos fenómenos naturales que eran esenciales para preservar la vida, como el sol o la lluvia. Como se mencionó anteriormente, el hombre-jaguar fue el más representado en el arte olmeca, lo que llevó a muchos arqueólogos primitivos a reconocerlo como la deidad más importante de los olmecas. Pero, recientemente, más eruditos lo ven como a un igual en el panteón olmeca de los dioses. El papel más ampliamente aceptado del hombre-jaguar es como el de la deidad de la lluvia, pero algunos también lo vinculan con la conquista militar y/o sexual. Es cierto que el jaguar era un animal que jugó un papel importante en la vida de los olmecas. Era un depredador feroz, que cazaba tanto de día como de noche, lo que daba la sensación de poder natural. También parecía representar la unificación de tres elementos: agua, aire y tierra. Ese simbolismo proviene del hecho de que vivían en la selva, donde se sentían cómodos caminando por el suelo, nadando en los ríos y trepando hasta los árboles. Es posible que los olmecas quisieran emular esa energía y es por eso que la veneraron tanto.

Otra deidad importante era la serpiente emplumada o con penacho. Esta iconografía puede ser reconocible para aquellos que han oído hablar de Quetzalcoatl de los aztecas o Kukulkan de los mayas. Muchos especulan que estas dos culturas adoptaron esta deidad de la tradición olmeca. De estas sociedades posteriores, sabemos que respetaron a la serpiente emplumada como al creador de la humanidad, así como a un héroe que desempeñó un papel mesiánico, prometiendo llevar a los humanos a un futuro mejor. Curiosamente, fue capaz de turnar sus roles entre un dios, un héroe humano y un mito intangible. Incluso su mezcla de serpiente y ave representaba su importante dualismo y capacidad de cambio. Un pájaro representaba más atributos divinos. Debido a que puede volar puede estar cerca del cielo. Y el vuelo era una representación de sus virtudes divinas. Pero una serpiente representaba atributos más sencillos, menos virtuosos y más humanos. La razón de ese tipo de simbolismo era el hecho de que la serpiente se arrastraba por el suelo y la tierra, lejos de la divinidad del cielo. Ese dualismo representaba la idea de transformación e inconsistencia en la vida. Pero, al mismo tiempo, estar constantemente a su alrededor representaba algunos aspectos más permanentes de la vida que no pueden transformarse tan fácilmente. Aunque es evidente que reverenciaron a este dios, su importancia para la cultura olmeca es incierta. Como en algunas civilizaciones mesoamericanas posteriores, la deidad de la serpiente emplumada era la más significativa en el panteón, que incluso estaba divinamente vinculada con los gobernantes, por lo que algunos pensaron que también era importante para los olmecas. Es por eso que, en los períodos más tempranos de la investigación olmeca, algunos arqueólogos creían que los gobernantes olmecas se identificaban con este dios en particular. Pero ahora no todos están tan convencidos, ya que esta deidad no es tan frecuente en el arte olmeca, y no hay signos de su prestigio entre otros dioses.

La representación más antigua de serpiente emplumada en Mesoamérica encontrada en La Venta.

Había muchos otros dioses también dentro del panteón olmeca. Había una deidad del maíz que comúnmente se representa con una hendidura en la cabeza, con el maíz brotando de ella. En algunos casos, también gruñía como un jaguar, mostrando una vez más la misteriosa conexión que los olmecas tenían con este animal. Por lo general, a la par del dios del maíz está el dios del agua, que parece un hombre-jaguar bebé. El dios del agua estaba conectado a toda el agua, incluidos los lagos y ríos. Parecen estar emparejados porque el maíz y el agua fueron la fuente de supervivencia de los olmecas. También reverenciaron a un tiburón antropomórfico o criatura de pez. Es reconocible por sus ojos en forma de media luna y un diente de tiburón. Algunos piensan que era el dios del inframundo. Otra deidad importante era el llamado dragón olmeca, que es un dios de aspecto de cocodrilo, al que se le añadían ocasionalmente rasgos de humano, jaguar o águila. Parece que representaba a la tierra y la fertilidad. Como tal, estaba conectado a la agricultura, la fertilidad y el fuego. Por supuesto, hay más dioses que los eruditos aún no han identificado o señalado, pero estos ejemplos parecen ser los más importantes.

Pero el nivel de su importancia para la sociedad olmeca aún no es del todo cierto. Algunos eruditos anteriores incluso dudaron sobre si estas eran representaciones verdaderas de los dioses en los que los olmecas creían, aunque esa es la teoría actualmente aceptada. Las conexiones de las deidades y sus roles son, en algunos casos, conjeturas basadas en conexiones con culturas posteriores y sus religiones. Incluso sus lazos mutuos son inciertos. Sin embargo, el mayor misterio de las creencias olmecas sigue siendo el asunto del hombre-jaguar y su importancia para los olmecas. Pero no importa cuál sea la verdad detrás de estos seres sobrenaturales que fueron un motivo tan importante del arte olmeca y su foco de reverencia, una cosa es cierta: sus creencias religiosas formaban un sistema complejo y estructuralizado. Y de la capacidad de compararlos con deidades similares de otras civilizaciones mesoamericanas posteriores, así como del hecho de que algunos de sus santuarios fueron adorados por personas mucho después de que se hubieran marchado, los eruditos concluyeron que las creencias olmecas se convirtieron en la base de otros que habitaban la misma región. Aunque esto no debería ser una sorpresa, en la antigüedad, los dioses se compartían entre las civilizaciones como cualquier otra idea.

Capítulo 10 - Innovación Cultural de los Olmecas

Se ha mencionado en muchos lugares cómo los olmecas pudieron influir en sus sucesores de numerosas maneras, creando una base de la cultura mesoamericana en su conjunto, desde las redes comerciales y un gobierno teocrático hasta la religión y el arte. Esa fue una hazaña notable por sí misma. Pero también parecen ser responsables de bastantes innovaciones culturales importantes que, en períodos posteriores, se convirtieron en las mismas cosas que la mayoría de la gente identifica con la Mesoamérica precolombina. Y algunos de estos aún son inconfundiblemente parte de la cultura mesoamericana actual. Estas innovaciones culturales son probablemente las mismas cosas que justifican la idea de que los olmecas son la cultura madre de todas las demás en la región mesoamericana, lo cual es otra prueba de su poder e influencia.

Arquitectónicamente hablando, probablemente los edificios más icónicos que se contemplan en las culturas mesoamericanas son las pirámides. Solo un poco menos famosas que las pirámides encontradas en Egipto, estas creaciones mesoamericanas han estado en el foco tanto de eruditos como de turistas durante mucho tiempo. Pero la mayoría de personas las asocian primero con mayas y aztecas. De hecho, han construido algunas de las piezas más impresionantes, pero, como ocurre con muchas otras cosas, solo han perfeccionado algo que los olmecas comenzaron. Una de las pirámides más antiguas y más grandes, al menos en el momento de su construcción, se encuentra en La Venta. En realidad se la considera como la estructura central de todo el asentamiento. Hoy, después de 2500 años de erosión, lo único que queda de ella es un montículo, ya que fue construida con arcilla que tiene una forma ligeramente cónica. Al principio, hizo que los arqueólogos pensaran que fue construida deliberadamente de esa manera para imitar las montañas cercanas. Pero estudios recientes han demostrado que eran similares a las pirámides de sus sucesores. Cuando aún se alzaba en su forma original, era una pirámide propiamente rectangular con lados escalonados y esquinas incrustadas. Al tener 34 metros (110 pies) de altura, era el edificio más grande de ese asentamiento, y tal vez incluso de todo el mundo olmeca. Es por eso que los arqueólogos lo han bautizado acertadamente "La Gran Pirámide".

El uso real de las pirámides en la civilización olmeca todavía se debate. En un lado del debate se sitúan los eruditos que piensan que estas pirámides son templos, al igual que las pirámides mayas y aztecas. Creen que los olmecas las construyeron para estar más cerca del cielo y los dioses cuando realizan rituales y ceremonias religiosas. En el otro lado del debate, la teoría menos popular sugiere que eran tumbas, como las del antiguo Egipto. La evidencia que respalda esto es el hecho de que un estudio de un magnetómetro encontró una anomalía muy por debajo de un estimado de 100.000 metros cúbicos (3.5 millones de pies cúbicos) de tierra que llena la Gran Pirámide. Especulan que podría ser un lugar de descanso de un gobernante importante. Otra evidencia que respalda esta teoría es el hecho de que los arqueólogos han encontrado túmulos funerarios con formas similares que son considerados como precursores de las pirámides. Aunque eso puede ser cierto, la pregunta sigue siendo: ¿por qué una tumba sería el foco central de toda la ciudad? Algunos investigadores explican que la anomalía es simplemente un subproducto no intencional del proceso de construcción o una ofrenda construida sobre la base del templo para complacer a los dioses. Cualquiera que sea la verdadera función de las pirámides en la sociedad olmeca, el hecho es que estuvieron entre los primeros en construirlas y, a través de su influencia, fueron cruciales para difundirlas por toda la región.

Lo que queda de la Gran pirámide en La Venta.

Las pirámides han desaparecido prácticamente de las culturas mesoamericanas. Pero otra innovación olmeca estaba tan entrelazada con la vida cotidiana que sus rastros podrían estar conectadas con el hecho de que uno de los deportes más populares en esta región es el fútbol (soccer). Eso no debería sorprender, teniendo en cuenta que en la época precolombina jugaban un juego de pelota mesoamericano, que es bastante similar al fútbol, y cuyos primeros signos se pueden encontrar en los yacimientos olmecas. El juego se jugó en casi todas las civilizaciones de Mesoamérica, pero con las reglas y los detalles exactos que varían de una cultura a otra y de un período de tiempo a otro. Incluso hoy en día, en ciertas áreas de México, la gente todavía juega un juego llamado Ulama, que proviene de la versión azteca del juego. La característica universal de todas las variaciones del juego era la pelota de goma con la que se jugaba, aunque variaba en tamaño. Las pelotas de goma más antiguas provenían de El Manatí, un asentamiento cercano a San Lorenzo. Estas pelotas fueron fechadas alrededor del

1600 a.C. Otra evidencia también corrobora esta idea, como la cantidad de figuritas de peloteros encontradas en San Lorenzo, desde 1200 a.C. El hecho de que las pelotas se encontraran en un pantano de sacrificio y que cerca de él los arqueólogos encontraran un "yugo", que es una estatua en forma de letra U al revés, hecha de piedra. Eso, que usualmente está conectado con el juego de pelota mesoamericano, llevó a los eruditos a concluir que estas pelotas no eran solo una ofrenda de sacrificio. Por el contrario, creen que el juego se jugó cerca del sitio en una especie de ritual religioso de algún tipo.

La evidencia encontrada en las culturas que vinieron después de los olmecas confirma que el juego era de naturaleza religiosa y recreativa. Era una parte esencial de la vida de la ciudad, normalmente practicado en canchas especiales construidas exclusivamente para el juego. Y si bien la importancia de este juego en la vida social de la región es indudable, existe un gran debate sobre otro aspecto de la misma. Se trata de la posibilidad de que el sacrificio humano fuese parte del juego de pelota mesoamericano. Comúnmente se considera que en la sociedad maya el juego terminaba con el bando perdedor, o al menos su capitán, siendo asesinado ritualmente. Algunas teorías incluso vinculan esto con el juego que se utilizaba para resolver agravios municipales y conflictos entre ciudades. Pero, hasta ahora, no se han encontrado pruebas en los yacimientos olmecas, lo que lleva a los expertos a creer que jugaron una versión más pacífica del juego. Sin embargo, su simbolismo e importancia religiosa en la sociedad olmeca es cierta. Pero todavía se cuestiona cómo exactamente estaba conectado a sus creencias. Como se jugó con dos equipos compitiendo entre sí, algunos lo ven como una representación ritual de la lucha del día y la noche o la vida y el inframundo. Otros concluyeron que la pelota representa tanto el sol, que es más probable, como la luna. Y se suponía que los aros de puntuación, a través de los cuales supuestamente debía pasar la pelota por un punto, representaban equinoccios, amaneceres o puestas de sol. La última conexión posible es la fertilidad, ya que algunas de las figuras del jugador de pelota del período se encontraron adornadas con símbolos de maíz. Y algunas de esas figurillas parecen ser representaciones de mujeres. Ambos están a menudo conectados con la fertilidad en el mundo olmeca, así como en otras culturas mesoamericanas.

Hay otra innovación cultural que seguramente está conectada con la fertilidad, y ese es el calendario mesoamericano de Cuenta larga, popularmente conocido como el calendario maya. La característica más llamativa de ese calendario es que gira en torno a los ciclos. El ciclo más corto es K'in, un solo día, mientras que la mayoría de las medidas se detienen en el quinto ciclo, B'ak'tun, que tiene aproximadamente 394 largos años. Curiosamente, el ciclo más largo encontrado es el noveno, llamado Alautun, que es un poco más de sesenta y tres mil años. Esa naturaleza cíclica del calendario mesoamericano hizo creer a mucha gente que el final de un ciclo significaba el fin del mundo, lo que condujo al frenesí de los medios en 2012 sobre el apocalipsis. Por supuesto, esa idea errónea del final del mundo surgió tras realizar una interpretación incorrecta de un antiguo texto maya que mencionaba que un viejo mundo termina y surge uno nuevo, lo que significa que comienza un nuevo ciclo después del final del decimotercer B'ak'tun, que terminó el 21 de diciembre de 2012. Por otro lado, el punto de partida de este calendario es 3114 a.C., cuando se traduce a nuestro calendario. Por eso se considera que los mesoamericanos creían que el mundo en el que vivían se creó en esa fecha. Pero, en este punto, debe señalarse que este calendario no fue de creación maya; se utilizó en toda la región, y varios hallazgos arqueológicos relacionados con el calendario mesoamericano de Cuenta larga preceden a los mayas por varios siglos. Y algunos de los primeros descubrimientos están relacionados con los olmecas.

Uno de los calendarios más antiguos se encontró en el yacimiento de Tres Zapotes, que se encuentra en el corazón de la tierra de los olmecas y que durante algún tiempo formó parte de la civilización olmeca. Pero también es uno de los pocos asentamientos más grandes que sobrevivió a la civilización olmeca tal como lo vemos hoy en día. El calendario encontrado en ese sitio data aproximadamente del 32 a.C., que es anterior al ascenso de los mayas en al menos 300 años. Pero como se encontró en el asentamiento que en algún momento fue parte de la cultura olmeca, algunos lo ven como una conexión directa con esa civilización. Se han encontrado otros dos calendarios de la misma edad en la costa del Pacífico guatemalteco y en el estado mexicano sureño de Chiapas. Ambos son similares en edad al encontrado en Tres Zapotes. Su vínculo con los olmecas es más indirecto. Estos calendarios estaban decorados al estilo olmeca, no al estilo mayas, pero también estaban en muchos otros aspectos muy alejados de los olmecas. El mayor problema con esta teoría del calendario mesoamericano de origen olmeca es el hecho de que todos estos calendarios fueron creados unos 300 años después de que la civilización olmeca se hubiera marchitado, pero ese no es el último clavo en el ataúd, ya que podría haber algunos calendarios más antiguos que todavía no se hayan encontrado. Y sus lazos indirectos con los olmecas son incuestionables. Al mirar otras innovaciones importantes y avances culturales que se derivaron de esta civilización, combinados con esta evidencia circunstancial, no es tan improbable que fueran los olmecas los primeros en crear el calendario, o al menos crear la base para ello. Pero hasta ahora, la mayoría de los eruditos tienden a dejar abierta la pregunta del origen del calendario mesoamericano hasta que se encuentren pruebas más concretas.

El calendario mesoamericano parece bastante extraño para casi toda la gente hoy en día porque la mayoría está acostumbrada al sistema de conteo de la base 10, también conocido como el sistema decimal, que se usa hoy en todos los sistemas de medición. Por otro lado, los mesoamericanos usaron la base 20 en matemáticas. La excepción para este uso es el tercer ciclo, que fue de 360 días, y se basó en el número 18, que lo más probable se correspondería más o menos con la longitud de un año solar. Pero uno de los hechos más interesantes relacionados con el calendario de la cuenta larga es el uso del cero. Ese número se considera generalmente como un paso esencial en el desarrollo cultural y científico, ya que es un signo de pensamiento intelectual desarrollado y también tiene una aplicación práctica en muchos ámbitos de la vida. Cuando los mesoamericanos necesitaron representar la ausencia de un número, usaron un glifo similar a un caparazón, que, en esencia, era un símbolo para la nada, matemáticamente hablando un cero. La invención mesoamericana del cero ocurrió al menos unos pocos cientos de años antes de que los árabes y los hindúes lo introdujeran. Y, si conectamos la invención del calendario Cuenta Larga con los olmecas, podrían convertirse en los primeros en usar el concepto de cero. Por supuesto, esta afirmación está directamente relacionada con el debate sobre si el calendario mesoamericano era realmente un calendario olmeca.

Otro acalorado debate sobre las contribuciones de los olmecas es si habían desarrollado la escritura, que se considera fundamental para formar una civilización exitosa. Una placa de piedra encontrada cerca de San Lorenzo, llamada el Bloque Cascajal, contiene 62 glifos. Algunos de estos símbolos se parecen al maíz, las piñas, los insectos y los peces, mientras que otros parecen ser más abstractos, ya que parecen cajas y manchas. Esto, para algunos eruditos, representa claramente un sistema de escritura, incluso siendo así de rudimentario. Y, como estaba fechado entre el 1100 y el 900 a.C., muestra que los olmecas habían logrado una alfabetización básica mucho antes que otros en Mesoamérica, con la escritura no olmeca más antigua datada alrededor del 500 a.C. Pero como con todos los demás aspectos de la civilización olmeca, este es también un tema debatido. Para algunos arqueólogos, estos símbolos son demasiado desorganizados, sin muchas similitudes con otros sistemas de escritura mesoamericanos. Entonces, en lugar de un ejemplo de escritura, sugieren que estos glifos podrían tener un significado individual y no están respectivamente conectados en un significado superior. Y si no están conectados, entonces son solo una compilación de símbolos, no un lenguaje escrito. Y algunos de ellos son similares a los símbolos que se encuentran en algunas piezas de arte olmeca, donde se han descrito como puramente decorativos. Esto también podría indicar que el Bloque Cascajal podría tener alguna función ornamental en lugar de un uso práctico de transmitir un mensaje. Pero incluso si estos glifos no son un sistema de escritura claramente desarrollado, al menos indicaría un tipo de formación similar.

Otra evidencia arqueológica encontrada en San Andrés, un asentamiento cerca de La Venta, es una señal mucho más clara de que los olmecas tenían su propio sistema de escritura. Tres artefactos, de los cuales un sello de cilindro de cerámica es el más importante, databan del 650 a.C., que todavía tiene unos 150 años más que la escritura mesoamericana más antigua actualmente confirmada. El sello contiene tres glifos cuando se combinan de una manera que los mesoamericanos posteriores, sobre todo los mayas, solían usar para representar el nombre del gobernante. Además del sello, se han encontrado dos pequeñas placas de piedra verde, ambas con un solo símbolo (diferente) cada una. Pero los dos símbolos se han conectado a glifos bien documentados en otros sistemas de escritura mesoamericanos, especialmente, una vez más, los escritos mayas. Para los arqueólogos que están de acuerdo con la teoría de la escritura olmeca existente, esta es una clara evidencia de ello, que cuando se conecta con el Bloque de Cascajal, da una sensación de continuidad y desarrollo del sistema de escritura olmeca. Cuando se compara con las tradiciones del sistema de escritura maya, indica que la escritura olmeca, por rudimentaria que haya sido, estableció la base sobre la que todas las demás civilizaciones mesoamericanas construyeron sus propios escritos. Este sería otro testimonio de la importancia de los olmecas en el desarrollo de toda la región mesoamericana.

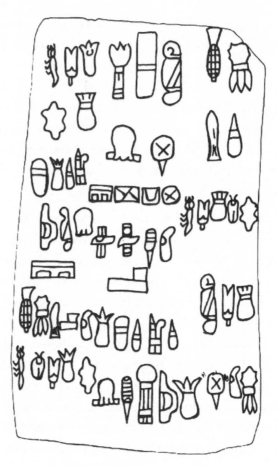

Un dibujo del Bloque Cascajal

En la actualidad, uno de los alimentos más icónicos vinculados con México y la región mesoamericana son las tortillas, principalmente las que están hechas de maíz. Ese tipo de comida se ha elaborado en este área desde antes de que llegaran los españoles, que en realidad le dieron el nombre de cómo le llamamos en la actualidad, ya que tortilla en español significa un pequeño pastel. En el idioma náhuatl azteca, se llama tlaxcalli, lo que significa algo cocido. No podemos estar seguros de cómo los olmecas la llamaron, pero sabemos que le dieron un nombre. La evidencia de esto radica en los hallazgos arqueológicos de comales, planchas de cerámica en las que las tortillas se cocinaban tradicionalmente. Lo interesante es que no se encontraron comales en el sitio de San Lorenzo. Pero en La Venta sí se han encontrado comales, aunque no eran tan comunes en el corazón de la tierra de los olmecas. Pero como muchas otras cosas, se encontraban más comúnmente en los sitios con influencia olmeca. Esto significa que era probable que tanto comales como tortillas se hubieran desarrollado en el período posterior de la civilización olmeca. Por supuesto, esto no prueba nada concluyentemente; es posible que hayan utilizado esas planchas de cerámica para preparar otros tipos de alimentos y que luego se hayan adaptado para hacer tortillas.

Por otro lado, aunque tradicionalmente las tortillas se han hecho en comales, en sus formas más primitivas podrían haberse hecho de alguna otra manera, lo que sugeriría que las tortillas podrían ser más viejas que los olmecas. Pero incluso si no inventaran las tortillas, podrían haber perfeccionado la forma en que fueron hechas. Claramente, las tortillas jugaron un papel importante en el desarrollo de Mesoamérica. A primera vista, algunas personas pueden verlo tan solo como un alimento, sin más implicaciones que la cultura gastronómica. Las tortillas tienen la ventaja de mantenerse frescas y comestibles durante al menos varios días. Además, eran preparadas y transportadas con bastante facilidad. Eso habría mejorado la logística militar y de viaje de los olmecas, facilitando la organización y la ejecución de los viajes más largos. De esa manera, las tortillas pueden haber sido cruciales incluso para la expansión de la red comercial olmeca en el período de La Venta, haciéndola más grande y más compleja que antes. Y debido a que los comerciantes olmecas casi seguro las llevarían a sus viajes, podemos concluir que también se extendieron a través de Mesoamérica, por lo que es un alimento popular en la región. Por lo tanto, incluso si no inventaron o incluso mejoraron las tortillas, es probable que los olmecas hayan jugado un papel crucial en la difusión de su uso a otras civilizaciones mesoamericanas.

Continuando con la historia culinaria, hablar de Mesoamérica y no mencionar el cacao y su uso sería un gran descuido. El cacao era una parte esencial de todas las culturas mesoamericanas, con una amplia variedad de aplicaciones en la vida cotidiana. Hicieron varios tipos de bebidas a partir de él, lo usaron en ceremonias religiosas y, en algunos momentos durante la historia de la región, también se utilizó como moneda. Y el uso del grano de cacao se remonta a los tiempos de los olmecas. La evidencia de esto radica en las vasijas encontradas en varios asentamientos olmecas que, después de las pruebas, mostraron rastros de residuos de cacao en ellas. Esto confirmaría que los olmecas bebían una de las variaciones de las bebidas de cacao, lo que pondría a su civilización en el concurso de ser la primera en hacerlo. El hecho de que el árbol de cacao crece naturalmente en el corazón de la tierra de los olmecas también ayuda a esta hipótesis. Era solo cuestión de tiempo antes de que a alguien se le ocurriera alguna forma de usar su fruto.

De las vasijas encontradas, los eruditos están seguros de que al menos una de las formas en que los olmecas usaban el cacao era para hacer bebidas. Pero algunos también piensan que lo usaron de maneras más espirituales y ceremoniales, vinculando su uso desde el principio a la religión, como se usó en las posteriores civilizaciones mesoamericanas, pero los arqueólogos no pueden estar seguros de ello. El tercer uso común del cacao como moneda parece poco probable en el caso de los olmecas. No solo no hay evidencia del cacao siendo usado como tal, sino que tampoco hay evidencia de una moneda de ningún tipo siendo usada, aunque los olmecas hayan comerciado con y para el cacao, y su uso como moneda en los últimos períodos de la historia mesoamericana surgió de ese comercio. La mayor prueba del papel crucial que jugaron los olmecas en hacer del cacao una parte especial de la cultura mesoamericana yace en la misma palabra cacao. La palabra que usamos hoy es una transcripción en español de la palabra maya cacaw, que era como llamaban al cacao. Pero los mayas recibieron la palabra del idioma olmeca, donde esta planta se llamaba kakaw, según el trabajo de los lingüistas mesoamericanos. Eso solo es suficiente para dar a entender cuán importantes fueron los olmecas para la difusión del cacao y su uso en la región. Pero también en una perspectiva más amplia; muestra que esta civilización no solo influenció a las civilizaciones mesoamericanas, sino que con esta palabra logró influenciar la cultura mundial de la era actual, ya que aún hoy en día amamos y usamos el cacao, y. además, todavía usamos el nombre olmeca para designarlo. Y otros ejemplos en este capítulo también apoyan la idea de que la influencia olmeca estaba mucho más difundida de lo que usualmente se les atribuye.

Capítulo 11 - Los olmecas, ¿una cultura madre de Mesoamérica?

En este libro, incluso desde su título, el objetivo ha sido celebrar a los olmecas como una de las civilizaciones más antiguas, si no la más antigua, en Mesoamérica. Y a lo largo de las páginas, la tendencia general de los capítulos ha sido presentar todas las formas en que los olmecas han influido tanto en sus contemporáneos como en sus sucesores. Incluso cuando se han considerado las teorías en contra de esta noción, la idea de que la civilización olmeca es una cultura madre de toda Mesoamérica debería ser obvia. Y muchos eruditos están de acuerdo con esto, aunque en diversos grados. Pero también hay quienes están completamente en contra. Y este capítulo está dedicado al lado negativo de este importante debate, ya que el lado positivo se ha entretejido en todos los capítulos anteriores.

Al considerar a los olmecas como una cultura madre de la región, la religión parece ser la parte donde la influencia de los olmecas es la más débil. En capítulos anteriores, se ha mencionado que sus creencias influenciaron a otros lo suficiente como para respetar tanto a los lugares sagrados olmecas como a algunos de sus dioses. Algunos eruditos, sin embargo, creen que también es posible que estas creencias religiosas no fueran únicamente olmecas. Es posible que, en realidad, sean anteriores a los olmecas.

Estas creencias podrían haber venido de los prehistóricos mesoamericanos que, debido a que vivían en las mismas regiones, comenzaron a adorar a los mismos seres sobrenaturales y animales, atribuyéndoles conexiones similares a los fenómenos naturales en un intento de explicarlos. Con el contacto continuo entre las diferentes tribus, sus creencias se volvieron más parecidas hasta el punto en que parecían casi iguales. En este sentido, algunos eruditos creen que la religión y la mitología de Mesoamérica no evolucionaron a partir de las creencias olmecas y que, en cambio, fueron simplemente uno de los muchos ladrillos en la pared.

Y, como hemos visto, gran parte de su arte proviene de su religión. Entonces, el tema relacionado con la influencia cultural y artística que los olmecas tuvieron en Mesoamérica a través de los tiempos también está abierto a debate. Como se mencionó en capítulos anteriores, el consenso entre los historiadores es que el estilo de los olmecas fue copiado por otros cacicazgos y civilizaciones, difundiendo las características de la cultura olmeca en toda la región. Pero, contrariamente a esa idea, algunos eruditos creen que esta explicación del mimetismo es incorrecta. Al igual que con la religión, piensan que estas similitudes en el arte, que la mayoría ha visto como una copia del estilo olmeca, están enraizadas en la unidad cultural de toda la región, anterior a los olmecas. Creen que casi todas las personas que vivieron en Mesoamérica tenían la misma estética y las mismas creencias, y sin la influencia extranjera hicieron arte con solo diferencias menores, casi imperceptibles. Eso significaría que el estilo olmeca no existía. Era, en esencia, un estilo compartido en toda Mesoamérica. Si eso es cierto, sin duda los olmecas serían menos especiales a los ojos de los eruditos, al menos en lo que a arte se refiere.

Incluso cuando se habla de las innovaciones culturales olmecas mencionadas en el capítulo anterior, la teoría es similar: fueron creadas por toda la región, no solo por los olmecas. No hay evidencia clara de que los olmecas fueran los primeros en hacer algún avance cultural. La evidencia más antigua de cualquiera de ellos ha sido fechada a una edad similar, y no todos provienen directamente de los olmecas. Esto trae la pregunta; ¿influyeron los olmecas en Mesoamérica? ¿O influyó Mesoamérica en los olmecas de forma similar al viejo enigma de la gallina y el huevo? Si bien es posible que los olmecas fueran realmente los únicos en hacer estas innovaciones, también es posible que las copiaran de sus vecinos o socios comerciales. Incluso es posible que ideas similares sobre cómo mejorar la calidad de vida se crearan en diferentes tribus y cacicazgos sin la influencia de los olmecas. Y con esa mentalidad, no pueden considerarse como la civilización madre mesoamericana.

Algunos de los eruditos incluso argumentan que los olmecas no eran más avanzados que ninguno de sus contemporáneos y que eran más o menos iguales a otras culturas de Mesoamérica en aquel momento. No destacan en el arte, la artesanía o la complejidad social. Lo único que los separa de otras tribus es su comercio y su riqueza. Dicho todo esto, se podría concluir que los olmecas fueron solo una creación de los tiempos modernos, un grupo de personas que vinculamos a una civilización que no era tan tangible como nos gustaría que fuera. Y que, en realidad, todas las tribus y personas de la región realmente estaban unificadas en una antigua civilización mesoamericana muy extendida. Por supuesto, esta es solo otra forma de ver a los olmecas y no necesariamente debe tomarse como la correcta. Este debate aún no está completamente resuelto.

Conclusión

La historia olmeca está llena de quizás, de debates, teorías e ideas. Con todas estas preguntas sin respuesta, los olmecas todavía son en gran parte un misterio para nosotros. Los olmecas desempeñaron un papel esencial en la historia mesoamericana; desde el comienzo de su historia, comenzaron a destacar entre sus vecinos. Pudieron crear templos increíbles, monumentos y otros proyectos públicos. Tuvieron la delicadeza de crear piezas de arte asombrosas de calidad incomparable para el período de tiempo en el que vivieron. Pudieron crear una sociedad que luchaba por conseguir más, que luchaba por la grandeza. Y debido a su excelencia, los olmecas sirvieron como modelo para los que se encontraban a su alrededor en ese momento. Es por eso que todos trataron de copiar su ingenio y la razón por la que todos querían asociarse con ellos.

Por supuesto, esto no significa que su sociedad fuera perfecta, ni que su civilización sea un lugar donde uno desearía vivir. Siempre se debe recordar que la mayoría de los pueblos olmecas, los plebeyos, llevaban vidas muy sacrificadas, con muy poco ocio y lujo. Los olmecas no deben verse como una utopía del pasado en ningún caso. Pero, aun así, fueron exactamente estos plebeyos los que lograron alcanzar una gran destreza en muchos campos diversos de trabajo. Se convirtieron en los famosos artesanos, cuyos productos siguen siendo el foco de la atención pública. Pero, con tantas incertidumbres y debates, algunos pueden preguntarse si los olmecas realmente alcanzan las expectativas que se han creado a su alrededor. ¿Ha girado la leyenda en torno a ellos solo porque son una de las civilizaciones más antiguas de América?

Por lo menos, merecen nuestra atención debido a la red comercial que crearon, que al final parece ser no solo la razón principal de su éxito, sino también su mayor legado. La influencia y el poder de los olmecas se debe al hecho de que tenían comerciantes sin precedentes. Con todas las conexiones que tenían en toda Mesoamérica, hicieron que la región se sintiera mucho más pequeña, más vinculada y más compacta. Este es posiblemente su mayor logro. Lo que ellos no originaran al menos ayudaban a difundirlo. Entonces, incluso si no podemos o no les otorgaremos a los olmecas el título de cultura madre mesoamericana, no podemos ignorar el hecho de que fueron importantes para el desarrollo de la región. Para empezar, fueron el pegamento que lo unió todo.

Por esa razón, su historia merece ser contada. Por eso vale la pena nuestro tiempo y paciencia para llegar a conocer a los olmecas. Es importante verlos como artistas y artesanos, como guerreros y gobernantes, como comerciantes y sacerdotes, como chamanes e inventores. Porque incluso aunque su civilización desapareciera hace tanto tiempo y hayan sido enterrados en oscuros pasadizos del pasado casi olvidado, los olmecas han dejado su huella en la historia. Su impacto aún se puede sentir hoy, incluso aunque sea en menor grado, o uno casi irreconocible. Y este hecho nunca debería ser olvidado.

Segunda Parte: Civilización Zapoteca

Una Fascinante Guía al Pueblo de las Nubes Precolombino Que Dominó el Valle de Oaxaca en Mesoamérica

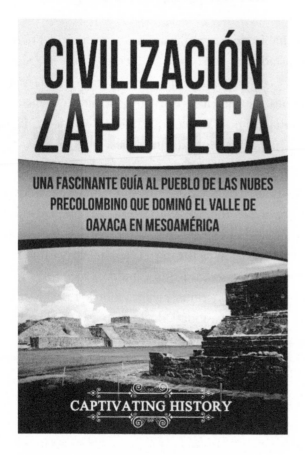

Introducción

Cuando se habla de las civilizaciones que fueron encontradas por los conquistadores en sus expediciones a Suramérica y Mesoamérica, es fácil mencionar tres: incas, mayas y aztecas. Las construcciones megalíticas y estructura social de estas civilizaciones fueron estudiadas por los conquistadores y, luego, la historia les asignaría un papel primordial en el desarrollo de las culturas precolombinas. No obstantes, estas no fueron las únicas que existieron.

Aunque menos conocidos, y hoy en día relegados a segundo plano, los zapotecas fueron una civilización que existió y prosperó en Mesoamérica, e incitaron un gran interés en los conquistadores. Ellos no dejaron atrás la misma clase de estructuras megalíticas y templos que sus vecinos, así que estudiar su cultura no es tan fácil como podría serlo con otras civilizaciones. Los historiadores han recopilado una vasta cantidad de información sobre los zapotecas gracias a los registros escritos por los conquistadores. Estos diarios y cartas demuestran los intentos de los europeos por entender los complejos sistemas y estructuras de esta sociedad. Mientras lo que se conoce hoy en día viene de estos registros escritos, los arqueólogos han pasado décadas tratando de desvelar los tesoros y secretos de lo que otrora fuera una gran civilización.

Considerando la información que se tiene, uno de los más grandes misterios de los zapotecas es el porqué no se les ha dado el mismo lugar en la historia que el concedido a otras civilizaciones.

Habiéndose alzado como una de las civilizaciones más grandes de su tiempo en Mesoamérica, ayudaron a construir y darle forma al mundo descubierto por los conquistadores a su llegada. Rivalizando en tamaño y complejidad con sus vecinos los mayas, los zapotecas fueron intelectuales e innovadores que crearon una sociedad muy similar a los reinos y sus estructuras sociales.

Otro misterio a desvelar sobre esta sofisticada civilización es qué pasó con sus habitantes. Hace aproximadamente 2500 años prosperaron para luego desaparecer sin previo aviso. Después de domesticar una región árida y difícil de atravesar, se desvanecieron casi sin dejar rastro de lo que allí aconteció. Este pueblo, que se consideraba a sí mismo como hijo de los dioses, parece haber regresado a su hogar entre las nubes, de donde aseguraban provenir, sin dejar pistas para los arqueólogos. Desde sus comienzos hasta la civilización que conoció a los conquistadores, hay muchos secretos sobre este pueblo que ya han sido develados.

Los zapotecas fueron un pueblo fascinante y este libro busca ofrecer un enfoque nuevo y fresco de una civilización tan compleja, estructurada y noble como el resto de sus contrapartes Mesoamericanas, Sudamericanas y Europeas.

Capítulo 1 – Una Mirada al Pasado

Aunque la civilización Zapoteca desapareció hace cientos de años, todavía quedan indicios que demuestran la inteligencia e influencia de esta cultura durante su apogeo. Lo que se sabe sobre ellos hoy en día es el resultado de los registros escritos por los conquistadores y la opinión de expertos. Además, los arqueólogos tienen la ventaja de contar con la ayuda de verdaderos descendientes de los zapotecas, quienes todavía residen en Mesoamérica. Estos descendientes mantienen vivas algunas de las costumbres y mitos de la cultura zapoteca; sin embargo, parte de la cultura se ha perdido. Esta es la causa principal de la falta de información existente hoy en día. Todavía no se ha podido desvelar qué acontecimiento llevó a la casi completa extinción de los zapotecas, pero, conforme pasa el tiempo, los arqueólogos revelan más y más secretos sobre esta fascinante civilización.

Mientras es cierto que existe una brecha entre la verdad y el completo entendimiento de esta antigua civilización, los historiadores y arqueólogos han construido sus hipótesis, basándose en los registros escritos por los conquistadores, el estudio de las ruinas y testimonios de los descendientes zapotecas, sobre la evolución de las estructuras sociales, la política y la vida diaria de estos individuos. Lentamente, han podido construir una línea de tiempo de más de un milenio que se extiende desde los inicios hasta el declive de la civilización zapoteca.

El Pueblo de las Nubes

Para entender a los zapotecas es importante tener en cuenta sus creencias religiosas (algo que es relevante para entender cualquier civilización, sin importar lo moderna que sea). Esta civilización empezó hace aproximadamente 2500 años. En perspectiva, el antiguo Egipto ya había alcanzado su apogeo y Roma ya se había constituido como una República. La evolución de la civilización zapoteca es similar a la historia del Imperio romano. La diferencia fundamental radica en el hecho de que los zapotecas no buscaron imponer su cultura sobre el mundo conocido; su objetivo principal fue la expansión de su cultura sobre las áreas adyacentes. Cuando la expansión de su imperio los acercaba a los límites de otras civilizaciones, buscaban establecer relaciones con estas culturas en lugar de subyugarlas.

Tanto los romanos como los zapotecas emplearon la política como su herramienta principal de expansión. Las tácticas de guerra eran la última opción y solo eran utilizadas cuando se encontraba resistencia armada a la expansión del imperio. Los romanos lidiaron con pequeños focos de resistencia comparada con la resistencia en Mesoamérica. Sin ningún poder militar europeo capaz de hacerles frente, los romanos se expandieron sin problemas por Europa y el norte de África. En contraste, los zapotecas no eran el único poder militar existente en la región. Poco antes de la llegada de los conquistadores, los zapotecas tuvieron que lidiar con los aztecas, sus vecinos del norte.

Como los romanos, los zapotecas creían que su existencia estaba estrechamente ligada a su Panteón. También creían que los estratos superiores de su sociedad eran descendientes directos de sus dioses. Ningún mortal, ni siquiera un sumo sacerdote, tenía la autoridad para comunicarse directamente con el creador del mundo, pero esto no significaba que los zapotecas fueran ignorados por este creador. El creador y las otras figuras del Panteón mostraban su preocupación por los zapotecas en forma de regalos; todo lo que encontraban en este mundo era un regalo de los dioses. Todo lo que se movía en tierra, mar y cielo era considerado de suma importancia, desde los animales, las plantas que cultivaban hasta las nubes en el cielo donde residían sus ancestros. Una de sus creencias principales era que todo lo que podía moverse tenía un alma, que le había sido otorgada por el creador. Desde su lugar en las nubes, los ancestros de la clase alta se encargaban de llevar las plegarias de todos, clase alta y baja, a los dioses. Esto se hacía con el fin de mejorar la vida de los zapotecas.

Los conquistadores pasaron décadas estudiando a los zapotecas, aprendiendo de su cultura y buscando los puntos comunes con la suya propia. Para su sorpresa, había cosas en común, pero también varias costumbres que eran incomprensibles para ellos. Estos aspectos han creado falsas representaciones de los zapotecas que los arqueólogos han desmentido a lo largo de los años. Ha sido un trabajo difícil debido a que esta civilización desapareció antes del año 1600 de nuestra era. Sin embargo, todavía existen descendientes de los zapotecas, quienes poseen su propio entendimiento sobre la cultura de sus antepasados desde el significado de sus derechos y rituales. Poseen esta información gracias a los mitos que han sido transmitidos de generación en generación. Estas discrepancias en torno a la información sobre los zapotecas han creado escepticismo entre los expertos, quienes han llegado a sus propias conclusiones a través de descubrimientos encontrados en las ruinas de esta civilización.

Una de las incongruencias principales radica en el número de dioses adorados por los zapotecas. Los conquistadores dejaron datos que difieren de aquellos que los arqueólogos han descubierto. Los españoles basaron su conocimiento sobre el sistema de creencias zapoteca en encuestas realizadas a miembros de las familias reales. Para su sorpresa, cada rey o familia poseía un Panteón distinto de deidades a las cuales adoraban aparte del dios creador. Según los descendientes de los zapotecas y los jeroglíficos encontrados en ruinas, es probable que estos diversos "dioses", los cuales variaban de un lugar a otro, no fueran adorados como tal. Es probable que la veneración a estas figuras fuera similar al culto a los Santos que existe dentro de la Iglesia Católica. Los zapotecas creían que solo los ancestros de la nobleza tenían la habilidad de hablar con los dioses y, por esta razón, eran venerados después de su muerte.

Parte del malentendido puede haberse generado por el concepto de dios de los conquistadores. Para ellos, dios está por encima de todo. Así que cuando los zapotecas señalaban las nubes, era difícil entender a qué se referían con exactitud. Los zapotecas veneraban a las nubes al igual que todo lo que tuviera movimiento, lo que puede haber generado confusión cuando los españoles compararon estas creencias con las suyas. Mientras los conquistadores creían que los humanos provenían del polvo, los zapotecas creían que los humanos venían de las nubes y que, al morir, regresaban a ellas.

El Valle de Oaxaca

El área donde los zapotecas prosperaron y hacían sus rituales es conocida como el Valle de Oaxaca. Esta región moldeó la civilización zapoteca y es un testamento de su intelecto y habilidades. Mientras las civilizaciones en Europa y en el norte de África se asentaron en regiones fértiles con abundantes reservas de agua, los zapotecas, considerando primero la seguridad de su pueblo, eligieron un lugar que fuera fácil de fortificar y defender. El nacimiento de la civilización zapote en Monte Albán fue el primer paso en la transformación de una civilización menor a otra más innovadora y substancial.

Las raíces de lo que sería la cultura dominante en la región vinieron del área en la que decidieron asentarse. La primera gran ciudad zapoteca fue San José Mogote, pero para los zapotecas fue difícil prosperar en esa zona debido a que siempre estaban en guerra con sus vecinos. Con mucha de la tierra fértil ya ocupada, los zapotecas, alrededor del 500 a.C., decidieron trasladarse a un área montañosa, la cual les permitía vigilar el paso por su territorio de posibles invasores. Esta nueva ciudad fue llamada Monte Albán, que descansaba en el Valle de Oaxaca.

Hubo varias razones por las cuales este área no había sido habitada antes de la llegada de los zapotecas. Una de las características más importantes de este valle son las montañas que lo rodean. Visitar esta región nos da una idea de lo que se hubiera sentido al vivir allí durante esos años. Es difícil no sentirse aislado entre aquellas montañas, y la ubicación hace del comercio una tarea casi imposible. Pero para una civilización que vivía inmersa en guerras, el aislamiento era una buena opción.

Fuente

Otra gran desventaja de esta localización era su terreno árido. Aunque el clima de la región es templado, solo se registran 500mm de lluvia al año—lo que equivale a 5,08 cm al año. Para un pueblo principalmente agrícola, esto era un inconveniente para mantener alimentada a su población. La escasa lluvia caía principalmente entre los meses de Mayo y Septiembre. Hoy en día, los científicos consideran este área en "sequía permanente". A pesar de esto, tanto hoy como durante la era de los zapotecas, la agricultura ha sido una actividad fundamental para el Valle de Oaxaca. Los zapotecas usaron avanzadas técnicas de riego para lograr que los cultivos prosperaran. Innovar era importante para sobrevivir. Por esta razón, los zapotecas, en lo que respecta a agricultura, eran los más avanzados en la región. Los arqueólogos han descubierto alrededor de 3000 sitios que prueban la eficiencia de los métodos empleados por esta civilización, demostrando lo exitosos que fueron cultivando su comida.

El Dominio del Pueblo de las Nubes

Como es el caso de muchas civilizaciones, los límites de la civilización zapoteca cambiaron durante su existencia. En sus inicios, los zapotecas estaban divididos en tres grupos. Estaban los zapotecas del Valle, quienes vivían en el Valle de Oaxaca, el corazón de la civilización. El segundo grupo era conocido como los zapotecas de la Sierra, quienes vivían al norte del valle. El tercer grupo estaba formado por los zapotecas del Sur. Aunque, estos últimos fueron nombrados así por los historiadores y arqueólogos, los mismos se encontraban ubicados al sureste del valle en un área cercana al Istmo de Tehuantepec.

El imperio contaba con muchas ciudades importantes. Tuvo tres capitales durante el transcurso de su historia: San José Mogote, Monte Albán y Mitla. Sin embargo, las ciudades de Daizún, Lambityeco, Yagul, El Palmillo y Zaachila fueron de suma importancia para el desarrollo y expansión de Imperio zapoteca.

Tras establecerse en la próspera ciudad de Monte Albán, los zapotecas empezaron a conquistar a sus vecinos haciendo uso de su gran poderío militar. Luego, gracias a su densidad poblacional, los zapotecas no tuvieron problemas en asimilar a las pequeñas poblaciones vecinas a su cultura. Aunque los métodos de asimilación eran siempre bélicos. Con mayor frecuencia, nuevas culturas eran incorporadas al Imperio por medios pacíficos, como matrimonios arreglados u ofertas de mejores métodos de cultivo. Por medio del miedo o el interés de pertenecer a una civilización más avanzada y fuerte, las otras civilizaciones adyacentes a Monte Albán fueron fácilmente asimiladas a la cultura zapoteca.

Con el paso del tiempo, los Zapotecas se expandieron más allá de Monte Albán. Es difícil saber con exactitud qué tan grande fue el imperio, ya que los zapotecas, al contrario de los europeos, no mantenían fronteras de la misma forma que conocemos hoy en día. Las civilizaciones se mezclaban. Personas de diferentes culturas podían vivir en el mismo lugar sin distinción alguna. Era difícil que una civilización pequeña se mantuviera por sí sola, mientras las más grandes buscaban expandirse. No obstante, las grandes civilizaciones trabajaban en conjunto en la misma medida que se enfrentaban entre ellas. La convivencia entre los zapotecas y los habitantes de Teotihuacán era pacífica. Al contrario que la relación con los aztecas, sus vecinos del norte, que formaban otra cultura con gran influencia en la zona.

Buena parte de la expansión zapoteca fue producto de la política y matrimonio, parecido a las tradiciones europeas, en lugar de solo ejercitar su poder militar. A pesar de su tendencia a la conquista por vías políticas, los zapotecas poseían una tecnología militar más avanzada que la de varios de sus vecinos. Al tener la tierra alta, Monte Albán, era más fácil conquistar a las tribus pacíficas de sus alrededores. También eran grandes estrategas políticos. Durante la guerra contra los aztecas, los zapotecas llegaron a un acuerdo con los mixtecas. Esta tribu residía en las tierras bajas adyacentes al dominio de los aztecas. El tratado se basaba en que debían atacar a los aztecas mientras pasaban por las tierras bajas de Tehuantepec. A cambio, los zapotecas les prometieron tierras. Sin embargo, como la localización de estas tierras nunca fue especificada en el tratado, los zapotecas le otorgaron a los mixtecas tierras inhabitables. Tras perder la guerra contra los aztecas, los zapotecas idearon un tratado que no disminuyó su influencia sobre la región. Un matrimonio arreglado entre nobles de ambas civilizaciones sirvió para mantener la paz. Además, se le otorgó a los aztecas fortificaciones en el Valle de Oaxaca y los zapotecas debían pagar un tributo anual. Esta derrota fue un golpe duro para los zapotecas, pero gracias a sus habilidades de negociación se evitó una catástrofe, considerando las prácticas de los aztecas hacia las civilizaciones derrotadas en guerra. Al contrario de los zapotecas, los aztecas comenzaban las batallas con mercenarios y guerreros. No tenían miedo de enfrentarse en combate y no buscaban evitar la confrontación armada. Cuando ganaban, lo más seguro es que todos sus prisioneros fueran sacrificados. Mientras que los zapotecas sacrificaban a un pequeño porcentaje de sus prisioneros, la mayoría se convertían en concubinos o esclavos y a muchos de ellos, con el tiempo, se les concedía la libertad. Los zapotecas eran ingeniosos. Sabían cómo obtener ventajas de sus derrotas, treguas y otros tratados gracias a sus habilidades de negociación. Gracias a sus tácticas maquiavélicas, pudieron construir su imperio y mantenerlo aun siendo derrotados.

No obstante, sus habilidades para negociar no pudieron salvarlos de los conquistadores ni de las enfermedades mortales traídas por estos. Enfermedades que casi acabaron con todos los nativos de Mesoamérica.

Capítulo 2 – Entendiendo los Inicios de los Zapotecas

Todas las civilizaciones han llegado a su apogeo a través de fases o etapas. Los zapotecas no fueron diferentes. La abundancia de información recopilada gracias a las reliquias y ruinas de esta civilización ha ayudado a reconstruir la historia de su pasado en fases.

Las fases de la evolución del imperio zapoteca giran en torno a su capital. Aun cuando los zapotecas ya eran una civilización antes de la fundación de Monte Albán, ellos no poseían la seguridad ni el prestigio que aseguró su prosperidad antes de obtener su nueva posición geográfica.

La Fundación de Monte Albán

Los arqueólogos han encontrado suficientes herramientas y otros enseres para sugerir que, al menos, tres civilizaciones vivían en el Valle de Oaxaca, incluyendo a los zapotecas. Los restos de armas y otras herramientas sugieren que estas civilizaciones se encontraban en un conflicto perpetuo. Esta puede ser la razón, consideran los expertos, por la cual los zapotecas decidieron trasladarse a tierras más altas.

Es casi seguro que el peligro de la guerra constante los hizo buscar una nueva ubicación. Las fortificaciones de su capital demuestran que la seguridad de su pueblo era la preocupación principal de los zapotecas.

La esfera de influencia de los zapotecas llegaría a extenderse más allá de las fronteras de Monte Albán, pero esta civilización no prosperó hasta la fundación de su capital. Debido a las extensas fortificaciones en el exterior de Monte Albán, se convirtió en una de las civilizaciones más innovadoras de Mesoamérica y, quizá, del mundo entero. Los zapotecas llegarían a desarrollar su propio lenguaje escrito comparable con los jeroglíficos egipcios (el sistema de escritura zapoteca también es conocido como jeroglífico). Pero nada de esto hubiese sido posible si los zapotecas hubieran permanecido en las tierras húmedas en las que habitaban antes de la fundación de Monte Albán.

Monte Albán - Fase 1

Esta primera fase duró aproximadamente 300 años, desde el 400 a.C. hasta el 100 a.C. Durante los primeros años de la ciudad, que luego se convertiría en la capital del imperio, la vida fue dura. La lluvia era escasa, por lo tanto, era necesario encontrar una manera de asegurar el suministro de alimentos para que el hambre no se convirtiera en un enemigo peor que sus antiguos vecinos. La primera capital, San José Mogote, había sido difícil de defender por su proximidad a civilizaciones con poderes militares similares al de los zapotecas. Monte Albán se convirtió en un refugio seguro en el cual los zapotecas podrían crecer y desarrollar su cultura sin demasiadas amenazas. Además, les dio tiempo de armar su propio ejército.

Durante esta etapa, otros pueblos aleñados a Monte Albán estaban estrechamente relacionados con los zapotecas. Aunque, la intención principal en esta primera fase no era la expansión, los zapotecas empezaron a atraer a estos pueblos vecinos a formar parte de su civilización. En esta primera etapa, la movilidad social sería mucho más fluida que durante el periodo de su apogeo. Mientras la nación empezaba girar en torno a la nueva capital, sus habitantes todavía buscaban su propio papel dentro de la sociedad. Muchas de las ideas innovadoras y cambios relevantes que los ayudarían a prosperar comenzaron a desarrollarse durante este tiempo.

Muchas de las estructuras construidas por los zapotecas son de esta época. Una vez fuera de peligros externos, los zapotecas se dedicaron al desarrollo del lenguaje, joyería y edificaciones que mostraban un nivel de innovación nunca antes visto. Además, la alfarería floreció, demostrando que las personas querían definirse a través del arte. Una de las piezas de cerámica más relevantes de esta fase es el jarrón silbador. Dividiendo el jarrón en dos secciones, los zapotecas fueron capaces de verter agua y guardarla al mismo tiempo dentro del jarrón. Al soplar aire dentro del jarrón para sacar el agua, el mismo emitía un silbido. Este jarrón sería confeccionado durante el transcurso de la historia zapoteca. Ellos incluso empezaron a esculpir utilizando jade y otros materiales preciosos. La delicada joyería y cerámica, además de un estilo inconfundible que marca esta civilización, siguen siendo de las más intrincadas y originales que existen hoy en día. Para aquellos que quieran ver ejemplos de su artesanía, hay ejemplares disponibles en museos de historia o fotos disponibles en la red para aquellos que no pueden visitarlos.

Monte Albán - Fase 2

La corta segunda fase, entre el año 100 a.C. y 100 d.C., fue un período de desarrollo y rápido crecimiento para Monte Albán. Con los límites de la capital seguros, el arte, la religión e innovación avanzaron rápidamente. También fue durante esta etapa que comenzó el período de expansión en el que los zapotecas anexaron los poblados cercanos al territorio de la capital. Esta expansión fue exclusivamente militar. Los zapotecas explotaron su posición geográfica y la falta de preparación de sus vecinos para conquistarlos mediante su poderío militar y estrategias superiores. Esta etapa de conquista se asemeja a los primeros años de expansión del Imperio romano.

Además, al igual que los romanos, los zapotecas le permitieron a los pueblos conquistados mantener algo de su autonomía. Incorporar estos territorios era una forma de aumentar su esfera de influencia, además de obtener más recursos y expandir sus fronteras. Para hacer de su conquista algo eficiente, los zapotecas permitieron a los pueblos que se sometían a su control mantener sus leyes y costumbres. Muchos de estos pueblos estaban en regiones alejadas de Monte Albán, pero no tan lejos como para evitar el comercio o la supervisión de los zapotecas.

Las señales de la expansión durante este período de 200 años son principalmente reliquias encontradas en las zonas aledañas a Monte Albán. Cerámica, joyería y otros enseres son prueba del momento aproximado en el que estos territorios pasaron a ser controlados por los zapotecas. La evidencia de esto yace en la diferencia entre los objetos descubiertos por los arqueólogos; los más antiguos tiene un estilo totalmente diferente. Otra prueba de la conquista zapoteca es el cambio drástico en diseño y estilo de las reliquias. Los detalles y elegancia de la artesanía zapoteca parecen haber sido dignos de imitar para los habitantes de los terrenos incorporados. Las ligeras diferencias entre las reliquias excavadas son prueba de la expansión zapoteca, pero también sirven para reconstruir la historia de estos poblados antes y después de ser conquistados.

Monte Albán - Fase 3

Este período duró desde el año 200 d.C. hasta el año 900 d.C., y fue la época del poderío militar y la centralización del poder en la capital. Monte Albán se convirtió en el centro del Imperio zapoteca, pero no era la capital de su religión. No existía una distinción clara entre política y religión, pero estas estructuras eran lo suficientemente grandes como para tener cada una su propia capital.

El poder militar que los zapotecas ejercieron durante la segunda fase demostró ser efectivo durante esta nueva etapa. Durante estos 700 años, Monte Albán se convirtió en el asentamiento más grande de la región. Se estima que la población en la ciudad alcanzó los 25.000 habitantes durante esta etapa. Los zapotecas también anexaron más de 1000 asentamientos vecinos a su imperio, manteniendo Monte Albán como la capital. Durante este período, la expansión del imperio se enfocó en llegar a regiones más remotas del valle, conquistando áreas tan al norte como Quiotepec y tan al sur como Chiltepec. De la misma manera que otros imperios se expandieron más allá de donde alcanzaban sus recursos, los zapotecas ampliaron sus fronteras hasta conseguir vecinos con un poder militar más grande. Sus rivales más notables fueron los aztecas.

No obstante, el desarrollo de ninguna otra ciudad puede compararse con el inesperado crecimiento que vivió Monte Albán durante esta tercera fase. Para el final de esta época, el declive de Monte Albán había comenzado debido a la complacencia de sus habitantes y la carencia de ideas nuevas. Aun cuando la ciudad siguió siendo importante para los zapotecas, para el año 900 d.C., dejó de ser la capital. Mitla se convirtió en el centro del imperio. Sin embargo, esta ciudad nunca alcanzaría la prominencia de Monte Albán durante su apogeo.

Monte Albán - Fase 4

La relevancia de Monte Albán en el imperio se mantuvo durante los años 900 d.C. al 1350 d.C. Sin embargo, una gran cantidad de personas de otros territorios empezó a migrar a la ciudad, convirtiéndola en su nueva residencia. Con tantas costumbres y contextos distintos agrupados en un lugar que requería cierta homogeneidad de creencias y acciones, la ciudad poco a poco perdió su identidad. Su influencia fue disminuyendo a medida que Mitla atraía a los miembros de las clases altas de la sociedad zapoteca.

Monte Albán perdió su prestigio por la inmigración de personas de otras regiones y la emigración de sus habitantes más influyentes. Los gobernantes de la ciudad ya no eran necesariamente personas nacidas allí. Esto implicaba que el poder ahora era compartido por personas de distintos estratos sociales y provenientes de otras culturas distintas a la zapoteca. Cuanto más se repartía el poder dentro de la ciudad, menor era la influencia de la misma dentro del imperio. Aunque Monte Albán seguía siendo importante, su rol dentro del imperio dejó de ser relevante.

Durante este tiempo, la civilización se había extendido tanto que empezó a desmoronarse. Los zapotecas empezaron a perder el dominio sobre las regiones en los bordes del imperio al ser incapaces de mantener su, una vez prestigiosa, capital. Estas pérdidas no fueron relevantes, pero eran la señal de que este imperio, otrora imponente, ya no podía mantenerse en pie. Sus habitantes se habían vuelto demasiado complacientes, una señal de que el imperio se desmoronaba. El imperio había olvidado sus raíces y la prevalencia de conflictos internos lo debilitaron aún más. La caída era inminente. Cuando Roma cayó, el Imperio romano terminó y, entonces, nació el Imperio bizantino. Incluso hoy es fácil ver el declive de una civilización por la manera en que las cosas se deterioran en su capital. La caída de Monte Albán era el comienzo de los últimos años del imperio zapoteca.

Monte Albán - Fase 5

Esta última etapa duró menos de 200 años, entre 1350 d.C. y 1521 d.C. En este punto, la ciudad ya no gozaba de la innovación y el poder que la habían caracterizado desde su fundación.

Fue un tiempo difícil para el pueblo zapoteca debido a la guerra contra sus vecinos más peligrosos, los aztecas. Cuando los aztecas ganaron la guerra, Monte Albán ya no era la imponente ciudad de los años dorados de la civilización zapoteca. Esto se debe a varios factores. Primero, la localización de la ciudad se encontraba en un área de poca precipitación, por lo que es posible que sus habitantes hubieran migrado debido a una sequía u otros problemas naturales. Segundo, el reparto del poder político entre miembros de otras culturas llevó al descuido de la irrigación y otras estructuras, lo cual pudo haber obligado a los habitantes a emigrar en oleadas. Esto se debe a que la estructura de poder era mucho menos competente que aquella que gobernó durante las primeras fases. Cuarto, con tantas áreas necesitando atención y protección, una pobre administración política y de recursos no podía ser suficiente para manejar problemas internos y externos al mismo tiempo. Los conquistadores encontraron esta ciudad en estas condiciones. Aunque, a pesar de todos sus problemas, no había dejado de ser un sitio majestuoso.

Un Futuro Prometedor

Los zapotecas aceptaron su derrota ante los aztecas en 1515, pero se mantuvieron independientes. No fueron derrotados de la misma manera que aquellas civilizaciones que habían conquistado durante su expansión, gracias a sus habilidades negociando.

Tras la llegada de los conquistadores, todo cambió nuevamente. Durante varios años, mientras los aztecas luchaban contra estos invasores, había esperanzas de que el imperio volviera a su gloria pasada. Como fue antes de su derrota a manos de los aztecas. Por un corto período de tiempo, se mantuvo viva la esperanza de recuperar todo lo que habían perdido. Pero todo cambió cuando los conquistadores dirigieron su atención hacia los zapotecas.

Capítulo 3 – Raíces Agrarias y Construcción de la Civilización

Hasta las civilizaciones más avanzadas del mundo tienen raíces humildes. En sus primeros comienzos, no había nada que diferenciara a los zapotecas de sus vecinos. Su desarrollo siguió la progresión normal de nómada a sedentario y luego a pequeños poblados. Cuando estos pequeños poblados empezaron a agruparse, la sociedad zapoteca mostró los primeros rasgos que la diferenciarían del resto. Los zapotecas buscaban trascender más allá de la vida cotidiana mientras resolvían conflictos armados con sus vecinos. Su objetivo era dejar un registro escrito de su historia y crear herramientas para hacer el trabajo y la vida más fáciles. Es por esto que su alfarería y orfebrería se distinguía de otras, por el uso de su lenguaje escrito y las representaciones de sus dioses. En algún punto de este sencillo modo de existencia, el deseo de innovar los obligó a buscar otra forma de vivir. Quizá esa vida simple en pequeños poblados cultivando la tierra les hubiese bastado si sus vecinos no hubieran sido tan bélicos. Ese descontento por la seguridad de su pueblo sería el motor que impulsaría la creación del imperio.

Debido a la forma pacífica en que lograron tener el control del área que luego habitarían y cómo buscaron anexar territorios sin necesidad de conflictos armados, podría decirse que esta experiencia con la guerra constante les enseñó a los zapotecas a lidiar con sus agresivos vecinos. Sin duda, esto también moldeó su forma de pensar sobre la guerra. Era imposible desarrollar estrategias de combate cuando otras batallas, como la agricultura, forman parte de la rutina. Fue solo después de que los zapotecas abandonaran su primer hogar que su potencial pudo florecer finalmente. Su capital fue una de las ciudades con más fortificaciones en el área.

El Fin de la Vida Nómada

Hace cinco mil años, cuando los antiguos egipcios apenas comenzaban a formar su reino, los futuros pobladores del Valle Oaxaca aún eran nómadas; pero ya empezaban a buscar mejores formas de sobrevivir. Los arqueólogos no están seguros del momento exacto en el que estos individuos decidieron asentarse en un solo lugar, pero están seguros de que la agricultura cambió su modo de vida. Ya antes del año 1700 a.C., los ancestros de los zapotecas se habían convertido en agricultores, pero apenas cultivaban lo necesario para sobrevivir. La idea de la agricultura como forma de alimentar a todo un poblado aún no era algo practicado entre los humanos. Un granjero cultivaba suficiente comida para alimentar a su familia y nada más; cada otra familia o individuo tenía que procurarse su propio alimento bajo sus propios medios.

Entre los años 1700 a.C. y 1200 a.C., las familias de granjeros empezaron a agruparse para poder satisfacer las demandas alimenticias de una población en crecimiento. Esto garantizaba mayores facilidades de sobrevivir, además de protección contra depredadores y vecinos hostiles.

Debido a este cambio, la agricultura sufrió cambios también. No se sabe a ciencia cierta por qué los zapotecas se centraron en la producción de maíz. Se ha recopilado la suficiente información como para suponer que este cambio ocurrió después de que las familias empezaran a apoyarse mutuamente. Esto apunta a que se buscó la forma de alimentar a más personas haciendo menos esfuerzo. Además, esto permitió a los granjeros comerciar con otros productos.

Algo sobre lo que sí se tiene conocimiento es sobre las dificultades que enfrentaron estos ancestros a la hora de deforestar la tierra para cultivar, especialmente porque grandes grupos de personas necesitaban aún más tierra para sembrar. Esto significaba que el proceso de deforestación debía ser beneficioso para todos. En algún punto de esta etapa, los zapotecas decidieron que el maíz era el mejor cultivo para alimentar a su creciente población.

La necesidad de atender una mayor extensión de terrenos para cultivo llevó a la diversificación del trabajo. Todavía existían cazadores, pero a estos se sumaron personas que sembraban, araban y recogían los cultivos. Otros se encargaban de cuidar a los niños y ancianos. Estos, además, fabricaban herramientas y cuidaban de los enfermos.

Al pasar el tiempo, los grupos se hicieron más grandes, las personas empezaron a vivir cerca de otras familias y se dieron cuenta de que trabajando en conjunto podían realizar más trabajos en menos tiempo. Todavía existen vestigios de las primeras herramientas que usaron, además de la cerámica. Estas demuestran que, desde sus inicios, los zapotecas habían evolucionado de una estructura social primitiva a una más compleja. De sus casas no quedan casi restos, pero la concentración de artefactos y tumbas son prueba de que, hace 3000 años, los zapotecas habían concebido y vivido bajo la idea de la supervivencia como grupo social.

Primera Estratificación Social

Los ancestros zapotecas no tuvieron vidas distintas a las de sus vecinos. Estas evolucionaron de la vida nómada a la granjera, para luego terminar viviendo en poblados. En los primeros años de los poblados, los hombres peleaban entre sí para determinar quién sería el jefe. El jefe de un poblado, llamado Hombre Grande, era el encargado de saquear otros poblados o hacer alianzas, e inspirar a su gente para luchar contra los enemigos. Al morir este, todas las alianzas y enemistades desaparecían porque estas estaban basadas en el Hombre Grande y sus competidores.

Esto empezó a cambiar alrededor del año 1200 a.C. cuando el liderazgo de los poblados se solidificó pero no lo hizo en torno a la persona más fuerte. Este fue el tiempo de una nueva forma de ver el mundo y la religión. La herencia tomó un papel primordial en el rol que desempeñaría una persona, así que surgieron las clases sociales.

Los primeros zapotecas creían en una dualidad: Cielo y Tierra. Estas eran figuras sobrenaturales en sus creencias. La Tierra era benevolente, pero no le gustaba recibir maltratos como la quema y tala de árboles o que se excavara su superficie. Cuando se molestaba, hacía notar su disgusto moviéndose. El resultado de la ira de la Tierra era un terremoto.

El Cielo estaba por encima de los problemas de los mortales. Era el hogar de los dioses y los ancestros zapotecas. Pero su posición por encima de los humanos no significaba que no pudiera enojarse con ellos. Cuando el Cielo se enfadaba, mostraba su furia a través de relámpagos.

Estas deidades empezaron a aparecer en la alfarería alrededor del año 1150 a.C., indicando su importancia en el día a día de los mortales. Durante este tiempo, los zapotecas se denominaron como descendientes de Cielo y Tierra, y las personas empezaron a creer, al igual que los europeos, que sus líderes eran escogidos por voluntad divina. Con este cambio en el modo de pensar, surgieron las jerarquías. Los hombres fueron representados como descendientes de las deidades en los trabajos de cerámica de este periodo, varios de ellos eran sepultados con jarrones que denotaban su estatus social. El linaje progresaba solo por el lado masculino.

Las mujeres aún no eran representadas como descendientes de las deidades en estos tiempos.

Jerarquías Sociales y la Pérdida de la Autonomía

Ahora se justificaba que alguien tomara el control de ciertos aspectos del poblado al proclamarse descendiente de los dioses. Alguien que no era reconocido como tal, no tenía derecho a gobernar. Aunque el Hombre Grande podía exigir la lealtad de sus seguidores, no podía detener los cambios en los poblados aledaños. Cuando otro líder era reconocido como descendiente de los dioses, se ganaba la lealtad y obediencia de otros poblados. Si los demás se resistían, se aplacaba la resistencia por vía armada. Si este nuevo líder obtenía la victoria sobre otros, se consideraba que su palabra era verdad y divina. Los poblados no tenían problemas en aceptar un nuevo orden social y demandas de un pueblo conquistador siempre y cuando el líder de dicho pueblo demostrara su ascendencia divina. La victoria era producto de la voluntad de un ser divino, por ello la gente aceptaba un nuevo régimen sin oponer resistencia.

Los hijos de estos líderes eran automáticamente venerados, lo que hacía difícil negar la sucesión hereditaria. Además, al tomar mujeres de otros poblados, el linaje de estos líderes se expandía a otros lugares, introduciendo así la idea de jerarquía. Después del paso de algunas generaciones, las personas dejaron de cuestionar el mandato por derecho divino y lo aceptaron como el orden natural de las cosas.

Los indicios de la pérdida de autonomía en los poblados fueron registrados en las ruinas de San José Mogote. La primera capital del Imperio zapoteca demuestra una importancia de la jerarquía que otros poblados no mostraban. Los restos de edificaciones en poblados aledaños prueban la relevancia de San José Mogote en la nueva estructura social, de manera que se hizo un mayor esfuerzo por construir estructuras que duraran más tiempo en esta ciudad. El uso de mejores materiales y más ornamentos en la construcción son señales de reverencia a las figuras que residían en estas edificaciones. Muchos de los materiales empleados no eran originales de la ciudad; en cambio, fueron traídos de poblados aledaños. El hecho de que estos materiales no fueran utilizados para la construcción en otros lugares es una muestra del poder de los líderes de San José Mogote. Los poblados aledaños obedecían las órdenes de la capital y movilizaban los recursos hacia la misma, en lugar de utilizar estos materiales para la construcción local. Como los líderes vivían en esta ciudad y era el lugar de culto, los otros poblados fueron despojados de su capacidad para tomar sus propias decisiones.

Alianzas y Competencias

Los zapotecas no fueron la única civilización que surgió en estos tiempos. Ellos habían consolidado el control de su región bajo el reinado de un líder descendiente de los dioses, pero había otros líderes proclamando lo mismo y creando sus propias jerarquías. A diferencia del Hombre Grande que podía humillar a sus competidores y forzarlos a convertirse en sus seguidores, los líderes tenían que demostrar su linaje. Para resolver estas disputas había dos opciones: formar alianzas o competir con el rival.

Estos desafíos de autoridad comenzaron entre los años 850 a.C. y 700 a.C. Las disputas no siempre venían por fuentes externas.

La jerarquía de los habitantes de un poblado era fácil de determinar. Al vivir en el mismo lugar, era sencillo mantener un registro del linaje de cada individuo y más fácil aún detectar cuando algún líder proclamaba falsamente ser descendiente de algún linaje importante. Al ser más fácil conocer el linaje de un líder a través de sus descendientes, esto provocó que algunos miembros menos prestigiosos de alguna casa importante buscaran conseguir posiciones más elevadas. La jerarquía social se solidificó durante estos tiempos.

Aún más interesantes que los desafíos a la autoridad de San José Mogote fueron las relaciones que esta civilización tuvo que establecer con otras civilizaciones vecinas demasiado grandes como para ser sometidas por la fuerza.

Aunque el conflicto armado era una opción, los zapotecas se mostraron más inclinados a formar alianzas, una característica que definiría su actuación como imperio hasta el final de sus tiempos. El método utilizado para las alianzas era conocido como hipogamia. Este consistía en enviar a una novia de un estrato superior a un líder subordinado de un poblado. Al casarse ambos, la alianza se hacía más fuerte. Como la novia pertenecía a un estrato superior, el estatus del líder subía automáticamente. Esto significaba que ahora tenía una deuda con la familia que le había enviado esta novia, lo cual creaba una relación más estrecha entre el poblado y San José Mogote. Este método de formar alianzas fue común en Europa hasta hace poco. Con la diferencia de que, en Europa, la realeza llegó a ser, en su mayoría, endogámica, llevando a resultados desastrosos en algunos casos. Durante este tiempo, los zapotecas no tuvieron este problema debido a que había muy pocos lazos sanguíneos entre los habitantes de la capital y los habitantes de otros poblados.

Dar grandes banquetes parece haber sido otro método para formar alianzas que los zapotecas utilizaron seguramente. Sin embargo, no hay evidencia de cómo estos se llevaban a cabo ni qué impacto tenían sobre otros poblados. Quizá eran una forma de demostrar lo favorable que había sido una cosecha y las abundantes fuentes de proteína animal que poseían. La principal fuente de esta última parece haber sido el perro. Lo que muestra que, en Mesoamérica, los caninos no eran considerados de la misma forma que en Europa, donde se tenían como mascotas principalmente.

Guerras y el Comienzo de la Escritura

No es una sorpresa que los registros de guerra y lengua escrita aparecieran casi de manera simultánea, aunque sí es un poco irónico. Mientras la cerámica era el registro principal de los cambios en la sociedad, alrededor de estos tiempos, palabras y descripciones de la guerra empezaron a aparecer plasmadas en los artefactos encontrados en los yacimientos de excavación arqueológica.

Cuando el jefe zapoteca iniciaba un conflicto con otra civilización era generalmente por recursos u otros bienes. Pero estas civilizaciones, que todavía no florecían, no luchaban por conquistar territorios, por falta de recursos o poder militar. Cuando no podían defender a su poblado, los líderes emprendían la retirada, dejando a la población a su suerte.

Algo obvio durante este tiempo es que ninguna de las civilizaciones cercanas a los zapotecas tenía interés en el área que se convertiría en la cuna del imperio. Muchas de ellas no tenían voluntad para aprender a cultivar en una región árida, y las montañas y los valles eran considerados muy remotos. Este área fue ignorada en la lucha por obtener recursos.

Aunque la escritura era rudimentaria, supuso un cambio de la mera representación de imágenes en la cerámica y estructuras. Había una mayor repetición de trabajos elaborados similares a los jeroglíficos del antiguo Egipto. Claro está que los jeroglíficos zapotecas son únicos en su estilo, pero gracias a ellos fueron capaces de registrar pensamientos y palabras en un patrón que puede considerarse como lengua escrita. Hay menos ejemplos de escritura en las estructuras encontradas en San José Mogote, pero estos abundan en las estructuras encontradas en la que sería su nueva capital luego de la migración.

Capítulo 4 – Religión, Mitos y Estructura de Poder

La religión zapoteca era compleja y diversa. El respeto y veneración hacia sus ancestros es muy parecido a los de la cultura de los Nativos Americanos. No existía división entre clero y estado porque los líderes que ascendían al poder lo hacían bajo la premisa de la voluntad divina y su linaje. Con una sociedad así, nacer en un estrato social significaba permanecer en el mismo para toda la vida. La política era igual de complicada, pero se encontraba estrechamente ligada a las creencias debido a estos linajes provenientes de los dioses.

El Panteón Zapoteca

Este se componía de dos figuras mayores: Cielo y Tierra. Ambos eran seres benevolentes, pero que cuando se enojaban con los zapotecas, demostraban su furia mediante relámpagos y terremotos respectivamente. Estos seres fueron representados y nombrados en muchos de los trabajos artísticos e historias del pueblo. El dios de la lluvia, Cocijo, se aseguraba de enviar desde el cielo las cantidades necesarias de agua, aunque este dios no tenía mucha relevancia en la nueva capital, Monte Albán, en la cual las lluvias eran escasas. No obstante, los zapotecas dependían de este para mantener sus reservas de agua al máximo. El dios de la luz era conocido como Coquihani.

Otros dioses menores se encargaban de aspectos cotidianos de la vida, como la agricultura y la fertilidad. Los había masculinos y femeninos. Se podía identificar el género de un dios por su representación en cerámica. Los masculinos vestían capuchas; los femeninos, faldas. Pero además de esto, no se posee mayor información sobre estas deidades más allá de que era dioses menores.

El panteón no era tan numeroso como pensaron los conquistadores. Su interpretación sobre las plegarias y sacrificios estaba equivocada. Muchas de estas ofrendas eran ofrecidas a los ancestros en vez de ser elevadas directamente a los dioses. Ningún mortal podía comunicarse con Cocijo o Coquihani, u otro dios, así que los ancestros tenían que interceder por los vivos. Parece ser que solo los miembros de la nobleza poseían ancestros capaces de pedir favores a los dioses, ya que, al morir, los miembros de la clase baja regresaban a la Tierra en vez de ascender al Cielo. Sin embargo, esto no impidió a las familias de clase baja que elevaran rezos a sus ancestros, especialmente cuando necesitaban el favor de Cocijo.

Rituales, Sacrificios y Mitos

Mientras se reconocía la autoridad del rey zapoteca en la sociedad, los sacerdotes tenían su propia estructura social, la cual no era limitada por castas. Como los zapotecas eran fieles creyentes religiosos, los sacerdotes y otras figuras del clero eran mantenidos en alta estima y poseían su propia autoridad. Aunque no iban en contra de los mandatos del rey, siempre eran obedecidos por el pueblo. Cuando un rey se consolidaba en el poder, también lo hacían sus sacerdotes y, así, los sacerdotes de la capital podían ejercer control sobre las figuras religiosas de otros poblados.

Los sacrificios a las deidades eran comunes y se hacían basados en los eventos del día y la época del año. Por ejemplo, el primer guerrero capturado durante una batalla era sacrificado como forma de agradecimiento a los dioses. Los demás se convertían en esclavos o eran sacrificados dependiendo de su utilidad. Los oficiales de ejércitos enemigos eran canibalizados. No se tiene claro el porqué, pero se supone que los zapotecas creían que otras civilizaciones descendían de otros dioses diferentes. Como el espíritu de todo lo que se movía en la tierra era un regalo divino, los zapotecas seguro pensaban que al comerse a estos enemigos podían acercarse a sus dioses. Los sacrificios, incluyendo los humanos, eran llevados a cabo en días festivos.

El mayor porcentaje de los sacrificios estaba compuesto por cultivos y animales pequeños. Sin embargo, los sacerdotes eran quienes realizaban sacrificios con más frecuencia. Se auto flagelaban, añadiendo su sangre a las ceremonias. Se fabricaban herramientas especiales para que los sacerdotes pudieran cortar sus lenguas y perforar sus orejas. Aún se desconoce la razón de estas prácticas. Tampoco se sabe por qué su sangre era tan importante, pero los sacerdotes ofrecían un poco de sí mismos durante las ofrendas, entregándose poco a poco, literalmente, a los dioses. Esta puede ser una de las razones por las cuales se les tenía en tan alta estima. Como los sacerdotes habían dedicado sus vidas a los dioses, dar de su sangre y carne era una forma de devolver parte de su espíritu, que les había sido dado por alguna deidad, a la fuente original. La verdad que yace detrás de esta tradición todavía no se entiende, pero es interesante que las ceremonias demandaran tanto de los sacerdotes. Aunque había otros sacrificios, ellos eran quienes ofrecían más, dando más se sí mismos que lo que tomaban de otros. El gran número de cuchillos de obsidiana y espinas de manta raya encontrados en los templos es una señal de la importancia de esta práctica, ya que estos artículos no eran utilizados para otros sacrificios.

Los zapotecas poseían mitos sobre la creación del mundo. Un detalle curioso sobre estos mitos radica en la noción de un Creador con el cual nadie podía comunicarse, ni siquiera sus ancestros. Esta deidad no jugaba ningún papel relevante en su panteón debido a esta característica. Según el mito, este creador permitió que los zapotecas nacieran de las rocas en el Valle de Oaxaca. Esto no solo les proporcionaba una historia interesante, sino el derecho divino a dominar toda la región. Había otras versiones de este mito en las cuales los humanos descendían de animales típicos de la región. Los jaguares y ocelotes eran considerados como los ancestros comunes de los humanos.

Sin embargo, el mito más común era la creencia de que sus líderes eran descendientes de los dioses. Al morir estos, regresarían al cielo e intercederían por su linaje. Los miembros de las clases bajas mostraban respeto por sus propios ancestros, pero los ascendientes de la nobleza eran venerados por todos. Este es el origen del "Pueblo de las Nubes", el nombre con el que los zapotecas se bautizaron.

Distribución del Poder

En zonas grandes, como Monte Albán, el poder estaba concentrado en la nobleza, específicamente en el gobernante de la región. Los conquistadores se dieron cuenta de que la estructura social y el poder estaban estrechamente relacionados. Incluso compararon estas estructuras y distribución de poder con la nobleza europea de sus tiempos. Algunas posiciones eran comparables con duques, príncipes, condes, y otros estratos de la nobleza.

No obstante, cuanto más lejos de la capital llegan los arqueólogos, más evidencia se encuentra de su autonomía. Durante las fases 1 y 2 de Monte Albán, existieron un gran número de estados independientes y autónomos dentro del imperio. Fue solo hasta la fase 3, con el establecimiento de un sistema más rígido, que estos estados y ciudades fueron despojados de su autonomía. Con Monte Albán como su centro de poder, los zapotecas tuvieron a su disposición uno de los dominios más grandes de Mesoamérica.

Durante la fase 3, todo el poder recaía sobre el rey. Su palabra era la ley. Él tomaba todas las decisiones y los demás poblados debían obedecer.

Monte Albán fue el centro de poder político por un largo tiempo. Mientras la toma de decisiones y el poder se concentraba en sus paredes, Mitla era el centro religioso del imperio. Hacia el final de la civilización, el poder político se desplazó a esta ciudad, pero ya Mitla gozaba de cierta relevancia dentro del imperio. Entre los vestigios de este centro poblado se encuentra un palacio hecho de lodo y rocas con intrincados grabados y adornos que dan fe de la importancia de esta ciudad.

Todavía existen vestigios de los lugares en los que los miembros de la clase alta residían, incluyendo el palacio en Mitla. Sin embargo, es difícil encontrar algún templo en buenas condiciones. Los arqueólogos tienen que buscar con ahínco para dar con alguno porque estas edificaciones eran las primeras en ser destruidas durante batallas y/o guerras por los zapotecas o sus vecinos. Esto se hacía con el fin de causar el descontento de los dioses hacia sus pueblos por su inhabilidad para proteger sus templos. Con una civilización derrotada o extinguida, los templos rara vez se mantienen en pie, puesto que son las primeras estructuras en ser destruidas por los nuevos ocupantes de dicho territorio. Estos eran tan extravagantes como los palacios. Al igual que el resto de sus vecinos, los zapotecas tenían predilección por la construcción de pirámides en cuya cúspide se colocaba la deidad a la cual era dedicado el templo.

Algunas ruinas ofrecen información sobre otros aspectos de la vida cotidiana, como los deportes y las competiciones, incluso los palacios de gobierno. Gracias a éstas, los arqueólogos pueden entender cómo se distribuía el poder en el resto de la sociedad.

Hay señales de que, cuanto más lejos de Monte Albán se investiga, mayores son las diferencias en la cerámica y construcciones. En las fronteras del imperio, las edificaciones y fachadas tienden a ser una mezcla entre culturas vecinas, demostrando que hubo tiempos de alianzas y relaciones simbióticas entre los zapotecas y sus vecinos. Aunque hoy en día se piense que los nativos no eran más que bárbaros, la realidad es que mucho de su vida cotidiana se parecía a la vida de los europeos. Los zapotecas, en particular, preferían formar alianzas o negociar en vez de conquistar por la fuerza de las armas. Como buenos negociadores, resolver conflictos usando estrategias políticas era mucho más fácil para ellos.

Eligiendo al Nuevo Líder

Mientras no era posible que un miembro de la clase baja ascendiera a un puesto relevante, los hijos de los líderes podían aspirar a esta posición tras la muerte de su padre. Los arqueólogos pueden identificar el estatus de los príncipes por los objetos enterrados con ellos. Muchas de estas reliquias contenían escritos en los cuales se evidenciaba la posición del príncipe en una familia noble. Esta posición era indicada por la representación de los dedos extendidos del príncipe. Si este tenía el pulgar extendido, era el primogénito quien seguramente era el heredero al trono. Si este tenía el dedo índice extendido, era el segundo hijo del rey, y así sucesivamente.

El primogénito de la primera esposa del rey solía ser el heredero al trono. Pero esto no estaba garantizado. Para ser el próximo líder, un príncipe debía demostrar su habilidad. Debía cumplir estas cinco obligaciones

1.   El futuro rey debía capturar enemigos para ser sacrificados en su toma de posesión. Esto demostraba que era fuerte y tenía la capacidad para tomar el control del imperio.

2. Debía pagar un tributo de sangre a los dioses para demostrar su voluntad a sacrificarse por su pueblo y los dioses.

3. El heredero debía patrocinar la construcción de una nueva edificación. Estos edificios eran de lo más variados. Las construcciones más intrincadas surgían de este requerimiento. El tipo de edificación y sus detalles denotaban aquello que el príncipe consideraba importante.

4. El heredero debía comisionar la construcción de un monumento a sus ancestros. Al igual que el anterior, este requisito era una ventana a la forma de pensar del príncipe.

5. También, debía conseguir el apoyo y aprobación de otros líderes. Los gobernantes de poblados vecinos debían estar de acuerdo con su ascenso al poder. Esto reducía el riesgo de guerras y conflictos internos, y aumentaba la confianza entre el rey zapoteca y otros líderes en el imperio.

Una de las construcciones más notables de Monte Albán fue producto de este proceso. La contribución de cada heredero al trono era distinta. Algunos se centraban en construcciones mientras otros fortalecían las alianzas. Cualquiera que fuera su estrategia, ningún rey podía darse el lujo de considerar su mandato como algo seguro. Al asegurarse de que un príncipe pudiera hacerse cargo del pueblo, los zapotecas lograron que su civilización siguiera creciendo y prosperando en lugar de volverse obsoleta y complaciente. Esta es una de las razones por las cuales pudieron seguir innovando durante muchos años.

Los Muertos

Los Zapotecas trataron a los muertos con la misma consideración que otras civilizaciones avanzadas. Había estructuras enteras dedicadas a los fallecidos; además, estos eran enterrados con regalos y sus pertenencias para asegurarse de que tuvieran sus posesiones en la otra vida. Muchos de estos objetos han dejado pistas sobre la vida de estos individuos, al igual que la manera en que fueron sepultados.

Grandes áreas de las ciudades y poblados fueron dedicadas a los fallecidos. Los rituales eran largos y complejos, especialmente para líderes y personas con poder político. Los complejos dentro de las ciudades eran grandes para atender la gran cantidad de fallecidos que había regularmente. Elegantes y elaboradas, las tumbas contaban la historia de la persona que era sepultada. Las historias eran variadas, incluyendo la del guerrero que encontró la muerte en batalla, el sacerdote que siguió la voluntad de los dioses, y los gobernantes que contribuyeron de alguna manera a mejorar la civilización. Las tumbas eran construidas bajo tierra, creando así un lugar de descanso estable en las montañas.

Capítulo 5 – Una Sociedad de Familia y Estratos

Antes de llegar a Monte Albán, la sociedad zapoteca contaba con una jerarquía rígida que determinaba el rol de una persona dentro de la misma. Existían dos clases sociales y era imposible subir de estrato dentro de estas, con una excepción—la movilidad social era menos rígida dentro del clero. Los sacerdotes y figuras religiosas contaban con su cuota de poder dentro de la sociedad, igual que la iglesia en Europa.

La Nobleza y sus Clases

Mientras interrogaban y estudiaban a los zapotecas, los conquistadores se dieron cuenta de que las prácticas sociales eran idénticas a las europeas. Una persona nacía en la nobleza o no—no había movilidad social entre clases. Además, se practicaba una endogamia estricta; las personas solo contraían matrimonio con miembros de su misma clase social.

En la cima de la nobleza estaba el Rey y su consorte principal. Los otros miembros de su familia tenían títulos acordes a su posición dentro de esta. La clase alta tenía subdivisiones, los miembros del estrato más alto eran aquellos con relaciones más cercanas al gobernante, pero todos podían casarse con otros miembros de rango más bajo, mientras fueran parte de la nobleza. Algunos matrimonios eran arreglados para fortalecer las alianzas entre la clase reinante, sus vecinos y aldeas dentro de la civilización.

Los hogares de la clase alta tenían posiciones privilegiadas, desde las cuales se podía mantener un control sobre el resto de la población. Las familias vivían juntas aún después del matrimonio. Existían *casas reales* que se utilizaban para acomodar a los familiares lejanos del rey. En el palacio real solo residían el rey y su familia inmediata. Estas estructuras eran construidas sobre bases de piedra y las paredes estaban hechas con bloques de adobe, produciendo así viviendas firmes para la clase alta.

Esta era la encargada de comisionar la construcción de las estructuras en las ciudades para el beneficio de la sociedad. Antes de establecerse en Monte Albán, los gobernantes aplanaron la cima de la montaña para poder construir la ciudad sobre ella. Esto le dio una ventaja estratégica a la capital. Con esa posición, podían vigilar a las aldeas cercanas y descubrir invasores y ejércitos enemigos a grandes distancias. Esta innovación era lo que se buscaba de los gobernantes; también fue lo que empujó el avance de la civilización. Una de las áreas de tierra aplanada más altas en la montaña era conocida como la Gran Plaza, y seguramente fue usada para entretenimiento y comercio. Otros edificios estaban construidos alrededor de esta. Había estadios cerca, al igual que templos.

Una de las estructuras que se mantiene en pie en Monte Albán, es la impresionante Losa de la Conquista. Esta edificación diseñada en forma de punta de flecha contiene jeroglíficos que adornan todas sus paredes. Los arqueólogos creen que en ella se guardaron los registros de las provincias conquistadas por los zapotecas. Los jeroglíficos incluyen el dibujo de una cabeza. Se cree que esta imagen representaba al gobernador de una aldea debido a los adornos de la figura.

Los gobernantes eran todos miembros de la realeza. Otros empleados del sistema de gobierno también pertenecían a esta clase y parece ser que no ocupaban otras funciones en la sociedad.

Además de poseer mejores viviendas, la clase alta también utilizaba mejores prendas de vestir que el resto. Usaban mantos y pareos coloridos, los cuales permitían identificarlos de acuerdo al rango que poseían. Esto facilitaba el trato correcto por parte de la clase baja. Su ropa era confeccionada con algodón, haciéndola más cómoda y fresca en el clima templado. Además de las prendas coloridas, los miembros de la clase alta podían usar plumas para acentuar más su distinción. La joyería estaba hecha a base de jade, siendo las más comunes los zarcillos y las perforaciones en el labio. Ninguno de estos accesorios podía ser usado por el común. A la hora de ir a la guerra, los nobles recibían armaduras de algodón acolchado. Éstas ofrecían mayor protección que la ropa del resto. Sin embargo, esta distinción los hacía blancos fáciles para capturar, ya que los enemigos podían saber cuándo habían capturado a un noble. Esto significaba que los nobles serían utilizados para negociar o había que pagar alguna recompensa por ellos, o, en el peor de los casos, serían canibalizados.

La dieta de los nobles también era distinta. Recibían lo mejor de la cosecha, además de las presas más grandes, como ciervo y alce. Los miembros de la clase baja los acompañaban en la cacería, ayudando a asustar a la presa mientras los nobles daban el golpe de gracia. El consumo de chocolate también era privilegio exclusivo de los nobles.

La Clase Común y sus Capas

La segunda clase social estaba formada por todos aquellos que no pertenecía a la nobleza. Esta clase era mucho más variada que la clase alta porque contenía a todos los habitantes que no estaban relacionados con los dioses. En el último eslabón estaban los esclavos, que venían de aldeas conquistadas. En el estrato más alto se ubicaban los mercaderes exitosos, que podían tener más riquezas que los nobles menores. No obstante, no tenían permitido casarse con miembros de la nobleza sin importar qué tan influyentes fueran, porque los zapotecas no consideran a miembros de esta clase baja iguales a los de la clase alta. Cuando los nobles morían, se convertían en ancestros que podían hablar con los dioses. Sin importar lo exitoso que fuera un comerciante, al morir, siempre regresaba a la Tierra. Esta creencia sobre la vida después de la muerte evitó los matrimonios entre estas clases sociales.

Los esclavos podían ganar su libertad y convertirse en miembros productivos de la sociedad. Algunos terminaban siendo concubinos para los nobles, otros eran sacrificados a los dioses. Aquellos que ganaban su libertad tenían permitido casarse con cualquier miembro de la clase baja, comerciante o esclavo, porque no había una distinción entre los más adinerados y el resto. La función de los concubinos era proveer descendientes para los nobles, aunque aún no se ha determinado qué función cumplían estos descendientes dentro de la sociedad.

Las casas de la clase baja eran mucho más simples. Eran casas pequeñas, aunque se cree que fueron ocupadas por familias numerosas. Las ocupaciones de esta clase eran variadas. Los comerciantes establecían conexiones entre los zapotecas y otras civilizaciones, ya que viajaban más lejos que cualquier otro miembro de la sociedad para completar su labor. Muchos de estos habitantes eran artesanos o artistas. Otros eran sastres, que elaboraban ropas finas y coloridas para los nobles, y atuendos más simples y baratos para los comerciantes exitosos. Los músicos, bailarines y escultores eran los encargados de mantener viva la cultura. Es gracias al trabajo de estos últimos que los arqueólogos han podido reconstruir la historia zapoteca. También existían vendedores ambulantes que se diferenciaban de los comerciantes por su menor esfera de influencia. Algunos de ellos viajaban grandes distancias para llevar suministros importantes a regiones remotas, mientras otros trabajaban exclusivamente dentro de las ciudades. También existían curanderos y adivinadores que se encargaban de asistir las enfermedades y predecir el futuro de las personas respectivamente.

Además, había inventores que trabajaban por mejorar el día a día de la sociedad, e ingenieros que se encargaban de encontrar formas fáciles para realizar tareas complejas y/o repetitivas, además de mantener en funcionamiento los sistemas de irrigación para evitar problemas con el suministro de agua dentro de las ciudades y aldeas. Las personas encargadas de mejorar la sociedad se tenían en alta estima dentro de la sociedad zapoteca: todos aquellos que contribuyeron a crear el primer idioma escrito de Mesoamérica, el primer sistema de irrigación de la región, aquellos que mejoraban productos como la cerámica, joyería, construcciones y otros enseres, etcétera.

Los trabajos de la clase baja eran similares a los de otras civilizaciones de la época, con la diferencia de que no eran tan reprimidos como en otras culturas. Ellos podían obrar de acuerdo con sus necesidades, siempre y cuando no hicieran daño alguno a la sociedad. Esta libertad es la razón por la cual los zapotecas pudieron obtener tanto progreso en su tecnología a un ritmo más acelerado que sus vecinos. El avance de otras civilizaciones se medía en función de los terrenos conquistados. Los zapotecas se aseguraron de construir un modelo de vida sostenible para su civilización antes de empezar a expandirse. Gracias a la consolidación de la clase baja, los zapotecas pudieron incentivar el trabajo duro y hacer el mayor esfuerzo posible para construir su civilización. Al mantener a esta clase dividida en grupos diversos, los más pobres tenían esperanzas de trabajar para poder conseguir una mejor posición dentro de su estrato. Como la cantidad de candidatos para contraer matrimonio era mucho mayor que en otras sociedades dentro de su misma clase—como es el caso de

Europa—los miembros de este estrato social podían considerar mejor con quién casarse y conseguir más beneficios por su elección.

Los hombres de todos los estratos podían tener más de una esposa. Muchos de ellos no podían permitirse el lujo de hacerlo. Solo los comerciantes con muchas riquezas podían tener más de una esposa y numerosos hijos. Estos poseían casas más grandes de lo común. Pero estas no eran ni la mitad de elegantes ni igual de firmes que las de los nobles. Además, los comerciantes no podían aspirar a cargos en el gobierno.

Las prendas de esta clase tampoco eran muy elegantes. Sus mantos y pareos estaban confeccionados con telas de agave en colores mate. Su joyería era simple y no podía estar compuesta por gemas ni metales preciosos.

Orden Religioso

En términos simples, el orden religioso no era una clase social convencional; los miembros de este no tenían las mismas restricciones de clase que los nobles o la clase baja. Los nobles pertenecientes a este grupo tenían mayor rango en la cadena de mando, pero dentro de un templo era difícil diferenciarlos de un hombre común, debido a que las ropas que utilizaban eran iguales. Todos los sacerdotes debían cumplir las mismas funciones, ceremonias religiosas y rituales, sin importar su origen. De los sacerdotes nobles se esperaba un mayor consumo de alucinógenos, al igual que mayores tributos de sangre. Aunque el rol de estos sacerdotes era más importante que el de los comunes, ambos cumplían funciones similares. Un miembro de la clase baja no podía ser confundido con un noble debido a la diferente vestimenta y ocupación; pero dentro del orden religioso, el linaje era mucho menos importante que el servicio a los dioses.

Los reyes recibían un entrenamiento para comprender la religión a la cual representarían durante su reinado. Generalmente, este entrenamiento duraría unos pocos años.

En la cima de este orden se encontraba el Sumo Sacerdote, a quien los conquistadores consideraron como una figura similar al Papa. Ejercía su poder desde la ciudad de Mitla, equiparable al Vaticano. El templo del Sumo Sacerdote era majestuoso. Dos imponentes pilares a su entrada permitían a las personas que entraban entender la importancia de ese edificio.

Aunque a los nobles se les asignaban cargos más importantes, muchos de los miembros de la clase baja eran indispensables en la realización de las ceremonias. El resultado de que la religión fuera algo tan importante en el imperio era que, sin importar la clase social, un miembro del clero era considerado como un ciudadano muy valioso. En la estructura religiosa de los zapotecas, había igualdad para los hombres.

Los rituales que los plebeyos podían llevar a cabo incluían aquellos en los que era necesario derramar sangre. Su sangre era considerada parte importante de un sacrificio. Además, tenían permitido participar en el consumo de alucinógenos para alcanzar el estado mental requerido en ciertas ceremonias. El ayuno era practicado como una forma de limpiar el espíritu. Los plebeyos también podían sacrificar esclavos, niños y perros como sus contrapartes nobles. Apartando las ceremonias más importantes, había pocas diferencias entre nobles y plebeyos pertenecientes a este orden religioso, algo que los conquistadores no se esperaban. La poca diferenciación de estratos en esta estructura demostraba que el linaje no era tan relevante como la vocación de servicio.

Capítulo 6 – Un día Común en la Vida de los Zapotecas

Sería muy difícil saber a ciencia exacta cómo era un día en la vida de los zapotecas. La rutina de una persona estaba estrechamente ligada a su estatus social y su lugar de residencia. Algo parecido al día a día de alguien que vive en Ciudad de México comparado con la cotidianidad de un residente de Catalina o algún otro poblado desconocido en el México moderno.

Estilos de Vida Variados

Las ciudades del imperio eran las zonas con mayor densidad demográfica. Los días de las personas que residían en ellas eran más dinámicos que los que aquellas que vivían en aldeas u otros poblados. Por ejemplo, en las ciudades no había agricultores y esto se debía a la cantidad de ocupaciones existentes en estas áreas. Naturalmente, estaban los sacerdotes y otras figuras religiosas que ocupaban su día con sacrificios y oraciones; artesanos y guerreros centrados en sus tareas, y quienes podían vivir más cómodamente que los nobles menores debido a sus ingresos. También existían personas muy pobres y limosneros. La experiencia de vida de estas personas era muy limitada ya que no podían conseguir lo suficiente para cambiar su condición. Abundaban los esclavos, pero dependiendo de sus labores, estos podían ganar su libertad y volverse miembros productivos de la sociedad. La mayoría de estos eran sirvientes de comerciantes u otros plebeyos; no obstante, no era el caso de todos los esclavos. Los concubinos no podían abandonar su rol.

Lejos de las ciudades, la fuente de trabajo era el campo. Estos zapotecas vivían en aldeas de distintos tamaños con distintos niveles de riqueza y confort. Las regiones montañosas funcionaban como un punto de descanso para mercaderes y viajeros mientras sobrevivían con lo poco que conseguían en esas regiones. Pero en la mayoría de las zonas rurales, la agricultura ocupaba todo el día de sus habitantes.

La cacería todavía era común en las regiones del imperio. Los nobles salían a cazar presas grandes. Se servían de los plebeyos para hacer que las presas salieran de sus escondites. Por su parte, los plebeyos solo podían cazar animales pequeños, como conejos y ardillas, entre otros.

Como puede apreciarse, las experiencias de vida variaban dependiendo del entorno y el status. Era fácil reconocer a alguien de status alto por su apariencia. Aunque usaban ropas manos llamativas, los plebeyos gozaban de muchas libertades. Sus únicas restricciones era no poder casarse con nobles o ejercer cargos en el gobierno. Sin embargo, podían ayudar con cargos menores en la administración pública, unirse al orden religioso y servir a los dioses. Sin duda alguna, esta sociedad ofrecía más libertades para su clase trabajadora que el resto de las otras civilizaciones en el mundo. En la clase alta, había menos movilidad social. Un noble menor jamás llegaría a ser rey; en cambio, un esclavo que había ganado su libertad podía llegar a ser un comerciante adinerado.

En Casa

Los restos de muchas estructuras proveen datos importantes sobre los tipos de viviendas construidas en el imperio. Estas eran tan imponentes como sus moradores podían construirlas. En aquellas destinadas a servicios religiosos, los sacrificios y ceremonias para apaciguar al Cielo y la Tierra eran comunes, además de las oraciones para pedir favores a los ancestros durante tiempos de crisis. Cada aldea tenía su propio edificio de gobierno, aunque su forma de operar no es del todo clara. También había escuelas y tiendas de bienes desecados, donde la educación y el comercio se llevaban a cabo respectivamente. Cada aldea tenía su pabellón médico para atender a los heridos y enfermos.

Las casas estaban hechas de piedra y barro. Los arqueólogos todavía pueden encontrar algunas en pie hoy en día. Aunque las casas comunes eran más reducidas que las de los nobles, éstas seguían siendo adecuadas para las familias que las ocupaban. Los nobles necesitaban moradas más espaciosas debido a que debían acomodar familias grandes dentro de las mismas. Un noble podía tener de 10 a 15 esposas. En comparación, un granjero solo necesitaba espacio para una esposa y sus hijos. Fuera de la clase noble, solo aquellos con suficientes recursos podían tener más de una esposa. Comúnmente, eran los comerciantes, pero algunos inventores podían ser muy exitosos y tener más de una esposa.

Astronomía y Calendarios

Los zapotecas fueron una de las primeras civilizaciones en mirar hacia los cielos. Lo cual no es una sorpresa para un pueblo que creía venir de las nubes. Sin embargo, hicieron más que admirar a los astros. Ellos crearon un calendario parecido al europeo, pero trataron el problema de los días adicionales de otra manera.

Al contrario que los europeos, los zapotecas creían que el tiempo era cíclico. En vez de ir en un solo sentido, el tiempo podía regresar a un punto en el pasado y repetirse nuevamente en el mismo ciclo.

Al igual que el calendario europeo, el zapoteca estaba basado en su religión. De acuerdo con este, un año tenía 260 días y estaba dividido en cuatro meses. Los meses fueron establecidos en relación a las estaciones, ya que la civilización era principalmente agrícola. Las estaciones jugaban un papel primordial en la toma de decisiones y otras actividades. Cada mes tenía 65 días, repartidos en cinco semanas. Cada semana tenía 13 días. Este calendario dictaba la fecha de los rituales y ceremonias. La división del calendario en cuatro partes simbolizaba el paso del tiempo como un ciclo que se repetía.

Los zapotecas poseían un segundo calendario basado en los ciclos solares. Este era distinto del calendario religioso, ya que dividía el año en secciones más cortas para, así, planear los cultivos en función de los movimientos del sol. Usar un calendario como este permitía mantenerse al tanto de las necesidades de los granjeros. Aquí el año se dividía en 18 meses de 20 días cada uno, con un añadido de 5 días para mantenerse al corriente con las estaciones. Esto permitía tener un patrón más estable de los días en vez de variar el número de días de cada mes.

Hay un hecho relevante sobre los restos descubiertos en las ruinas zapotecas. La mayoría de los artefactos y reliquias en los sepulcros dan datos sobre el nombre de la persona con quien fueron enterrados. Los arqueólogos han descubierto que los zapotecas nombraban a sus hijos de acuerdo a los días en el calendario. Se cree que el nombre de un infante era el nombre del día en que había nacido. Los zapotecas creían en la suerte, y consideraban que algunos días atraían más la suerte que otros. Era práctica común nombrar a los hijos de los nobles según el día de la suerte más cercano al día real de su nacimiento. Es habitual encontrar restos de nobles con nombres como "Flor 9" "Ciervo 8", que reflejan su posición social y dan una estimación del día en el que nacieron. Además, los nobles recibían sobrenombres referentes a los días. Aunque es difícil saber de dónde provenían algunos.

Algunos hombres eran llamados "Creador de Relámpago" o "Gran Águila", nombres que pudieron originarse por logros personales o su relación con el gobernante.

Cultivo Principal

Desde sus inicios, el maíz fue el cultivo favorito de los zapotecas, porque proveía las cosechas más grandes con la menor cantidad de esfuerzo. No es porque el maíz fuera fácil de cultivar, pero era más simple y estable que otros rubros que formaban parte de las primeras cosechas. Los zapotecas tenían una agricultura variada, pero el maíz tenía un papel central en la cultura y su alimentación.

Fuera de Monte Albán, la tierra era tan fértil que permitía cultivar grandes cosechas para alimentar a toda la población. Era un lugar ideal para sembrar maíz sin tener que preocuparse por vecinos hostiles debido a su localización remota. Esto jugó un papel importante en el crecimiento y florecimiento de la civilización. Sin el maíz hubiese sido muy difícil para los zapotecas establecer una cultura tan influyente en Mesoamérica.

Es irónico que, en la cultura zapoteca, que era dependiente de los cultivos y quienes los sembraban, los granjeros no fueran tan estimados como los sacerdotes y gobernantes, que solo cumplían labores auxiliares. Sin los granjeros no hubiera existido un imperio zapoteca.

Rubros y Comidas

Aunque el maíz era el rubro principal de la agricultura zapoteca, no era lo único que se sembraba. A pesar de que la capital se encontraba en suelo árido, otras regiones del imperio proveían suelos fértiles aptos para distintos tipos de cultivos. Había tres tipos de suelos y regiones agrícolas en el imperio. Estas se diferenciaban por el tipo de irrigación necesaria para mantener vivas las cosechas.

La habilidad para crear distintos tipos de agricultura fue un componente principal en la supervivencia de los zapotecas.

1. En Monte Albán y regiones próximas a la capital el suelo era pedregoso. Sin embargo, la evaporación era más lenta que en otras áreas.

2. El suelo en el valle era más rico en nutrientes y mejor para sembrar. Aquí la evaporación era más rápida que en las montañas.

3. El área a pie de monte era difícil de arar por su inclinación variada, pero esta garantizaba una mejor irrigación.

Al acomodarse a las necesidades agrícolas de cada región, los zapotecas terminaron desarrollando cinco tipos de agricultura.

1. La recolección de lluvia se realizaba en áreas donde esta era abundante. Estas zonas requerían de menor irrigación y eran mejores para las cosechas.

2. Para las áreas donde el agua se encontraba muy por debajo de la superficie se excavaban pozos de irrigación

3. Los canales de irrigación eran utilizados en áreas donde el agua y la lluvia eran escasas. Esta era la técnica más avanzada para proveer agua a estas regiones.

4. En áreas donde la precipitación era abundante, pero de corta duración, la recolección de agua se llevaba a cabo tras las inundaciones.

5. Al crear terrazas alrededor de las colinas, se garantizaba el suministro de agua para las regiones del pie de monte y zonas ubicadas en latitudes mayores.

Los cultivos eran variados dependiendo de la región. Además de maíz, los zapotecas cultivaban frijoles, aguacates, tomates, calabacines, chiles, nopales y agave para mantener alimentada a su población. También sembraban comidas exclusivas para la nobleza, como el cacao para hacer chocolate.

Además de la agricultura, recolectaban comidas silvestres como hierbas y bellotas. Los perros formaban parte de su dieta. La cacería de animales grandes estaba restringida solo para los nobles, aunque existían suficientes animales pequeños para los plebeyos, como tortugas, tuzas, lagartijas y palomas. Aunque a la clase trabajadora no se le permitía cazar animales grandes, siempre acompañaban a los nobles durante sus viajes de cacería. Esto ayudaba a mantener un equilibrio en la sociedad, porque estimulaba el trabajo en equipo por el bien común.

La Importancia de los Tributos

Los zapotecas buscaban expandirse por medios pacíficos, aunque en ocasiones lo hacía por las armas. Cuando conquistaban alguna región que no quería unirse a su imperio, estos eran obligados a pagar tributo a los zapotecas. Esto les recordaba que ahora eran parte de una nueva cultura. Los líderes de grandes regiones proveían el apoyo militar necesario a los designios del rey.

Los ejércitos estaban compuestos en su mayoría por nobles. Ellos eran quienes poseían rango dentro del mismo. A los plebeyos se les llamaba para participar en las batallas según fuera necesario. Los soldados distinguidos recibían un uniforme especial para denotar que eran más aptos que un combatiente regular.

Aunque poseían un mejor ejército y mejores fortalezas que muchos de sus vecinos, los zapotecas preferían arreglar las disputas y expandirse a través de la diplomacia y negociaciones siempre que fuera posible.

Capítulo 7 – Artes, Deporte y Tecnología

Uno de los detalles más fascinantes sobre los zapotecas era lo avanzados que eran sus artes y deportes. La escritura fue desarrollada desde sus primeras etapas y jugó un papel crucial en la evolución del imperio. Los jeroglíficos que usaban para escribir denotaban la complejidad de su lenguaje. Sus artesanos crearon piezas de cerámica y joyería tan intrincadas que son fáciles de diferenciar de las de otras culturas. También eran excelentes deportistas, haciendo uso de sus habilidades físicas al competir con otras civilizaciones vecinas.

Un Lenguaje Desarrollado

El lenguaje de los zapotecas fue, sin lugar a dudas, un aspecto a resaltar de su civilización. Este formaba parte de la familia otomangue de las lenguas Mesoamericanas, el mismo grupo del se originaron las lenguas olmeca, azteca y mixteca, entre otras. Cuando los hablantes de esta lengua comenzaron a dispersarse alrededor del 1.500 a.C, los zapotecas la adaptaron a sus necesidades. El idioma zapoteca es tonal, esto significa que el tono del que van acompañado las palabras denota la intención del hablante. Idiomas modernos como el español y el italiano comparten esta característica.

Aunque no se puede descifrar cómo sonaba el idioma durante sus inicios, el zapoteca se sigue hablando en México hoy en día, en regiones al norte y sur de Sierra, los Valles Centrales y el istmo de Tehuantepec. Los dialectos de estos grupos puedan dar una pista de cómo sonaba el idioma en la época del imperio.

La Complejidad de la Lengua Escrita

Los zapotecas fueron los primeros en mantener un registro escrito de su historia en la región. Su sistema de escritura sería imitado por otras culturas como los mayas, mixtecas y aztecas. La mayoría de sus registros eran sobre sus líderes y conquistas. Sus reliquias contienen historias que pudieron haber desaparecido de la faz de la tierra con el paso del tiempo; no obstante, muchas de ellas están incompletas.

Su sistema de escritura es parecido al egipcio antiguo con historias contadas a través de imágenes cuyo significado variaba dependiendo de las posiciones de las figuras. Era un idioma logo silábico, es decir, cada sílaba que se pronunciaba o escribía tenía su propio significado. En lo referente a la lectura, esta guarda relación con las tradiciones orientales donde es común leer columnas de arriba hacia abajo en vez de izquierda a derecha. Aunque los arqueólogos han logrado descifrar el significado de varios símbolos, todavía queda mucho que aprender de este lenguaje tan complicado.

La escritura que apareció en los primeros años de la civilización trataba casi exclusivamente sobre las derrotas de sus enemigos. El líder de San José Mogote comisionó la confección de obras artísticas que lo representaban conquistando y sacrificando a sus enemigos como una forma de mostrar su poder. Esta fue una de las primeras obras de escritura zapoteca; no cabe duda de que su intención era representar el éxito del gobernante. Una obra de este tipo respondía a las necesidades de supervivencia de una civilización sitiada por conflictos continuos. Al centrarse en salir victoriosos de los mismos, los zapotecas estaban demostrando su valor y la superioridad de sus dioses. Muchos de los primeros trabajos escritos de otras civilizaciones denotan conflictos similares.

Los arqueólogos suelen encontrar la mayoría de los trabajos escritos en sepulcros. Era costumbre de los zapotecas enterrar a los muertos con objetos que contaban su historia. La mayoría de estos escritos hablan sobre la posición social y los logros del difunto; otros, todavía están siendo analizados por los arqueólogos. Durante su apogeo en el Valle de Oaxaca, la escritura se utilizaba para mantener un registro genealógico de las familias. Este fue un gran cambio de sus primeros usos para demostrar el dominio y justificar los actos de sus líderes. Se han encontrado inscripciones en todos los sepulcros zapotecas que datan desde los primeros momentos de su civilización hasta los últimos días del imperio. La escritura fue un medio para mantener viva la historia y no para el entretenimiento. Sin embargo, las inscripciones funerarias cuentan historias con hechos exagerados.

Algunas de estas tienen descripciones sobre el uso de los objetos en el sepulcro. En el caso de las tumbas, estas cuentan la historia y los logros de su ocupante. Grandes animales en las tumbas de los líderes representaban el éxito y poder del mismo. El uso de felinos era lo más común. Para las tumbas de los nobles, quienes después de su muerte regresarían al cielo, las inscripciones de pájaros era lo más común. Para los guerreros se utilizaban depredadores peligrosos, diferentes a los usados para referirse al rey.

Los zapotecas creían en la necesidad de diferenciar su lenguaje según la clase social. A lo largo de su historia surgió una diferenciación de símbolos. Creían que el registro de los nobles era más elegante y claro que el de los plebeyos, que abogaban por las mentiras e imprecisiones. Aunque se cree que en realidad no había diferencias en el discurso, estas sí existían en el lenguaje escrito. Al describir a los nobles, se utilizaba un lenguaje de trazo más elaborado. Este es el tipo lenguaje que se encuentra en las ruinas de la civilización. Esta diferenciación puede haber existido porque los líderes buscaban promover la imagen de su propia clase social. Al mostrar a los nobles como más honestos y fuertes, los plebeyos siempre los considerarían como tales.

Objetos Importantes

Dentro de su gran catálogo de logros, la artesanía de los zapotecas se encuentra entre los primeros. Eran expertos en realizar trabajos con oro y plata. Podían realizar diseños intrincados y de suma belleza, resultando así en algunas de las obras de arte más notables de Mesoamérica. Muchas de ellas eran usadas por los gobernantes. Para un artesano no había mayor logro que ver a un gobernante utilizando una de sus piezas.

El jade era un elemento exclusivo en la joyería de la nobleza. Desde los aretes hasta el adorno para el labio, el jade denotaba el estrato social de la persona. Este era solo uno de los materiales preciosos utilizados por los zapotecas. Los restos de los zapotecas que usaban estos accesorios han sido más fáciles de identificar.

Los arqueólogos han aprendido mucho de esta cultura al examinar su cerámica. Aunque estos jarrones tenían funciones en la vida cotidiana, como almacenar agua, comida y su uso en ceremonias religiosas, muchos de ellos también eran utilizados como decoración en hogares y sepulcros. Sirviendo de herramienta y símbolo, la cerámica ofrece información sobre la vida de los zapotecas. Los jarrones y otras piezas que se utilizaban a diario se encuentran desgastados y sin decoración alguna. Otros contienen muchos detalles, como historias, o eran elaborados con una forma bella. Como muchas de las tumbas contienen jarrones, se cree que los muertos podían usarlos después de la muerte. Cuantos más detalles poseían los jarrones, más alta era la posición de la persona en la sociedad.

Sana Competencia

Como una civilización que prefería la diplomacia a la guerra, los zapotecas celebraban competiciones deportivas con sus vecinos. Duran la segunda fase de Monte Albán, los terrenos de juego fueron comunes. Estos tenían forma de I, como el numeral romano para 1. Eran lugares para ejercitarse y jugar. En ellos se jugaba un deporte que requería de un balón. Este juego se ha perdido en el tiempo, ni los descendientes de los zapotecas recuerdan sus reglas ni como jugarlo.

Basados en el número de terrenos de juego en ciudades y aldeas, se asume que era uno de los pasatiempos favoritos de las personas, como el fútbol hoy en día. En algunos lugares, los arqueólogos han encontrado largas áreas rectangulares que se presume fueron utilizadas para este deporte. Al analizar los jeroglíficos encontrados en estos campos, se descubrió que los jugadores debían usar rodilleras, guantes y otras protecciones para jugar. El balón era fabricado con caucho, dándole así más elasticidad y rebote que si estuviera hecho de piel de animal.

La ciudad de Dainzú poseía el terreno de juego más importante. Era también el mejor lugar para jugar debido a la posición de la ciudad en una colina. Debido a su altura y la facilidad para defender la ciudad, era difícil que los enemigos pudieran atacarla sin ser detectados desde lejos. En la terraza más baja de Dainzú, hay grabados que dan detalles sobre las competiciones. Los intrincados detalles de estos grabados son distintos a todos los otros realizados por los zapotecas y han llamado la atención de las personas que los han visto. Los detalles y grabados en esta cancha han ayudado a los arqueólogos a plantear hipótesis sobre el juego. Desafortunadamente, todavía no hay información suficiente para desvelar los secretos del mismo. Los arqueólogos aún no entienden cómo se jugaba ni mucho menos su importancia dentro de la sociedad.

Las Raíces de la Tecnología

Los zapotecas fueron capaces de convertir una montaña árida e inhóspita en una ciudad próspera, Monte Albán. Este acto demostró que era la civilización más avanzada de su región. Fueron capaces de adaptar un terreno a sus necesidades en vez de limitarse a un espacio reducido.

El logro más grande de los zapotecas fue sin duda su sistema de irrigación. Gracias a este pudieron establecerse en una región y prosperar de una manera en que otras civilizaciones no hubieran podido. Al usar canales para transportar el agua pudieron asegurarse de que existiera un suministro continuo del vital líquido en todos los rincones de su imperio, aun cuando las lluvias fueran escasas.

Su fuente principal de agua era el Río Atoyac, que atravesaba el Valle de Oaxaca. Este proporcionaba el agua suficiente como para mantener los cultivos y la población ante la escasez de lluvia. Desde este río y sus afluentes, los zapotecas construyeron canales que transportaban el agua a regiones más altas. Esto implicaba que el agua era distribuida sin perturbar el suministro para los cultivos. También hay evidencia de que construyeron represas para almacenar mayores cantidades de agua en regiones donde era más escasa.

La arquitectura zapoteca era diferente a la de las otras civilizaciones. Aunque construyeron pirámides, otras estructuras guardan semejanza con construcciones típicas de Europa durante ese período. Por ejemplo, las paredes de la cancha más importante de Dainzú poseen grabados intrincados. Los campos comunes tenían espacios a su alrededor que pudieron ser utilizados para acomodar a los espectadores. Los restos de estas canchas se asemejan a gradas y asientos donde la gente podía sentarse a disfrutar del entretenimiento.

Sin embargo, los sepulcros son las obras más notables. Los muertos eran llevados a sepulcros bajo tierra sin importar su estrato social. Estos estaban ubicados debajo de las casas donde vivían. Ambas estructuras estaban conectadas por escaleras y un vestíbulo bajo tierra. Se cree que esto era un simbolismo que reflejaba el paso a la otra vida. Aunque solo los ancestros de los nobles podían interceder ante los dioses, los plebeyos veneraban a sus muertos con mucho respeto. Una evidencia de esto es la forma en que se construían las tumbas. En ellas hay complejos diseños y grabados, cuyo propósito era narrar la historia de su ocupante.

Capítulo 8 – Un Conque entre Dos Mundos

Antes de la llegada de los conquistadores, los zapotecas ya habían consolidado su civilización. No obstante, la vibrante capital, centro de innovación y progreso durante incontables siglos, había perdido su relevancia en el imperio. En general, existían claras señales de la decadencia de la civilización reflejadas en factores internos y externos.

No hay manera de saber qué políticas tenían vigencia cuando llegaron los españoles, pero se sabe que la civilización había pasado su punto más alto. La transferencia del poder de Monte Albán a la capital religiosa, Mitla, era una clara señal de que las cosas estaban cambiando. Si los conquistadores no les hubieran invadido, es posible que el imperio hubiese visto un nuevo florecimiento. Sin embargo, este fue un período en el que el futuro de Mesoamérica cambió para siempre.

El Final de una Guerra

Los zapotecas habían estado en guerra con los aztecas durante un año cuando los conquistadores llegaron. Habían perdido esta guerra. Teniendo en cuenta cómo habían mostrado su dominio sobre el resto de sus vecinos o encontrado soluciones pacíficas a conflictos internos, el conflicto con los aztecas debió ser un golpe fatal para una civilización en declive. Los aztecas se encontraban en su apogeo, ejerciendo dominio sobre su territorio. De no ser por la llegada de los conquistadores, es posible que el imperio zapoteca hubiera sido anexado al imperio azteca.

La innovación y las nuevas ideas fueron más bien una rareza en esta última etapa del imperio. No hubo cambios significativos en la civilización durante más de cien años.

Cuando los conquistadores llegaron, la guerra había terminado con pérdidas mínimas para los zapotecas. Aunque había sido una guerra más sangrienta que cualquiera que los zapotecas hubieran experimentado, mediante la vía diplomática pudieron concretar un acuerdo de paz con los aztecas. En este, el rey zapoteca aceptó una esposa azteca, pagar tributos anuales, y ceder una fortificación en la capital a los aztecas. La transferencia de poder ya se hacía visible. Si los europeos no hubiesen interferido, es posible que hoy no existieran datos sobre esta civilización. Lo más probable es que los aztecas hubieran eliminado cualquier registro de historia zapoteca.

A pesar del acuerdo, no se puede saber cuál hubiera sido el resultado final. Pero al ver los términos del mismo, lo más plausible es que no hubiese sido una relación favorable para los zapotecas.

La Llegada de los Conquistadores

Los conquistadores llegaron antes de la desaparición de los zapotecas, mostrando un gran interés por esta civilización. Siendo un imperio más antiguo que el azteca, los zapotecas poseían una sociedad estructurada, similar a la española. Se podían hacer comparaciones entre esta decadente civilización y sus experiencias, algo que resultaba difícil con los aztecas.

Aunque consiguieron registrar información relevante sobre el imperio y evitar que este fuera olvidado, es obvio que la llegada de los conquistadores era una señal de que el final de los zapotecas se aproximaba.

Hernán Cortés llegó a Ciudad de México alrededor del año 1500, poco después del final de la guerra entre zapotecas y aztecas. Esta misión fue una en la que se había embarcado por su cuenta, dejando de lado la petición del Gobernador de Cuba de no comenzarla. Inicialmente, Cortés mostró interés por los aztecas. Además, operó como un oportunista. Al hacerse aliado de los enemigos de los aztecas, y eliminando algunos de sus aliados, Cortés consiguió ganar terreno sin muchas bajas ni cansancio. Tuvo éxito conquistando la capital azteca, pero poco después huyó al enterarse de que los españoles venían a arrestarlo por comenzar una misión que le había sido prohibida desde el inicio.

Tras la caída de los aztecas, los zapotecas tenían la esperanza de que la paz volvería a reinar. Sin los aztecas ejerciendo su dominio sobre la región esto parecía posible, pero todavía quedaba la amenaza de los conquistadores. Los españoles estaban más interesados en despojar a los nativos de sus tierras e imponer su forma de vida. Las señales de peligro eran evidentes, pero los zapotecas se mantenían optimistas. Esto se debía a que nadie nunca, en Mesoamérica, había visto una fuerza invasora como la de los conquistadores.

Una Promesa de Paz

El interés de los españoles en la civilización zapoteca era producto de su estructura y forma de vivir, similares a las suyas. La sociedad zapoteca tenía muchas similitudes con la española y era más fácil de entender que otras sociedades nativas. Mientras el canibalismo y los sacrificios a los dioses eran vistos como actos barbáricos, estos no eran muy diferentes a los actos atroces que se cometieron a lo largo de la historia de España. La Inquisición española seguía su curso mientras los conquistadores empezaron sus viajes a Mesoamérica. Esto significa que la idea de sacrificar humanos en actos religiosos no era algo nuevo para ellos. Es irónico que los españoles calificaran a los zapotecas y otros nativos de barbáricos sin condenar de la misma manera los actos atroces que se estaban llevando a cabo en nombre de la iglesia en España.

Cualquiera que fueran sus sentimientos hacia los zapotecas, los españoles estaban impresionados por la estructura social y religiosa de este imperio. Esto se ve reflejado en las comparaciones establecidas entre la nobleza zapoteca y la nobleza europea, y la religión zapoteca y la iglesia católica.

Los conquistadores hicieron muchas preguntas sobre los zapotecas. Estos interrogatorios eran una forma común de recolectar información sobre las tierras que pronto les arrebatarían a los nativos. Los españoles interrogaron a los zapotecas en dos ocasiones, 1578 y 1581. Las respuestas obtenidas les permitieron crear una imagen de la civilización, a pesar de la falta de información o de las exageraciones por parte de los interrogados. Mucha de esta información ha sido estudiada por los arqueólogos, buscando un mejor entendimiento de las ruinas y artefactos encontrados en sitios de excavación. Por supuesto, los expertos mantienen cierto escepticismo a la hora de leer estos registros, ya que la información de los mismos no es exacta. Sin embargo, estos proveen un buen punto de partida para lograr entender los jeroglíficos que esta civilización dejó atrás.

Los conquistadores interrogaron al rey zapoteca, Cociyopii, el último de su dinastía. Le preguntaron sobre su religión y sus prácticas. Luego, el mismo sería bautizado y renombrado como Don Juan Cortés. La manera en que los españoles entendieron, o malentendieron, la información proporcionada por Cociyopii trajo más preguntas que respuestas. No obstante, estos registros imperfectos salvaron a esta civilización y su cultura del olvido.

No hay una cantidad estimada de cuántos habitantes había en el imperio a la llegada de los conquistadores. Las fronteras del imperio cambiaban con frecuencia, y las civilizaciones de Mesoamérica no hacían censos para saber cuántas personas vivían en un imperio, ciudad o aldea. Para ese momento, los zapotecas aún dominaban la periferia del Valle de Oaxaca.

La Caída del Imperio

Los arqueólogos están de acuerdo en que la caída del imperio ocurrió tras la llegada de los conquistadores. Hay varias teorías sobre qué la causó. Las enfermedades que los europeos trajeron diezmaron a la población zapoteca, como fue el caso con los nativos en el norte y en Suramérica. Pero debido al tamaño del imperio, es imposible que una enfermedad hubiera acabado con toda la población. Sin embargo, es posible que las enfermedades hubieran afectado las áreas de mayor densidad demográfica, eliminando gran parte de la población de áreas vitales, como las regiones agrícolas.

A pesar de sus esperanzas tras la caída de los aztecas, los zapotecas no gozaron de mayor suerte bajo el gobierno de los conquistadores. Sus costumbres y herencia eran diferentes de la nueva cultura impuesta por los españoles. Una de las señales de que la civilización estaba condenada fue la conversión de su último rey a la religión cristiana.

Además de esto, muchas de las provincias y aldeas que habían estado bajo el control de los zapotecas durante siglos empezaron volverse autónomas. Algunos historiadores y arqueólogos coinciden en que la caída del imperio fue el resultado de luchas internas en las cuales muchas aldeas ganaron su independencia. Hubiese sido imposible reformar un imperio después de que muchas piezas fundamentales para el mantenimiento de la sociedad y su estilo de vida se apartaran del mismo. Además, la conversión del rey fue un duro golpe a la religión. Si este era un descendiente de los dioses, al darle la espalda y convertirse al cristianismo, se destruyó la base de la jerarquía social a la que los zapotecas estaban acostumbrados. Sin una religión consolidada, los jefes y líderes de otras aldeas buscaron obtener el poder que no podían obtener bajo el gobierno del rey. Los plebeyos también vieron esto como una oportunidad para subir de estatus.

Mitla se mantuvo como el centro de convergencia de todas las costumbres y herencia zapoteca. La civilización continuó su marcha bajo las mismas premisas del imperio, aun cuando los conquistadores tomaron el control del resto de sus tierras.

Sin embargo, muchos de sus habitantes aprovecharon esta oportunidad para comenzar nuevas vidas bajo una nueva estructura social. Algunos de ellos desaparecieron, bien porque fueron asimilados por otras culturas o por desplazarse a zonas en las que no pudieron sobrevivir. Otros crearon pequeñas aldeas en las que mantuvieron vivas las costumbres de sus ancestros. Estos últimos han sobrevivido durante siglos y aún hablan un dialecto parecido al idioma zapoteca. Parte de su legado forma parte de un registro escrito; la otra parte se ha perdido. Los mitos y leyendas de su pueblo todavía existen, pero han sido alterados hasta el punto de que ya no coinciden con los registros de los conquistadores. Estos descendientes son la única conexión que existe con una civilización que controló una gran porción del territorio Mesoamericano. Mientras otros pueblos trataban de forzar sus ideas en las mentes de sus nuevos territorios, los zapotecas encontraron formas pacíficas de anexar territorios y asimilar habitantes a su cultura. Con su creciente influencia sobre la región, muchas civilizaciones y aldeas vieron la oportunidad de formar parte de algo más grande al unirse a los zapotecas. Pero el miedo al poder de su ejército también formó una parte importante de la conquista pacífica. Fue una civilización que buscó otros medios para expandirse, y, por eso, su influencia e importancia en la historia de la región es innegable.

Conclusión

Desde sus inicios, la civilización zapoteca fue una de las más influyentes de Mesoamérica. Mientras sus vecinos se centraban en conquistar otros territorios, los zapotecas persiguieron la innovación y la tecnología. En su primera capital, San José Mogote, todavía permanecen los indicios que apuntaban a la grandeza de este pueblo. Los zapotecas desarrollaron su propio idioma y sistema de escritura mientras que las civilizaciones vecinas se ocupaban de ampliar sus fronteras y obtener recursos. Los jeroglíficos que inventaron en estos tiempos serían más tarde refinados y añadidos a trabajos artísticos más elaborados. Aun antes de marcharse de San José Mogote, los zapotecas veían el mundo de una forma diferente. Mostraban respeto a sus presas porque en ellas estaba contenido el espíritu de sus dioses. Además, buscaban mantener un equilibrio con el mundo que los rodeaba. Fue esta manera de vivir la que impulsaría el nacimiento de una de las civilizaciones más prominentes de la América pre-colombina.

Cansados de la escasez de recursos y las luchas constantes, los zapotecas buscaron nuevos terrenos donde asentarse. Escogieron un lugar inhóspito con el que pocas civilizaciones se hubieran aventurado. Nivelando la cima de una montaña para construir su capital, crearían un impero como nunca se había visto en Mesoamérica en cientos de años. Crearon avanzados sistemas de irrigación para facilitar su vida en zonas áridas. Debido a su inteligencia e ideas innovadoras, buscaron un lugar más fácil donde defenderse de vecinos hostiles. La nueva capital, Monte Albán, estaba profundamente fortificaba y era difícil de penetrar. Se aseguraron de que sus habitantes pudieran perseguir otras metas en lugar de centrar su cultura en la guerra.

Las raíces de su civilización estaban basadas en la diplomacia en lugar de la conquista armada. Aun cuando comenzó la expansión de sus territorios, los zapotecas se centraron en estrategias políticas para anexar territorios a sus fronteras. Sin embargo, esto no significaba que no conocieran el arte de la guerra.

Los miembros de esta civilización vivieron sus vidas de una manera que ni los europeos pudieron haber concebido. En lugar de clases sociales con estratos rígidos y esclavitud perpetua, la sociedad zapoteca contaba con cierta flexibilidad. Sí existía una división inquebrantable entre los nobles, quienes afirmaban ser descendientes de los dioses, y el resto de la población. Pero los plebeyos no tenían muchas limitaciones. No podían contraer matrimonio con miembros de la realeza o ejercer cargos en el gobierno, pero podían perseguir otros intereses y emplear sus habilidades para aumentar el prestigio de los zapotecas. Había muchas ocupaciones en el imperio. La agricultura era la principal fuente de trabajo, pero dentro de las ciudades había artistas e inventores capaces de hacer trabajos intrincados. Estos trabajos fortalecieron la reputación zapoteca y los convirtieron en la civilización más sofisticada de sus tiempos.

Con más de 1000 años de historia y una forma de pensar que difiere de civilizaciones vecinas, los zapotecas han ampliado para siempre el panorama de las civilizaciones antiguas para el estudio de los arqueólogos e historiadores.

Tercera Parte: Historia Maya

Una guía fascinante de la civilización, cultura y mitología mayas, y del impacto de los pueblos mayas en la historia de Mesoamérica

Introducción

En la última década o dos, ha habido un aumento del interés por los mayas, su historia, civilización y cultura. Ha habido más documentales y películas de ficción, libros e historias sobre ellos. Esto fue en parte alimentado por la mítica predicción maya del fin del mundo en 2012, que por un corto período de tiempo puso a esta civilización bajo la atención de los medios de comunicación. Pero hay mucho más en su cultura que la idea errónea común sobre su calendario. Y durante mucho tiempo antes de que los mayas llamaran la atención de la población en general, los arqueólogos e historiadores hicieron todo lo posible por descubrir y reconstruir la historia completa de la civilización maya.

Esos científicos se preguntaban cómo construyeron los mayas esas magníficas ciudades y templos; ¿cómo crearon tan impresionantes piezas de arte y joyas? Trataron de entender lo que los mayas dibujaban, tallaban y escribían en sus paredes y libros. Cada aspecto de la vida maya era interesante para ellos. A medida que su investigación progresaba y se acumulaba el entendimiento y conocimiento de la civilización maya, una cosa quedó clara para los historiadores. Los mayas fueron una de las civilizaciones más importantes e influyentes de toda la región mesoamericana. Una ilustración simple de este punto es que, si usted cerrara los ojos y tratara de imaginar una imagen general de la vida mesoamericana antes del llamado descubrimiento de América por Colón, lo más probable es que vería la representación por excelencia de la civilización maya. Podría imaginar a la gente caminando vestida con pieles de jaguar, o con tocados de colores brillantes hechos de plumas, o enormes templos piramidales escalonados adornados con extrañas tallas jeroglíficas, tal vez gente con rostros pintados y narices y orejas perforadas, sacrificios humanos frente a las masas, o guerreros con palos de madera que se escabullen por la selva. No podemos ni siquiera imaginar la historia y la cultura mesoamericana sin los mayas. Por eso es muy importante saber todo lo que podamos sobre ellos.

En este libro intentaremos arrojar un poco de luz sobre la civilización maya, desde sus orígenes e historia, pasando por la vida cotidiana del pueblo maya, con el tema ineludible de su religión y mitología, para terminar con el tema, habitualmente olvidado, de lo que les sucedió a los mayas después de la llegada de los españoles y dónde se encuentran ahora. Y al mismo tiempo, al conocer más sobre esta importante civilización, otra parte importante de este libro es desacreditar algunos de los mitos y conceptos erróneos que, como en todas las grandes civilizaciones, se convirtieron en sinónimos de los mayas. Así que prepárese para aprender y disfrutar de esta visita guiada por la civilización maya.

Capítulo 1 - Conozca a los mayas

Toda historia sobre las civilizaciones del continente americano comienza alrededor de 40.000 a 20.000 años a. C., cuando durante la última gran Edad de Hielo, un puente terrestre conectaba Alaska y Siberia. Durante ese largo período, pequeños grupos comenzaron a moverse gradualmente hacia lo que más tarde sería llamado el Nuevo Mundo por los exploradores europeos. Aunque ha habido algunas otras teorías sobre cómo y cuándo los humanos emigraron por primera vez a las Américas, esta teoría es actualmente predominante gracias a las abundantes pruebas que la sustentan. En primer lugar, los arqueólogos encontraron similitudes entre las herramientas que usaban los habitantes de Siberia durante ese período y las herramientas de los primeros colonos al otro lado del océano Pacífico. Luego, los lingüistas encontraron similitudes y relaciones fundamentales entre las lenguas siberianas y las lenguas habladas por los nativos americanos. La última y probablemente más concluyente pieza de evidencia vino de los genetistas, que compararon el ADN de ambos grupos de personas y encontraron una ascendencia común. Confirmaron que la mayoría de los pueblos indígenas de las Américas provenían de lo que hoy es el sureste de Siberia.

Por supuesto, esa migración no ocurrió en una ola enorme, sino que, lentamente, con el tiempo, pequeñas bandas y tribus cruzaron desde Asia. Y desde Alaska y el norte de América, comenzaron a migrar hacia el sur. Lo hicieron mientras buscaban mejores lugares para vivir, con climas más cálidos, con plantas más diversas y mejores terrenos de caza. Durante cientos y miles de años, estas bandas de cazadores y recolectores vagaron por todo el continente y comenzaron a adaptarse, inventando nuevas herramientas de piedra más singulares. Los arqueólogos encontraron esas herramientas en la península de Yucatán, que es la tierra natal de los mayas, y la han datado alrededor del año 10.000-8.000 a. C. Es probable que sea entonces cuando los primeros pueblos, probablemente antepasados mayas, llegaron a la región. Pero antes de pasar a cómo esos primeros cazadores-recolectores se elevaron para convertirse en los legendarios mayas, tenemos que entender dónde vivieron y cómo afectó al desarrollo de su primera civilización.

La llamada patria maya cubría la parte sureste del actual México, incluyendo la ya mencionada península de Yucatán, y la parte noroeste de América Central, en los territorios de los actuales Belice y Guatemala, y partes de El Salvador y Honduras. De esto se desprende que los mayas cubrían un área relativamente grande, alrededor de 320.000 km2, que se puede dividir en tres zonas geográficas y climáticas. Al norte, cubriendo casi toda la península de Yucatán se encuentran las Tierras Bajas, luego en el centro de la región Maya están las Tierras Altas, y en el sur está la Llanura Costera del Pacífico. La región de la costa del Pacífico era una zona de selva densa, con las mayores cantidades de precipitaciones anuales de toda la patria maya. Algunos de los primeros asentamientos mayas fueron fundados en esta región, a lo largo de las lagunas de la costa. Con abundante vida silvestre y plantas en el bosque, criaturas del mar y de agua dulce, era un lugar perfecto para los primeros colonos, mientras que los ricos suelos a lo largo de las orillas del río lo hacían un buen lugar para las sociedades agrícolas que llegaron más tarde. También fue una importante ruta comercial en períodos posteriores cuando surgieron comunidades más complejas, conectando México y América Central.

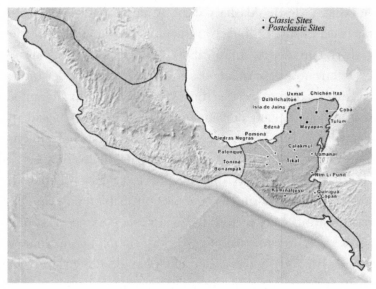

La patria maya. Fuente: https://commons.wikimedia.org

Al noreste de la región de la costa del Pacífico se encuentra la región de las Tierras Altas, llamada así por sus altas montañas de una elevación promedio de más de 760m (2500 pies), con los picos más altos que llegan hasta unos 3000m (9850 pies). Con una mayor altitud, las temperaturas son más bajas y las precipitaciones más escasas. Sin embargo, la actividad volcánica de las montañas proporcionó importantes recursos de piedra para los mayas, como la obsidiana (también conocida como cristal volcánico) y el basalto volcánico. Los volcanes también hicieron que el suelo circundante fuera bastante fértil, y el clima de ciertos valles era perfecto para la agricultura. Además de las piedras volcánicas, las Tierras Altas también eran ricas en otros minerales preciosos como el jade y la serpentina. Todo eso combinado hizo que esta área fuera favorable para el asentamiento a pesar del peligro de las erupciones volcánicas y los terremotos. Muy diferente de esa área son las Tierras Bajas, que son en su mayoría planas, y que en el pasado estaban cubiertas de un espeso bosque. Esta región es rica en piedra caliza y pizarra, materiales de construcción importantes para los mayas, así como con áreas de suelo fértil y abundante vida silvestre. El sur de las Tierras Bajas está lleno de lagos y ríos, que proporcionaron peces a los habitantes, y al mismo tiempo facilitaron la comunicación a través del denso bosque. En las zonas del norte, más ricas en piedra caliza, el agua es más escasa, y las únicas fuentes de ella eran los sumideros, también conocidos como cenotes en esa región. Y la costa del Océano Atlántico en la Península de Yucatán proporcionó a esta región tanto peces de agua salada como mariscos. Si se consideran todas las cosas, aunque a primera vista no lo parezca, toda la patria maya era bastante rica en alimentos, agua y materiales de construcción, lo que explica por qué exactamente los antepasados mayas eligieron establecerse allí.

Pero, probablemente algo más importante que eso, era la abundancia de suelo fértil. Alrededor del año 6.000 a. C., la agricultura se extendió por toda Mesoamérica, lo cual marcó un paso vital en el desarrollo de la cultura maya. Sus antepasados ya vivían una vida algo sedentaria, con abundancia de alimentos en los bosques que les rodeaban. Pero con el auge de la agricultura alrededor del año 2000 a. C., tenían más excedentes de alimentos, lo que significaba que la población crecía más rápidamente y era más próspera. Y en busca de suelos más fértiles, los antepasados mayas comenzaron a extenderse desde la parte costera de la tierra natal maya hacia adentro, lo que explica por qué las Tierras Altas fueron al principio un poco más lentas en su desarrollo. A medida que sus sociedades se volvían más complejas, gracias en parte a un mayor exceso de alimentos, pero también debido a las conexiones con otras civilizaciones mesoamericanas, sus culturas comenzaron a evolucionar, y alrededor del año 1500 a. C. se estaba empezando a formar una temprana civilización maya. Aunque debe mencionarse que los lingüistas de hoy en día creen que la lengua proto-maya, de la cual evolucionaron todas las lenguas mayas modernas, se formó ya en el año 2200 a. C., lo que significa que el pueblo maya se había diferenciado de otras tribus mesoamericanas incluso antes de que se elevaran a un nivel de civilización.

Por supuesto, en las primeras etapas de su desarrollo, los mayas no eran tan dominantes como solemos representarlos. Desde el año 1500 a. C. hasta alrededor del 250 d. C. existió la primera civilización maya, conocida por los historiadores como el período preclásico. Durante este tiempo, los mayas aprendieron, adoptando nuevas tecnologías e ideas de sus vecinos que estaban, en ese momento, más desarrollados. Luego vino la edad de oro maya, el período clásico, que duró desde aproximadamente 250 hasta 950 d. C. En esa época, también conocida como la civilización maya media, fueron la cultura más dominante en Mesoamérica, con grandes ciudades, una economía fuerte, y tecnología avanzada en comparación con otras. Pero esa edad de oro llegó a su fin de manera bastante abrupta durante el siglo X d. C., lo que condujo a la tercera era de los mayas-la civilización maya tardía, o período posclásico, que duró hasta que los españoles llegaron a Mesoamérica a principios del siglo XVI. Ese período está marcado por una lenta caída de los mayas, que seguían siendo una civilización importante, pero ya no tan dominante como antes. Por supuesto, todo eso cambió con la llegada de los españoles, quienes demostraron poca comprensión hacia cualquier cultura, religión o idea que no estuviera de acuerdo con su visión cristiana del mundo. Así que, con gran dedicación, trabajaron para aplastar al pueblo maya y a su civilización, lo que los llevó a ser mayormente olvidados durante algunos siglos. Se convirtieron en una tribu "salvaje" más del llamado Nuevo Mundo.

Esa actitud comenzó a cambiar lentamente a principios del siglo XIX cuando México y otros países centroamericanos se independizaron del desmoronado Imperio español. Muchos se interesaron por la historia de estas tierras, y su curiosidad se despertó por algunos de los finos artefactos mayas que habían estado circulando en los mercados de arte. Por supuesto, en ese momento, los coleccionistas de arte no eran conscientes de que estos eran realmente artefactos mayas. Sin embargo, algunos exploradores audaces comenzaron a vagar por las espesas selvas mexicanas, algunos en busca de conocimiento, otros en busca de ganancias materiales. A lo largo de las décadas encontraron muchos sitios cubiertos con árboles y enredaderas de la selva, reuniendo más atención que culminó en la década de 1890 cuando comenzó la primera gran excavación arqueológica y el examen de los sitios mayas. Para entonces, los arqueólogos e historiadores estaban seguros de que las civilizaciones precolombinas, de las cuales los mayas eran probablemente las más famosas, eran más que meros "bárbaros", pero ahora su tarea era entender esas culturas y descubrir el pasado. Aunque muchos sitios mayas fueron encontrados e investigados a finales del siglo XIX y principios del XX, todavía no se sabía mucho sobre esta misteriosa civilización.

Los años 50 marcaron un punto de inflexión en la comprensión del pasado maya. En primer lugar, las nuevas tecnologías y los nuevos sitios arqueológicos permitieron a los investigadores lograr una comprensión más compleja de cómo se veía y evolucionaba la civilización maya. Pero más importantes fueron los primeros avances en el desciframiento de la escritura maya, lo que significó que los investigadores pudieron obtener un nuevo nivel de comprensión del pasado maya. La comprensión del texto escrito en los monumentos, en los libros y en las paredes de los templos proporcionó muchos más detalles sobre los mayas que cualquier otro artefacto. Este descubrimiento innovador también despertó un nuevo interés en los estudiosos de la historia maya, convirtiéndola en uno de los campos más dinámicos de la investigación histórica de la época. Incluso hoy en día, se están descubriendo nuevos hallazgos arqueológicos y los eruditos tienen una comprensión aún mejor de la escritura maya, ampliando nuestro conocimiento y comprensión de la civilización maya. Y hoy en día, como el enfoque interdisciplinario se ha convertido en la norma en el descubrimiento del pasado, los arqueólogos e historiadores están trabajando ahora junto con científicos de otros campos, como lingüistas, antropólogos, genetistas, lo cual es importante para obtener una mejor y más detallada imagen de la civilización maya.

Uno de esos detalles sobre los mayas que es bastante importante conocer es que no están tan unificados como un grupo como la mayoría de la gente se imagina. Cuando se piensa en ellos, la mayoría de la gente asume que es una gran tribu homogénea la que formó una civilización, tal vez similar a la de los antiguos griegos. Pero en realidad, los mayas estaban divididos en grupos más pequeños. Esto es más evidente en su lengua, que desde los primeros proto-mayenses y a lo largo de miles de años se ha dividido en muchos grupos lingüísticos regionales más pequeños. En la época de la época clásica de la civilización maya, había seis grandes subgrupos lingüísticos de los mayas: yucateco, huasteco, ch'olan-tzeltalano, q'anjob'alan, mameano y k'icheano. Pero a pesar de estas divisiones entre la población maya, sorprendentemente se las arreglaron para mantener una estrecha cohesión cultural y civilizacional, similar a la de la antigua civilización mesopotámica. Por supuesto, desde los tiempos de los mayas clásicos, mucho ha cambiado, y hoy en día los lingüistas han diferenciado unas 30 variaciones de la lengua maya. De esas lenguas, la más utilizada es el k'iche' (quiché), con aproximadamente un millón de hablantes, concentrados en Guatemala. También es importante la lengua maya yucateca, que cubre la mayor área, la península de Yucatán, y tiene unos 800.000 hablantes actuales. En total, hay más de 6 millones de personas que todavía hablan una de las muchas lenguas mayas, aunque cabe mencionar que no todos ellos consideran el maya como su primera lengua.

Una familia maya actual de Yucatán, México. Fuente:
https://commons.wikimedia.org

Esto nos lleva a otra verdad que a menudo se pasa por alto cuando se habla de los mayas; su historia no termina en el siglo XVI, ni tampoco desaparecieron como un grupo étnico único. A pesar de que el dominio español los influenció fuertemente, lograron mantener su identidad intacta, preservando su lengua, tradiciones y cultura hasta el día de hoy. La mayoría de los mayas viven hoy en día en Guatemala, donde constituyen alrededor del 40% de la población total. También forman una minoría significativa en el sur de México y en la península de Yucatán. Honduras, Belice y El Salvador también tienen todavía algunos indígenas mayas, pero en números mucho más pequeños. En total hay entre 6 y 7 millones de mayas hoy en día, lo que los convierte en uno de los grupos étnicos nativos más grandes de América, lo que es otra razón importante para que conozcamos más sobre su pasado, su cultura y su civilización.

Capítulo 2 - De las aldeas tribales a los primeros estados

Antes de entrar en los detalles más específicos sobre la civilización maya, debemos primero echar un vistazo a cómo se desarrolló a través de la historia, comenzando con la primera época, el período preclásico. Es durante este tiempo que los mayas crearon la base de su cultura, haciendo su sociedad más compleja y cambiando su economía, la guerra y la política. Su civilización evolucionó desde las aldeas tribales, a través de cacicazgos más complejos y dio lugar a los primeros estados mayas. Estos cambios comenzaron en la región de la costa del Pacífico donde, muy probablemente gracias a la mejora de la agricultura, los mayas llegaron a tener excedentes de alimentos. Hacia 1700 a. C. ya existían algunas aldeas más grandes que mostraban claros signos de un estilo de vida completamente sedentario, aunque bastante primitivo e incivilizado. Pero en el siguiente siglo más o menos, otra gran e importante mejora comenzó a aparecer. Esa mejora fue la alfarería. Como expresión cultural, se utilizaba para hacer figuritas que eran en su mayoría representaciones de mujeres, como en la mayoría de las primeras sociedades del mundo. En formas más prácticas, los mayas comenzaron a hacer vasijas de cerámica para almacenar y transportar alimentos. Es importante señalar que este aumento de la vida agrícola sedentaria se produjo en un momento similar en toda Mesoamérica, lo que permitió el desarrollo del comercio. Y, afortunadamente para los mayas de la costa del Pacífico, estaban en una posición perfecta para ello.

La ruta comercial más fácil y rápida desde América Central hasta el actual México atravesaba el territorio maya en el extremo sur. Y con la alfarería, era más fácil transportar y comerciar alimentos, que era muy probablemente el primer artículo de comercio de la región. Para los mayas, como para muchas de las primeras civilizaciones, fue un paso crucial en la evolución. El comercio provocó la estratificación de la sociedad, y el nacimiento de la clase elitista entre los mayas. Debido a la acumulación de riqueza y poder, los estratos dominantes comenzaron a ejercer niveles crecientes de control sobre las clases bajas. Esto condujo a la formación de los primeros llamados pequeños cacicazgos durante el 1400 a. C., en los que un pueblo central gobernaba pequeñas aldeas. Estos signos de sociedad jerárquica significaron que los primeros jefes mayas también fueron capaces de obligar a los plebeyos a participar en las obras públicas necesarias para crear proyectos comunales como la construcción de templos u otros edificios rituales, que fueron las piedras angulares de las primeras civilizaciones. Además, el comercio impulsó a la sociedad maya a desarrollar una mejor artesanía y nuevas herramientas, tanto para mejorar la agricultura, para obtener aún más excedentes de alimentos, como para ser comercializados. Esto significó que además de la agricultura, parte de la población maya se centró en el desarrollo de habilidades artesanales. Y que la diversificación social se considera otro paso importante en la creación de las primeras civilizaciones.

No mucho después, en el año 1200, los pueblos mayas de la costa del Pacífico se hicieron ricos y poderosos, con poblaciones de más de 1000 personas por primera vez. Mejoraron su cerámica a nivel artesanal, mientras que las grandes cantidades de obsidiana en algunos de esos pueblos nos muestran que su riqueza y poder provenían del control de ese valioso recurso. Sin embargo, el comercio siguió siendo lo más importante que impulsó a la civilización maya. En este punto, las aldeas mayas más desarrolladas se volvieron lo suficientemente poderosas como para evolucionar del comercio local al regional, lo que significó que los mayas entraron en contacto con otras sociedades más desarrolladas. De estas, la más significativa fue probablemente la de los olmecas, que vivían en la costa del Golfo de México centro-sur. Los olmecas fueron en su momento la civilización más desarrollada, con una religión estructurada, comercio, centros urbanos y arte altamente sofisticado; se considera que influyeron en el desarrollo de toda la familia de culturas y civilizaciones mesoamericanas. Los mayas no fueron una excepción. De los olmecas, los mayas adoptaron la base de su futura civilización, desde el panteón de dioses y edificios monumentales hasta el urbanismo y los rituales, y el estilo de arte y la veneración de los gobernantes.

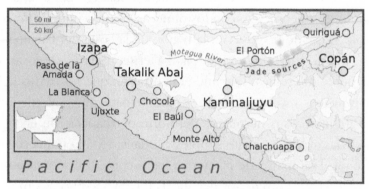

Región de la costa del Pacífico de la patria maya. Fuente: https://commons.wikimedia.org

Pero, aunque los signos de interacción cultural de los olmecas con gran parte de Mesoamérica son ciertos, en los últimos años ha habido algunos historiadores que tienden a estar en desacuerdo con la noción de que la civilización olmeca es la cultura madre de toda la región. Ellos creen que el intercambio cultural ocurrió tan rápido que es imposible estar seguro de que todos los rasgos mencionados se originen realmente de los olmecas. Argumentan que este salto de civilizaciones es obra de toda la red de culturas mesoamericanas, conectadas a través del comercio. Pero nadie puede negar que durante esa temprana era de la historia mesoamericana las ciudades olmecas fueron las más grandes y poderosas, y muchos de sus vecinos y socios comerciales las imitaron. Entre los que imitaban a los olmecas estaban claramente al menos algunos de los pueblos mayas. Hacia el año 1000 a. C., el arte de estilo olmeca comenzó a reemplazar las formas anteriores de las figuras y vasijas mayas, mientras que el jade se convirtió en un importante material precioso codiciado por la élite maya. Más tarde, desde alrededor del 850 a. C., cuando esos pueblos comenzaron a convertirse en centros urbanos, también imitaron la configuración de La Venta, la más importante y poderosa ciudad olmeca del 900 al 300 a. C.

Ese salto de los pueblos a las primeras ciudades es importante; indica que para el momento en que la civilización maya se había hecho más rica y poderosa, fue al menos en parte gracias al aumento de su comercio con los olmecas y otras culturas. Pero esto era solo el estado de cosas en la región de la costa del Pacífico de la patria maya. En el norte, en las Tierras Bajas, las cosas eran ligeramente diferentes. Durante el tiempo en que los mayas del sur comenzaron a involucrarse en el comercio regional, alrededor del año 1200 a. C., sus hermanos del norte permanecieron en el bajo nivel de las aldeas agrícolas simples y todavía vivían en una sociedad igualitaria. Los mayas de las tierras bajas comenzaron a alcanzar la costa del Pacífico alrededor del año 1000 a. C., como nos muestran los primeros signos de la arquitectura pública. Esto significó que la sociedad se estaba estratificando, mientras que el arte de jade de estilo olmeca nos muestra que poco a poco comenzaron a involucrarse en el comercio también. Hacia el 700 a. C., los cambios en las sociedades mayas de las tierras bajas comenzaron a acelerarse a medida que su población crecía más rápidamente. Comenzaron a crear monumentales complejos públicos, mientras que también trabajaban en la creación de campos de cultivo con surcos y drenajes. Y el comercio se convirtió en una parte más vital de sus vidas, similar a la de los mayas del sur. Los artefactos que se encuentran en los centros mayas de las tierras bajas son en su mayoría de origen olmeca, lo que demuestra que también eran uno de los socios comerciales más importantes de la zona de las tierras bajas.

A medida que las regiones del sur y del norte de la patria maya experimentaron un período de crecimiento, acumulación de riqueza y poder, las ciudades más fuertes empezaron a evolucionar desde los pequeños cacicazgos antes mencionados hasta los protoestados. Uno de los primeros y mejores ejemplos de esto es el sitio de La Blanca, que floreció aproximadamente desde el 900 al 600 a. C., en la región de la costa del Pacífico. Logró controlar 300 km2 del territorio que lo rodeaba, con dos centros urbanos más aparte de la capital. Estos centros eran, por supuesto, más pequeños y jerárquicamente secundarios a la capital. Junto a estos centros urbanos, los habitantes de La Blanca controlaban al menos 60 pueblos y aldeas más pequeñas en los alrededores. Ese tipo de poder le otorgaba a La Blanca mucha fuerza de trabajo, la cual era utilizada en obras públicas monumentales. Uno de los ejemplos de esa movilización de la mano de obra fue un templo de plataforma que tenía 24m (78 pies) de altura y es considerado como uno de los más grandes de Mesoamérica de esa época. Aparte de La Blanca, muchos otros centros urbanos más grandes similares surgieron en las partes más sureñas de la región maya, con una jerarquía de sitio e influencia más compleja que en épocas anteriores.

Uno de los ejemplos más esclarecedores de este poder proviene de las tumbas de los gobernantes en estas capitales. La tumba más grande, fechada alrededor del 500 a. C., era una cripta de piedra, que estaba llena de bienes preciosos como jade y conchas, un cetro de piedra tallado y tres cabezas de trofeo que eran un claro indicador del estatus y la riqueza del varón enterrado en ella. Pero más que eso, el verdadero poder que ejercía el rey muerto se demostraba con los 12 sacrificios humanos que se encontraban a su alrededor. Ellos, a diferencia del rey, fueron enterrados con la cara hacia abajo. Su papel en este ritual de entierro era más bien el de ser sirvientes del gobernante en su vida después de la muerte. Los sacrificios humanos y las cabezas de trofeo también nos muestran, junto con otras tallas y hallazgos de cabezas de proyectiles, que la guerra se estaba convirtiendo en una parte más importante y regular de la vida maya. Los gobernantes mayas descubrieron que las incursiones a pequeña escala eran una buena manera de obtener riqueza y mano de obra, pero también de eliminar a sus rivales. Además de eso, los cautivos de la guerra eran utilizados para sacrificios religiosos, y con eso los gobernantes también reforzaban la autoridad sobre sus subordinados, demostrando que eran más que capaces de cuidarlos en los aspectos religiosos y materiales de la vida.

La prosperidad de la vida material y religiosa también fue evidente en la región de las tierras bajas, aunque no tanto como en la costa del Pacífico. Se erigieron templos aún más grandes que antes, como los del sitio sur de las Tierras Bajas de El Mirador, que rivalizaban en tamaño con las pirámides egipcias. También construyeron canchas de juego de pelota ritual, así como *sacbeob*, *sacbe* singular, que eran caminos elevados que conectaban los templos, plazas y otras estructuras en sitios ceremoniales que muy probablemente tenían algún significado religioso. Sin embargo, en este momento parece que el proceso más importante en las Tierras Bajas fue la expansión de los mayas desde las riberas de los ríos y lagos hacia el interior de la región, que estaba muy densamente poblada de bosques. Esto fue posible gracias al desarrollo de la agricultura de arrastre, más conocida como la técnica de tala y quema, que hizo posible la tala de partes del bosque para la agricultura, dejando que se repusiera para que el proceso fuese repetido. Con esa expansión, casi toda la región de las Tierras Bajas fue colonizada por el pueblo maya.

La expansión de la civilización maya no se limitó sólo a las Tierras Bajas. A medida que tanto el norte como el sur del territorio maya se enriquecieron y se involucraron más en el comercio, también extendieron su influencia a las Tierras Altas. Por supuesto, esta región montañosa fue colonizada ya en el año 1000 a. C., pero permaneció bastante poco desarrollada. Su crecimiento y expansión sólo se produjo alrededor del año 800 a. C., muy probablemente influenciado por el desarrollo del comercio entre las Tierras Bajas y la costa del Pacífico, lo que significó que los comerciantes tuvieron que cruzar las Tierras Altas. Esto significó que los mayas de las tierras altas comenzaron a aprender y a adoptar los avances realizados por sus parientes. Hacia el año 600 a. C., comenzaron a utilizar la irrigación para hacer más fértiles los valles en los que vivían, y esto junto con otros signos de obras públicas como monumentos y templos muestran que para entonces habían logrado desarrollar sociedades estratificadas donde las elites eran capaces de movilizar la fuerza de trabajo para proyectos comunes. El mejor ejemplo de esto es Kaminaljuyu, un centro urbano ubicado en el actual centro de Guatemala, cerca de la ciudad de Guatemala, que logró utilizar el control del riego para hacer valer su dominio directo sobre todo el valle en el que fue construido. Las tallas muestran que los gobernantes de esta ciudad ejercían una fuerte autoridad gracias a sus roles religiosos, así como a su éxito en la guerra. Y, como estaban situados en una importante ruta comercial que conectaba las regiones mayas del sur y del norte, se enriquecieron bastante al controlarla.

Por supuesto, esa riqueza se destinaba principalmente a la élite gobernante, o para ser más precisos a los gobernantes, como era el caso en casi todas las ciudades mesoamericanas de la época. Esta acumulación de riqueza y poder en manos de los gobernantes era la clave para el siguiente paso de desarrollo de la sociedad maya, que era la formación de los primeros estados. Pero para el 400 a. C., ciudades como las anteriormente mencionadas Kaminaljuyu y El Mirador, así como muchas otras, crecieron considerablemente, cubriendo hasta 4km^2 (1.5mi^2), lo que hizo que estos centros urbanos fueran tan grandes, si no más grandes, que las ciudades de la Antigua Grecia como Atenas. Ese crecimiento fue una consecuencia directa de su éxito en el comercio, ya que los olmecas anteriormente dominantes estaban en constante declive, desapareciendo lentamente de la escena histórica. Con más riqueza, la sociedad maya se volvió más estratificada, con más de dos clases: las elites gobernantes y los plebeyos. Todo esto culminó con la creación de un fuerte culto a los gobernantes, posiblemente influenciado por los olmecas, que se basó parcialmente en su papel religioso en la sociedad. Con la incuestionable autoridad de los gobernantes, que a estas alturas ya pueden ser llamados incluso reyes, la transformación de las políticas mayas de cacicazgos a estados fue completa.

Una porción excavada de la acrópolis de Kaminaljuyu. Fuente: https://commons.wikimedia.org

Un buen ejemplo de esta transformación es El Ujuxte, una ciudad que de alguna manera puede ser considerada como sucesora de La Blanca como el centro urbano más importante de la región de la costa del Pacífico. Ese centro de poder logró formar un estado que cubría un área de 600km^2 (230mi^2), con cuatro niveles de jerarquía administrativa, que iban desde unas pocas docenas de simples pueblos más pequeños, hasta centros de ciudades secundarias que copiaban la capital. Y como capital, El Ujuxte estaba organizada centralmente con grandes edificios monumentales en el centro de la ciudad, que muy probablemente cumplían funciones ceremoniales y religiosas que también eran importantes para la autoridad del gobernante. Ese centro estaba rodeado por la zona residencial, lo que significaba que esta ciudad era un centro urbano muy ocupado con una economía muy activa. Los arqueólogos piensan que este estado, además de controlar las rutas comerciales de la costa, lo que sin duda fue una gran parte de su éxito, dependía del cacao y el caucho como principales recursos que lo hacían rico. Por supuesto, las riquezas que fluían hacia la ciudad iban en su mayoría al gobernante y a la élite que lo rodeaba, lo que se evidencia en las numerosas grandes obras públicas, tumbas y monumentos que los reyes construyeron como muestra de su poder. Por supuesto, El Ujuxte no era un ejemplo único de esto, había muchos estados y ciudades en la costa del Pacífico que pasaron por un crecimiento y avance similar en los últimos siglos antes de la era común.

Los mayas del norte de las Tierras Bajas también siguieron un desarrollo similar, que probablemente sea más evidente en el sitio arqueológico de El Mirador. La ciudad de El Mirador era ligeramente más pequeña que El Ujuxte, pero su verdadero poder se muestra claramente a través de la escala de sus edificios monumentales. El templo de la pirámide La Danta, que formaba parte de este centro urbano, no solo era la pirámide más grande de la historia de toda la civilización maya, sino que también ostenta el título de la pirámide más grande conocida en toda Mesoamérica. Además, con una altura de 72m (236 pies) y un volumen estimado de 2.800.000 metros cúbicos, es una de las pirámides más grandes del mundo. Y, aunque el majestuoso templo sigue siendo impresionante tanto para su época como para la nuestra, cabe destacar que mucha más mano de obra en forma de construcción y mantenimiento se destinó a la red de caminos y calzadas que conectaban a El Mirador con sus centros subordinados. Esos caminos facilitaban el comercio y permitían a los gobernantes de este estado controlarlo mejor. Al igual que en el caso de El Ujuxte, ese control era la columna vertebral del poder y la riqueza de El Mirador. Pero desafortunadamente, aunque hay claras señales de que algunos de los pueblos y aldeas de los alrededores estaban bajo el control de El Mirador, los arqueólogos no pueden estar seguros de cuán lejos y ancho llegó su dominio político. Lo que sí es cierto es que la autoridad de los reyes de El Mirador era enorme, especialmente para esa época, comandando a miles de trabajadores y gobernando a una población que medía en decenas de miles. Sin duda alguna, gobernaron sobre el estado más poderoso de las Tierras Bajas.

Los reyes de Kaminaljuyu se encontraban en una posición bastante similar a la de sus pares de El Mirador y El Ujuxte, gobernando sobre un estado que era el más poderoso de la región de las Tierras Altas. La jerarquía exacta y el alcance de su dominio directo son hoy inciertos, debido a que la actual ciudad de Guatemala se encuentra en una gran parte de esa antigua metrópoli. Sin embargo, con signos de control sobre importantes canteras de obsidiana ubicadas a unos 19km (11mi) al noreste de Kaminaljuyu, se puede ver claramente que su dominio político cubría un área bastante grande. Pero, el control de esas canteras también revela que esta ciudad era un importante centro productor de herramientas de corte, que se exportaban a otras áreas de la patria maya. Además de sus propias exportaciones, la economía de Kaminaljuyu también dependía de la conexión comercial entre las Tierras Bajas y la costa del Pacífico que atravesaba su territorio. Con el aumento de la economía, los gobernantes de esa ciudad pudieron expandir los sistemas de irrigación anteriores con dos nuevos canales grandes, lo cual fue importante para el avance de la agricultura en la zona no tan apta para ello. Este tipo de proyectos públicos también muestra claramente que los reyes de Kaminaljuyu también excretaban una autoridad bastante fuerte sobre sus subordinados, ya que la mano de obra necesaria para construir y posteriormente mantener los sistemas de riego, así como otros edificios monumentales, era igual a la mano de obra que los gobernantes de El Mirador necesitaban para sus obras públicas. Además de esa evidencia indirecta de su poder y riqueza, numerosos monumentos y tumbas ricamente llenas también son testimonio de ello.

Pero esos monumentos dicen más que lo poderosos que eran varios gobernantes y reyes. También dan una idea de cómo con el desarrollo de los estados la sociedad maya también se volvió más compleja. Al observar esos monumentos, así como otras piezas de arte, es claro que había más artesanos especializados, que se enfocaban más en perfeccionar sus habilidades a nuevos niveles. Este tipo de estratificación horizontal de la sociedad es el resultado de una división del trabajo más diversa y de una economía más desarrollada. Uno de los productos de esa sociedad maya evolucionada fue el desarrollo cultural y de la civilización, lo que condujo a algunas innovaciones significativas. Las más influyentes y más importantes de ellas fueron sin duda el desarrollo de los sistemas de escritura y ahora el llamado calendario maya. Aunque es cierto que ambas innovaciones fueron adoptadas de otras civilizaciones mesoamericanas, con ellas los mayas desarrollaron todas las características de lo que hoy consideramos su civilización clásica. Algunos historiadores incluso consideran que este período, alrededor del siglo I a. C. y el siglo I d. C. debe ser visto más como un período clásico temprano que como un preclásico tardío, pero la antigua división permanece. Pero no importa cómo los científicos etiqueten este período, está claro que la sociedad maya alcanzó niveles bastante altos de sofisticación.

Desafortunadamente, esa sofisticación no significa que los mayas fueran pacíficos, ni entre ellos ni con sus vecinos. Esto es claramente evidente en las escenas de conquistas y victorias de los reyes y guerreros mayas, que eran un tema común de las tallas en los monumentos, así como en otros tipos de artes. Los sacrificios humanos y las cabezas de trofeo muestran no sólo el lado militante de la sociedad maya, sino también que la destreza en la guerra era importante para cimentar la autoridad de los reyes mayas. Y si todo esto parece una evidencia circunstancial, el hecho de que algunos de esos gobernantes construyeran zanjas y muros fortificados alrededor de sus ciudades confirma sin duda alguna que la guerra era una parte importante de la sociedad maya. Y parece que ninguno estaba a salvo de los peligros de la guerra, sin importar cuán fuertes y grandes eran sus estados, ya que incluso El Mirador, una de las ciudades más poderosas de la época, estaba fortificada. Los arqueólogos también han encontrado signos de lucha en algunos sitios, que tienen signos de destrucción deliberada, mostrando que la guerra no consistía solo en simples incursiones de saqueo, sino que en ocasiones estaba dirigida a destruir al enemigo. Pero las guerras no solo afectaban a los dos o más bandos que participaban directamente en la lucha. Algunas ciudades sufrieron mucho cuando los enfrentamientos por el poder interrumpieron el comercio importante, que obviamente era una parte importante de la economía maya.

Algunos historiadores incluso sostienen que la guerra fue la causa principal del declive de la primera civilización maya que comenzó alrededor del año 150 d. C. Piensan que la competencia por el poder y el control del comercio la perturbó tanto que muchas ciudades fueron abandonadas y destruidas, lo que llevó a un llamado hiato cultural que duró aproximadamente entre el 150 y el 250 d. C. Pero, aunque la guerra jugó claramente un papel importante en la desaparición de los mayas preclásicos, es más probable que esto haya sido provocado por un conjunto de circunstancias interconectadas. Por un lado, hay evidencia de sequías en casi toda la tierra natal maya. Se cree que los propios humanos jugaron un papel crucial en la causa con la superpoblación, la deforestación y el uso excesivo del suelo fértil. Esto llevó a la desecación de los lagos alrededor de Kaminaljuyu, mientras que los alrededores de El Mirador se convirtieron en una zona pantanosa. Y como si esto no fuera suficiente, el volcán Ilopango en El Salvador entró en erupción en los bordes de la región sur alrededor del año 200 d. C. Muchos sitios en el sureste fueron abandonados, los cuales eran importantes productores de herramientas de obsidiana, vitales para la economía maya, y que cortaban las rutas comerciales a las ciudades de la costa del Pacífico y el resto de América Central. Y la ceniza volcánica que se esparció por la región dificultó mucho más la agricultura, obstruyendo los ríos y cambiando su curso.

Esos desastres naturales afectaron en mayor medida a la región de la costa del Pacífico, lo que hizo que perdiera su lugar como la región más desarrollada de la civilización maya, cediendo ese papel a las tierras bajas. La interrupción del comercio en el sur dio lugar a nuevas posibilidades para los mayas del norte, que ellos tomaron. Sin embargo, éstas no fueron suficientes para salvarlas a todas, y El Mirador cayó ya que la tierra pantanosa no era lo suficientemente fértil para mantener su gran población. Kaminaljuyu tenía una fortuna mixta. La ciudad sobrevivió, aunque parece que un nuevo grupo de los mesoamericanos occidentales tomó el control de la misma, lo que es otro signo de un aumento de las guerras en ese período. Los desastres naturales condujeron a la disminución de los recursos, lo que provocó una competencia mucho más feroz por ellos, lo que llevó a una escalada de la guerra entre los estados mayas. La combinación de todos estos factores condujo no sólo a un paréntesis cultural y a un cambio de poder de sur a norte, sino también a una gran despoblación de toda la región maya, lo que provocó un mayor debilitamiento de la civilización maya. Pero no importa cuán desastroso haya sido el final del período preclásico de la historia maya, fue un período importante que estableció las bases de su civilización, que permaneció en su lugar hasta la desaparición final de los mayas durante la conquista española.

Capítulo 3 - La edad de oro

La llamada pausa de la civilización maya que se produjo a finales del preclásico, por muy apocalípticos que suenen los relatos, no significó en realidad el final de la historia maya. Ese período fue más bien una pausa en el desarrollo y florecimiento de los mayas. La mayor consecuencia fue que la región de la costa del Pacífico perdió su lugar como la región más avanzada, dejando ese título a las Tierras Bajas del sur. Ese área se convirtió en el corazón del período Clásico, marcando la cúspide de la civilización maya. Se produjeron muchos cambios, la mayoría de los cuales se basaron en los cimientos establecidos en los siglos anteriores. Los gobernantes no solo se veían conectados con los dioses a través de ceremonias y rituales, sino que se veneraban a sí mismos. Y los gobernantes de la era clásica ahora eran representados usualmente usando trajes de guerrero, simbolizando su evolución a reyes guerreros. La escritura se extendió, pero siguió centrada en asuntos religiosos y de estado, mientras que los templos seguían siendo el centro de la vida pública. El arte maya se volvió más colorido y detallado, alcanzando nuevos niveles de finura. Esta edad de oro permitió también que la población maya se elevara sustancialmente, pero el panorama político nunca les permitió unificarse en un solo imperio. Esto dejó a la civilización dividida en muchos estados que lograron eclipsar y empequeñecer a los estados de la primera civilización maya.

Como casi todos los aspectos de la época clásica maya tenían sus raíces en la época anterior, también las tenían la mayoría de las ciudades y estados. Tikal, una de las principales potencias de la civilización maya media, situada en el norte de Guatemala, no fue una excepción. Fue una de las ciudades que se benefició de la caída de El Mirador, que dominó parte de la patria maya, lo que llevó a Tikal a convertirse en un importante centro de comercio que conectaba el este y el oeste de Mesoamérica. El poder político de este estado fue evidente, ya que logró tomar el control de las ciudades circundantes, e instalar dinastías aliadas en ciudades más lejanas, en la actual Yucatán u Honduras. La ciudad de Tikal creció a niveles inimaginables para los mayas del Preclásico. Cubrió un área de 60km^2 (23mi^2), pero aún más impresionante es el hecho de que las fortificaciones de la ciudad defendieron un área de 123km^2 (48mi^2). Se estima que la población de esta enorme ciudad era de entre 60 y 100 mil personas, lo que es otra muestra de su poder y riqueza. Hacia el año 300 d. C., Tikal creció tanto que estableció no sólo el comercio, sino conexiones diplomáticas con el centro de México, convirtiéndolo en el estado más poderoso de la época clásica temprana.

Por supuesto, los reyes de Tikal, como todos los anteriores gobernantes mayas, querían marcar su éxito y poder. Lo hicieron en los monumentos, o para ser más precisos, en las estelas. Tallaron fechas y nombres importantes en ellas para celebrarse a sí mismos, dejando posteriormente algunas de las fuentes más importantes que los historiadores de hoy en día tienen sobre la época. En una de ellas, un gobernante fundador de esta ciudad está marcado como Yax Ehb Xook, que gobernó alrededor del siglo I d. C. Los historiadores están seguros de que no fue el primer gobernante, ya que la ciudad fue fundada mucho antes de eso, por lo que asumen que obtuvo el título de "fundador" por ayudar a lograr la independencia política. Estos monumentos demuestran cómo Tikal terminó con la independencia de las ciudades que la rodean, ya que en las ciudades conquistadas no hay rastros de estelas dedicadas a los gobernantes locales. Una de las historias más interesantes que podemos ver en estos monumentos es un cambio dinástico en Tikal. En el año 378 d. C. un rey llamado Chak Tok Ich'aak I (Pata de Jaguar) murió cuando Siyaj K'ak' (Rana Fumadora) llegó a la ciudad. Si al principio parece una coincidencia, el hecho de que el siguiente rey, Yax Nuun Ayiin (Nariz Rizada), fuera coronado un año más tarde por Siyaj K'ak' muestra claramente que no fue así. Esa toma de posesión no fue pacífica, ya que la mayoría de las estelas construidas antes del año 378 fueron desfiguradas y destrozadas. Además, parece que Yax Nuun Ayiin no reclamó el trono por ningún signo de legitimidad, ya que los registros muestran que reclamaba ser hijo de un gobernante de un reino no especificado.

Plaza central y el templo en Tikal. Fuente: https://commons.wikimedia.org

Aunque el origen exacto de Curl Nose no se indica en los monumentos, los historiadores lo han reducido a un candidato casi seguro: la ciudad de Teotihuacan, en el centro de México, más tarde región azteca. La evidencia de ello radica en que las fuentes indican que la Rana Fumadora y su ejército procedían de esa dirección, pero también porque Yax Nuun Ayiin se muestra adornado como un Teotihuacano. Por supuesto, esa prueba no es completamente concluyente, pero el hecho de que Teotihuacan fue una de las ciudades más grandes y poderosas de toda Mesoamérica, dominando desde el siglo I al VI d. C., también apoya esa teoría. El poderío y el alcance de la ciudad eran tan grandes que algunos historiadores incluso argumentaron que su surgimiento fue uno de los factores perturbadores del comercio maya que causó el hiato maya. Pero es importante señalar que alrededor del 400 d. C., la "superpotencia" centroamericana Teotihuacan también instaló a sus aliados vasallos en Kaminaljuyu, lo que, combinado con el control de Tikal, significó que Teotihuacan obtuvo un acceso más directo a recursos de prestigio como el jade, la obsidiana, las pieles de jaguar y las plumas de aves tropicales. Esta interacción entre dos regiones también influyó en la cultura maya, influyendo en su estilo de arte, arquitectura y otros aspectos de su civilización. Los conquistadores teotihuacanos también trajeron sus armas más avanzadas y letales, las cuales fueron rápidamente adoptadas por los mayas, mientras que esta influencia extranjera también ayudó al surgimiento del simbolismo del rey guerrero y su culto, el cual ya estaba establecido en la región central de México.

La influencia de Teotihuacan no se limitó sólo a la cultura, sino que también impactó en la economía y la política. El hecho de ser un aliado del estado más poderoso de la región, y parte de su extensa red de aliados fue ciertamente beneficioso para Tikal. El acceso a recursos mucho mayores a través de la red comercial de Teotihuacán hizo a Tikal mucho más rico que antes, haciendo que su economía fuera la más fuerte en el período Clásico temprano de la civilización maya. Al mismo tiempo, una alianza con la potencia mesoamericana elevó la influencia política de Tikal, convirtiéndola en el estado más poderoso del período en las Tierras Bajas y, posteriormente, en toda la patria maya. Una economía fuerte junto con el poder político, por supuesto, llevó a la expansión militar. Algunas ciudades, como la cercana Uaxactún, Tikal se incorporó directamente a su reino a través del control directo. Otras más lejanas, como Copán, situada en la actual zona occidental de Honduras, vieron cómo sus dinastías eran derrocadas y sustituidas por gobernantes leales a Tikal. Así que, sufriendo un destino similar al de Tikal, esos estados también fueron puestos en una especie de posición vasalla a su centro de poder. Pero, al lograr tal dominio, Tikal se hizo de muchos enemigos, que probablemente se oponían tanto a su supremacía económica y política, como al factor extranjero en su gobierno y cultura. Por eso, lentamente se fue formando una alianza anti-Tikal, liderada por la ciudad de Calakmul.

Calakmul era una ciudad situada en el actual sureste de México, cerca de la frontera con Guatemala, a 38 km al norte de El Mirador. Y de manera similar a Tikal, controlaba parte de las rutas comerciales que pasaban por las Tierras Bajas. En su apogeo, la ciudad tenía una población estimada de 50 a 100 mil habitantes, que vivían en un área de $20km^2$ ($8mi^2$) rodeada por una red de canales y embalses que, hasta cierto punto, servían como protección fortificada contra los ataques externos. Se desconoce la historia temprana de Calakmul, pero algunas evidencias tienen su origen en el período preclásico tardío y conectan a su primer gobernante dinástico con El Mirador. Pero para el año 500 d. C., se volvió lo suficientemente poderoso como para desafiar la supremacía de Tikal, y los gobernantes de Calakmul comenzaron a construir alianzas con los estados que rodeaban a su enemigo. El mayor éxito diplomático fue poner a Caracol, antes aliado de Tikal, a su lado a mediados del siglo VI. Esta ciudad fue fundada en el período preclásico tardío o clásico temprano en lo que hoy es el oeste de Belice. En ese primer período, hay signos de influencia mexicana central, lo que la convierte en parte de la red comercial de Teotihuacan. En el momento de la confrontación con Tikal, era una ciudad en ascenso, que en el apogeo de su poder tenía entre 100 y 120 mil personas cubriendo más de $100km^2$ ($38mi^2$).

El enfrentamiento entre Calakmul y Tikal comenzó en la década de 530 cuando los aliados de Tikal lograron derrotar a Calakmul. Pero esa derrota no fue total ya que, para el final de la década, Calakmul se recuperó. El mayor punto de inflexión llegó en el año 553 d. C. cuando el Señor Agua del Caracol cambió de bando y se alió con Calakmul. Aunque Tikal, bajo el mando de Wak Chan K'awiil, logró la primera victoria en el año 556 d. C., no fue suficiente para terminar la guerra. Cuando Sky Witness fue coronado como el rey de Calakmul alrededor del año 561, la fortuna cambió. Los historiadores piensan que él orquestó la derrota de Tikal en el año 562 d. C. por las manos del Señor Agua, quien en su ataque al enemigo también logró capturar a Wak Chan K'awiil. El gobernante de Tikal fue sacrificado, pero la guerra duró con menor intensidad durante aproximadamente otra década, concluyendo con la pérdida total de Tikal. Hay muchas razones por las que este poderoso estado no pudo salir de esta guerra como un vencedor. Por un lado, durante este período Teotihuacan comenzó a decaer, en parte debido a las corrientes de aire, pero también hay signos de una derrota militar. En segundo lugar, durante su supremacía, Tikal actuó de tal manera que se distanció de la mayoría de los demás estados mayas, por lo que no pudo contar con un amplio apoyo de sus vecinos. Y finalmente, parece que Calakmul pudo impactar su comercio, debilitando su poder material tan vital en la guerra.

Al final, para Tikal, la pérdida no significó solo la pérdida de riqueza y poder. Marcó el fin de su independencia durante aproximadamente 130 años. Sus gobernantes fueron subyugados por los reyes de Calakmul, que no les permitieron construir ningún monumento o estela. La mayor parte de las ganancias financieras de la ciudad fueron a su nuevo amo como tributo y, como resultado, el crecimiento de la población en Tikal se detuvo. Ese período de supresión de esta antigua gran potencia maya se llama ahora el paréntesis de Tikal, durante el cual no hubo ningún avance en la ciudad. Por supuesto, esto no se limitó sólo a Tikal. Por ejemplo, en Uaxactún, que estaba bajo el control de Tikal, la construcción se detuvo completamente durante este período, y el parón se extendió a muchas ciudades que fueron subyugadas por Tikal. Lógicamente el mayor ganador de esta guerra fue Calakmul, que ganó mucho poder político, expandió su área de control, y, sin Tikal como competencia comercial, prosperó. Caracol también se vio impulsado por la derrota de su antiguo aliado, experimentando un tremendo crecimiento en población y tamaño, así como en economía. Pero desafortunadamente para los mayas, esta guerra no trajo paz permanente a la región.

Con la desaparición de Tikal de la escena política de la civilización maya, se dejó un gran vacío en el poder que Calakmul no fue capaz de llenar por sí mismo. Sus gobernantes lograron explotar la victoria, y la ciudad ganó mucho, pero no lograron convertir su alianza militar en una dominación política más permanente sobre otros estados mayas. Sus aliados decidieron resistir la autoridad de Calakmul y mantener su independencia. Y muchas ciudades, incluyendo los aliados de Calakmul, crecieron durante el vacío de poder. Esto condujo a que más estados mayas pudieran competir entre sí en la competencia por la influencia política y el control del comercio. Este tipo de panorama político trajo consigo un largo período de guerras y luchas entre los mayas, lo que marca la transición del período clásico temprano al período clásico tardío de esta civilización. Y aunque la escalada de la guerra marcó esta era, la civilización maya realmente prosperó. Este fue un período de crecimiento cultural, con avances en el conocimiento astronómico y el calendario, sofisticación del arte, e incluso un uso más amplio de los textos que muestran nuevos niveles de habilidades de los escribas. La guerra constante no disminuyó el tremendo crecimiento de la población maya, que alcanzó un máximo de unos 10 millones de personas. Pero, la clase elitista utilizó la lucha continua para expandir su poder y control sobre los plebeyos, mientras que al mismo tiempo extendió el tamaño de sus estados a nuevos niveles. Y a medida que Teotihuacán caía, los mayas se convirtieron en la civilización más desarrollada de Mesoamérica, extendiendo su estilo de arte e influencia por toda la región.

A principios del período clásico tardío, a finales del siglo VI y principios del VII, Calakmul y Caracol continuaron expandiendo su poder, atacando otros estados, conquistándolos o creando estados vasallos a partir de ellos. Parecía que su supremacía era incuestionable. Pero las guerras casi constantes les pasaron factura, y su poder ya no era incuestionable. A medida que se debilitaban, los reyes de Tikal lograban recuperar parte de su vitalidad. Durante la década de 640 d. C., una rama lateral de la familia real de Tikal estableció una nueva ciudad, Dos Pilas, para servir como puesto militar y comercial. Se ubicó a 105 km al suroeste, en la región del lago Petexbatún. Como era de esperarse, Calakmul no iba a permitir esto sin una pelea, y en 659 atacaron Dos Pilas, derrotándola muy probablemente sin muchos problemas. El gobernante de esa ciudad, B'alaj Chan K'awiil, logró escapar a la ejecución y se convirtió en vasallo de Yuknoom el Grande, el rey de Calakmul. Yuknoom, en un movimiento político bastante inteligente, volvió a su nuevo vasallo contra sus antiguos aliados, poniendo en conflicto directo a dos ramas de la dinastía real de Tikal. Pero, aunque Dos Pilas tenía un poderoso aliado, en el año 672 d. C., Tikal logró recuperar el control de su antigua colonia. Calakmul intervino cinco años después para reincorporar a B'alaj Chan K'awiil al trono, alejando a las fuerzas de ocupación. Y, como era obvio para Yuknoom el Grande que su aliado y vasallo no era capaz de luchar contra Tikal por sí mismo, en el año 679 d. C., le ayudó a conseguir una victoria decisiva sobre su propia familia. Aunque los textos en Dos Pilas hablan de montones de cabezas y charcos de sangre, este enfrentamiento entre viejos enemigos demostró que, aunque Calakmul seguía siendo el estado maya más poderoso, no era intocable.

Otro choque para la supremacía de Calakmul fue cuando en los años 680 dos de sus aliados, Caracol y Naranjo, comenzaron una guerra entre ellos. Naranjo era una ciudad, también ubicada en el norte de Guatemala, que sufrió mucho por los enfrentamientos por la supremacía entre otros estados más grandes. En un principio fue aliada de Tikal, luego fue tomada por Calakmul, y a principios del siglo VII cambió de manos de Caracol y Calakmul. Sin embargo, Naranjo de alguna manera se las arregló para ganar la independencia en el año 680 d. C., y luego aprovechó la oportunidad para resolver la continua disputa que tenía con Caracol. Yuknoom el Grande decidió apoyar a Caracol, probablemente porque era un aliado más antiguo, y logró aplastar la resistencia de Naranjo. Se esperaba de él que volviera a incorporar a Naranjo bajo su control directo, por lo que casó a la hija del gobernante de Dos Pilas con un noble Naranjo para restaurar la dinastía en esa ciudad. Los historiadores no están de acuerdo con el motivo por el cual lo hizo, pero la movida logró fortalecer a los Naranjo, y durante los siguientes años incursionó y atacó el territorio de Caracol. La habilidad de Calakmul para controlar a sus aliados y vasallos se estaba desvaneciendo claramente, lo que solo empeoró con la muerte de su eminente y exitoso rey, Yuknoom el Grande, en 686. d. C.

El nuevo rey de Tikal, Jasaw Chan K'awiil, quien fue coronado en el año 682 d. C., decidió explotar la debilidad de Calakmul. Primero, fortaleció su posición en su propia ciudad, construyendo nuevos templos y estelas, erigiendo el primer monumento con el nombre del gobernante después de la gran derrota de Tikal en el siglo VI. Fue él quien sacó a Tikal del llamado parón. Con el prestigio restaurado de su dinastía, en el año 695 d. C., atacó por primera vez a Naranjo, y más tarde ese mismo año luchó directamente contra Calakmul. En ambas batallas ganó, logrando capturar muchos prisioneros que luego fueron sacrificados. Los historiadores no están seguros de lo que pasó con el rey de Calakmul, ya que hay algunas referencias vagas y poco claras de que él estaba entre los capturados, pero, aunque logró escapar de la muerte a manos de Jasaw Chan K'awiil, pronto desapareció de la escena política. Por otro lado, el rey de Tikal gobernó durante aproximadamente otros 40 años, renovando completamente el poder y el estatus de su estado. Logró retomar la supremacía sobre los estados mayas desde Calakmul, pero la rivalidad entre estas dos "superpotencias" mayas continuó durante más de 100 años, hasta el final del período clásico.

A pesar de que Calakmul sufrió una gran derrota, Dos Pilas siguió siendo su aliado. Pero ya no era un vasallo subyugado, ya que su crecimiento en fuerza aseguró su independencia. Los herederos de B'alaj Chan K'awiil, que murieron poco después de Yuknoom el Grande, continuaron extendiendo su influencia y sus territorios a través de la guerra y el matrimonio. Consiguieron crear lo que los historiadores llaman hoy el Reino de Petexbatún. En el año 735 d. C., los gobernantes de Dos Pilas lograron conquistar Seibal, la ciudad más grande de su región, y para el año 741, el Reino de Petexbatún tenía un área de 4000 km^2 (1544 mi^2) bajo su control. Con esa expansión Dos Pilas también obtuvo el control de las rutas comerciales que se dirigían a las tierras altas, dándoles un importante impulso económico. A partir de ese rápido éxito, era probable que este reino creciera lo suficiente como para competir por la supremacía con Tikal y Calakmul, pero sus fortunas cambiaron rápidamente. La ciudad fue atacada por sus enemigos locales, que fueron alimentados con la venganza. Los gobernantes del Reino de Petexbatún trataron de defender su capital fortificándola rápidamente, sacrificando sus palacios y monumentos para construir murallas, pero fue inútil, y en el año 761 d. C., Dos Pilas fue saqueada. Petexbatún logró sobrevivir, cambiando a otra capital, y la guerra siguió con tal ferocidad que para el año 800 gran parte de la región fue abandonada, ya que la gente se trasladó a lugares más seguros. Para entonces, a través de la constante guerra y destrucción, el Reino de Petexbatún fue disuelto.

Uno de los factores que contribuyeron a la caída de Petexbatún es el hecho de que durante los años 740 su poderoso aliado Calakmul sufrió una nueva derrota por Tikal. La causa de otro enfrentamiento fue el incentivo de Calakmul a la ciudad de Quiriguá para rebelarse contra Copán, un antiguo aliado de Tikal. La ciudad de Copán durante el siglo VII de la era cristiana logró expandir su prestigio y poder, cubriendo un área considerable en lo que hoy es el occidente de Honduras. En el apogeo de su poder a principios del siglo VIII, uno de los reyes de Copán incluso proclamó que era políticamente igual tanto a Tikal como a Calakmul, así como a Palenque, ciudad de la que hablaremos más adelante en el capítulo. Bajo el control de ese poderoso estado de Copán se encontraba una ciudad mucho más pequeña, Quiriguá, ubicada a unos 50 km al norte de la capital. Era un importante puesto de avanzada para Copán ya que le permitía controlar el comercio de jade, así como el fértil valle que lo rodeaba. En el año 736 d. C. el gobernante de Calakmul se reunió con su par en Quiriguá, probablemente dándole su apoyo para rebelarse contra Copán, lo que sucedió dos años después. Con un nuevo poder detrás, Quiriguá logró ganar su independencia de sus antiguos amos y se convirtió en un estado independiente, ahora conectado a Calakmul. Copán perdió territorio económicamente importante, y aunque nunca fue sometido por Quiriguá, empezó a perder su prestigio y poderío. Por otro lado, Quiriguá logró expandir su poder y riqueza, llegando a ser hasta cierto punto más poderoso que su enemigo del sur. Ese tipo de intromisión en los asuntos de sus aliados no era algo que Tikal pudiera permitir que quedara impune. Así que, en represalia, Tikal atacó y conquistó El Perú-Waka en el año 743 y Naranjo en el 744 d. C., siendo estos asentamientos importantes aliados y socios comerciales de Calakmul. Esa pérdida debilitó aún más a Calakmul, y nunca logró recuperar su antigua gloria. En contraste, Tikal una vez más ganó el control completo del comercio este-oeste a través de las Tierras Bajas, convirtiéndose una vez más en la incuestionable potencia número uno del mundo maya.

Dejando de lado por un momento la lucha entre Tikal y Calakmul, que parece ser el problema político y económico central de la era clásica tardía de la civilización maya, hay otra ciudad importante que merece ser mencionada. Se trata de Palenque, situada en las tierras bajas del oeste, el actual estado de Chiapas, en el sureste de México. Al estar en el límite de la región maya, rodeada en su mayoría por tribus no mayas, Palenque se las arregló durante la mayor parte de su historia para no verse involucrada en la lucha entre las dos "superpotencias" mayas. Fue fundada a mediados del siglo V a. C., a lo largo de una ruta comercial que conectaba el centro de México y la tierra natal de los mayas. Como tal, es muy probable que formara parte de la red comercial de Teotihuacán y que en algún momento fuera aliada de Tikal. Esa es la única razón por la que Calakmul habría atacado dos veces una ciudad que está a 227 km de distancia. Esas demostraciones de poder de Calakmul ocurrieron en los años 599 y 611 d. C., durante el paréntesis de Tikal, y fueron la única extensión de la participación directa de Palenque en la lucha entre Tikal y Calakmul. Más tarde, durante el siglo VII, Palenque floreció y logró convertirse en un estado respetable y poderoso en el oeste, atacando y conquistando a muchos de sus vecinos. Pero a principios del siglo siguiente su poder empezó a flaquear, y en los años 711 y 764 d. C., sufrió dos grandes derrotas por parte de un estado enemigo en su región.

Está claro que Palenque no jugó un papel tan significativo en la política maya, como lo fue en los márgenes de su mundo, pero es importante para los historiadores. La razón de ello es la cultura y el arte que sus ciudadanos dejaron atrás. Palenque contaba con algunas de las mejores obras arquitectónicas de la civilización maya media, con elegantes templos y, para esa época, inventivas técnicas de bóveda. Sus artesanos eran maestros del retrato en estuco y los reyes de Palenque dejaron largos textos sobre su gobierno. Y en esas inscripciones no sólo escriben sobre las sucesiones dinásticas y las guerras, sino también sobre su mitología. Por eso, contienen los ejemplos más vívidos de cómo los reyes mayas utilizaron las leyendas, la historia y las creencias religiosas para apoyar su estatus y poder. Así que, aunque la ciudad de Palenque era más pequeña, políticamente más débil y menos significativa, culturalmente era al menos igual, si no superior, a Calakmul y Tikal.

El Palacio de Palenque con el acueducto a la derecha. Fuente:
https://commons.wikimedia.org

Eso, por supuesto, no significa que otras ciudades y estados mayas estuvieran culturalmente subdesarrolladas. El período entre aproximadamente 600 y 800 d. C., fue la edad de oro maya que dio lugar a muchos logros tecnológicos y artísticos; se construyeron muchas grandes ciudades y la población floreció. Y esos logros son evidentes en todos los estados mayas, especialmente en los más ricos. Sin embargo, a medida que el siglo IX llegaba a su fin, las principales políticas comenzaron a colapsar. Como hemos visto en los ejemplos de Palenque y Copán, sus anteriores vasallos se rebelaron contra ellos, desafiando su supremacía. Lo mismo sucedió con Tikal y Calakmul también, y grandes reinos de los mayas clásicos comenzaron a fragmentarse en políticas más pequeñas. Fueron los primeros signos de que los días de gloria de los mayas estaban pasando. Una razón para el declive fue que las dinastías centrales se estaban debilitando, mientras que las élites locales se estaban fortaleciendo, lo que podría haber sido causado por las casi constantes guerras que duraron dos siglos. La guerra ciertamente agotó la riqueza y el poderío de las dinastías, haciéndolas cada vez más dependientes de sus élites subordinadas, mientras que las propias élites a veces ganaban mucho con la lucha.

Pero la caída de los estados mayas clásicos no terminó con la simple pérdida de sus territorios y antiguos vasallos. Para mediados del siglo X, la mayoría de ellos se habían derrumbado completamente, dejando de ser centros de poder. Algunas de las ciudades fueron totalmente abandonadas, mientras que otras retrocedieron hasta convertirse en pequeñas aldeas con solo una pequeña población agrícola. Durante mucho tiempo los historiadores no estaban seguros de cómo y por qué se derrumbó la civilización maya clásica, argumentando que pudo haber sido provocada por sequías, superpoblación, guerras y levantamientos o invasiones extranjeras. Hoy en día parece que la causa fue en realidad todos esos juntos. La agitación política y la lucha minaron el comercio y las dinastías perdieron su poder, mientras que la superpoblación de la región central combinada con las sequías y el uso excesivo del suelo provocó la escasez de alimentos. Y una por una, las ciudades del sur de las Tierras Bajas fueron abandonadas. Como ya se mencionó, la región de Petexbatún fue abandonada por el 800, y en otras ciudades, el último monumento inscrito se toma como la época en que cayeron, ya que es una clara señal de su pérdida de poder y riqueza. Estos monumentos están fechados en el 799 en Palenque, 810 en Calakmul, 820 en Naranjo y en Copán, 822 d. C. Caracol y Tikal duraron un poco más, ya que sus últimos monumentos están fechados en el 849 y 869 d. C., respectivamente. Con su caída, terminó la edad de oro y el llamado período maya clásico tardío.

Capítulo 4 - De la edad de oro a la edad del desastre

La caída de las ciudades del sur de las Tierras Bajas, que eran las más avanzadas de la patria maya, parecía indicar que su civilización también estaba desapareciendo. Sin embargo, ese no era el caso. Su colapso solo significó que los centros de poder se trasladaron a las Tierras Bajas del norte, o para ser más precisos, a la península de Yucatán. En esa zona había muchas ciudades mayas antiguas, algunas de las cuales databan de finales del preclásico, que se beneficiaron de la caída de los centros de comercio del sur de las Tierras Bajas. Estas ciudades aprovecharon rápidamente la oportunidad, convirtiéndose en un factor importante en las conexiones comerciales entre el centro de México y Centroamérica. Como esas ciudades continuaron las tradiciones de la civilización clásica maya, que claramente estaba en declive, los historiadores se refieren a este nuevo período como la era clásica terminal. Otra razón para ese nombre es que, durante este período, la cultura clásica de la civilización maya experimentó un cambio, y para mediados del siglo X había evolucionado hacia una nueva cultura más pan-mesoamericana. El mejor ejemplo de toda esta época y de los cambios que se produjeron durante ella no es otro que probablemente la ciudad maya más famosa hoy en día, Chichén Itzá.

La ciudad de Chichén Itzá se ubicaba en el árido norte de la península de Yucatán, cerca de dos grandes sumideros o cenotes de piedra caliza, lo que explica la traducción de su nombre "los pozos del Itzá". Su ascenso a la prominencia comenzó durante el período clásico tardío gracias al comercio, ya que la zona no era tan fértil como las Tierras Bajas del sur. Chichén Itzá, como muchos otros estados mayas de Yucatán, utilizaba el comercio de tipo marítimo que recorría la península como base de su economía. Por supuesto, ese comercio marítimo existió por mucho tiempo antes del período clásico terminal, pero con la agitación política y la desaparición de las rutas comerciales en el sur de las Tierras Bajas, ganó en importancia. Otro factor importante que ayudó a la expansión de este tipo de comercio fue el surgimiento de nuevas potencias en el centro de México, que se había producido después de la caída de Teotihuacán. En la época del Terminal, esta ruta conectaba la costa del Golfo de México, que ofrecía ceniza volcánica, obsidiana y jade, con Costa Rica y Panamá, que eran ricos en cobre, plata y oro. En medio, los mayas del norte ofrecían pescado, algodón, cuerda de cáñamo y miel. Pero la mercancía más importante de Yucatán era la sal de alta calidad, que casualmente era el principal recurso comercializado por Chichén Itzá. Esta ciudad exportaba anualmente entre 3,000 y 5,000 toneladas métricas de ella. Pero lo que es más impresionante es el hecho de que Chichén Itzá está muy lejos de la costa. Para participar en el comercio los gobernantes de esta ciudad construyeron y fortificaron un puerto que se encuentra a 120km (74mi) de su capital. Y para proteger el transporte de mercancías, establecieron centros secundarios cada 20km (12mi) a lo largo de la ruta que conectaba a Chichén Itzá con su puerto.

Ese ambicioso proyecto permitió a esta ciudad conectarse con muchas ciudades no mayas a través de sus alianzas comerciales. Además de las ganancias materiales, esto permitió a Chichén Itzá interactuar culturalmente con otras civilizaciones mesoamericanas. A partir de esa conexión, los mayas del norte incorporaron a su arte algunos aspectos del simbolismo y los motivos panamericanos. Lo combinaron con las tradiciones artísticas, la arquitectura y los rituales del período clásico, que también exportaron a otras partes de Mesoamérica, principalmente a sus socios comerciales más importantes en el centro de México. A partir de esa mezcla, se desarrolló un estilo pan-mesoamericano que era tan "global" como el maya. Esta naturaleza cosmopolita de Chichén Itzá ciertamente facilitó el comercio y el entendimiento con los extranjeros, explicando cómo una ciudad con una población de "solo" 50 mil habitantes lograron convertirse en el centro de una red comercial que cubría casi toda Mesoamérica. Pero el cambio en los estilos de arte no fue el cambio más importante de la civilización maya en ese momento. El mayor cambio fue en el culto al gobernante, que comenzó a perder su fuerza. Poco a poco las escenas en los monumentos comenzaron a representar grupos de personas en rituales y procesiones, en lugar de la representación de un solo gobernante que era común en la época clásica. Los nuevos edificios administrativos erigidos en esta época podían acoger a grandes grupos de personas, mientras que los campos de juego de pelota adquirieron mayor importancia, simbolizando también el paso a una sociedad más pluralista. Con la culminación de estos cambios, alrededor del año 950 d. C., llegó el final del período clásico terminal, y la civilización maya media, dando lugar a la era posclásica.

Templo de los Guerreros en Chichén Itzá. Fuente:
https://commons.wikimedia.org

Aunque el culto al gobernante se estaba debilitando, y la economía y el comercio eran la base del poder de Chichén Itzá, el estado también se expandió a través de la guerra y la conquista de sus vecinos más débiles. Sin embargo, a diferencia del período clásico, esas victorias fueron aseguradas por el nuevo sistema político flexible que surgió en la era posclásica. Evidente de la construcción de casas consistoriales, llamadas Popol Nah en maya, usadas tanto para actividades comerciales como políticas, el gobierno del estado de Chichén Itzá no estaba solamente en manos del rey. Es más probable que lo compartiera con el consejo de los señores de la élite, tanto de la capital como, en cierta medida, de otras localidades. Y parece que con el paso del tiempo la influencia del consejo creció a medida que se desvanecía el gobernante. Aunque pueda parecer contrario a la intuición que la descentralización del poder ayudaría a la estabilidad del estado, en realidad era crucial. En primer lugar, el nuevo sistema disoció a los gobernantes de Chichén Itzá de las dinastías fracasadas de la era clásica. En segundo lugar, disminuyó la agitación política que normalmente venía con los cambios en el trono, mientras que al mismo tiempo disminuía la dependencia del estado en las capacidades individuales del rey. Como el gobernante compartía la responsabilidad de la toma de decisiones con los señores, sus capacidades colectivas podían "llenar los huecos" que su líder pudiera tener. Por último, muchos de los señores y sus familias procedentes de las ciudades conquistadas, además de ser asesores políticos, eran efectivamente rehenes, lo que impedía que sus ciudades de origen se rebelaran con demasiada frecuencia.

Pero la estabilidad del nuevo sistema de gobierno no fue suficiente para asegurar la supervivencia de Chichén Itzá por mucho tiempo en la era posclásica. A mediados del siglo XI d. C., el poder y la influencia de este estado comenzó a declinar, y alrededor del año 1100 d. C., sufrió la destrucción causada por la guerra que marcó el fin de Chichén Itzá. El sitio no fue abandonado completamente, pero cualquier tipo de fuerza política desapareció. Los historiadores de hoy no están exactamente seguros de lo que causó la decadencia y caída de Chichén Itzá, ya que la evidencia es escasa. La pérdida militar fue sólo una parte de ella, ya que probablemente fue causada por una economía ya debilitada y el poderío disminuido de esta ciudad. Actualmente, la teoría más probable es que la caída fue provocada por causas similares que llevaron a la caída de los estados del clásico tardío, las sequías y la interrupción del comercio. Y como antes, no se limitó a una sola o pocas de las ciudades, sino que fue un tema que impactó a todo el mundo maya, así como a otras partes de Mesoamérica. La interrupción causada por estos factores, a diferencia de antes, dejó a la civilización maya sin un poder dominante durante aproximadamente un siglo, lo que indica que los problemas eran demasiado graves para que los mayas los superaran con la misma facilidad que cuando estaban saliendo de su edad de oro. Cuando la nueva crisis golpeó a los mayas, su poderío y riqueza eran considerablemente menores que en la época del clásico tardío. Sin embargo, esto no significa que la civilización maya se derrumbara completamente: fue otro paréntesis.

Cuando la pausa terminó alrededor del 1200 d. C., los mayas entraron en el Posclásico Tardío que marcó un cambio completo de las características de la civilización maya media. El cambio más notable fue el desarrollo del sistema de gobierno de Chichén Itzá que se conoció como "multe pal"; traducido aproximadamente del maya yucateco significa "gobierno conjunto". Este tipo de gobierno se basaba en varias élites que no eran parte de la familia real para desempeñar papeles más activos y reconocidos en el estado, mientras que la tradición del culto a los gobernantes estaba casi perdida. Ese cambio fue seguido por la descentralización del estado que se vio en la falta de grandes centros urbanos. Las ciudades eran considerablemente más pequeñas, pero mucho mejor fortificadas. Y en ese período, fueron construidas generalmente en las cimas de las colinas en lugar de los valles. Otro cambio en la sociedad fue que los mayas se orientaron más hacia el emprendimiento y las ganancias en lugar de las demostraciones de poder real. La riqueza ahora se invertía mucho menos en grandes proyectos públicos, y parece que casi todos los ciudadanos estaban involucrados directa o indirectamente en el comercio. Con la difusión mucho más amplia de los beneficios obtenidos a través del comercio, la distinción social entre las clases se hizo menos prominente.

En las tierras bajas del norte, en la península de Yucatán, el mejor y probablemente el único ejemplo de este cambio es la ciudad y el estado de Mayapan. La ciudad fue fundada alrededor del año 1185 d. C., aproximadamente a 100km (62mi) al oeste de Chichén Itzá, cuyo estilo arquitectónico trató de imitar, pero en una escala mucho menor. Cubriendo un área de sólo unos $4.2km^2$ ($1.6mi^2$) y con una población de 15 a 20 mil habitantes, era considerablemente más pequeña que su modelo a seguir, sin mencionar que los centros del clásico tardío eran 10 a 12 veces más grandes que ella. Esto muestra claramente lo drástico que fue el declive del poder de los estados mayas. Pero en contraste con sus gigantescos predecesores, Mayapan estaba mucho mejor fortificada, con muros que la rodeaban y cuatro puertas de entrada que fueron cuidadosamente planeadas para ofrecer la mejor protección posible contra los ataques enemigos. La copia de Chichén Itzá, así como de algunas otras antiguas potencias mayas, no sólo fue de menor escala, sino que se construyeron edificios con una artesanía inferior, lo que también indicó la caída de la civilización maya, especialmente si se considera el hecho de que la Mayapán fue sin duda la ciudad más rica y poderosa del posclásico tardío.

El poder de Mayapán vino del comercio de la sal, similar al de Chichén Itzá, a pesar de que Mayapán estaba a 40km (25mi) de la costa. Otro recurso importante era la rara arcilla que cuando se mezclaba con el índigo hacía el tan deseado "azul maya", que incluso se exportaba a los aztecas del centro de México. Pero la conexión con esa parte de Mesoamérica iba más allá del simple comercio. Muchas casas señoriales gobernaban en Mayapán en un sistema de gobierno multimodal completamente desarrollado en el que los miembros de cada casa tomaban parte tanto en los oficios civiles como en los religiosos. Una de las casas conocida como la Cocom era originaria de Chichén Itzá y usaba mercenarios de la región azteca para obtener el control de la ciudad y el estado de la casa fundadora original de Xiu. Ese cambio en el balance de las familias de señores ocurrió en las últimas décadas del siglo 13 d. C. y podría explicar por qué los posteriores gobernantes de Mayapan trataron de copiar el estilo de Chichén Itzá. La casa Cocom no se detuvo ahí y, en un movimiento para asegurar su supremacía en los asuntos de estado, expulsaron a gran parte de la familia Xiu derrotada alrededor del 1400 d. C. Esa acción es lo que eventualmente llevó a la caída del estado de Mayapán.

El territorio de Mayapán estaba dividido en provincias que estaban organizadas en un estado que era más parecido a una confederación que a una verdadera monarquía. La centralización del estado maya se aseguró con el hecho de que los líderes de cada provincia vivían en la capital, lo que facilitaba a los gobernantes vigilarlos de cerca y evitar que se rebelaran. Pero cuando los Cocom exiliaron a los Xiu en lugar de debilitarlos, los dejaron en gran medida sin control. Amargados e impulsados por la venganza, los miembros de la casa desterrada organizaron una revuelta en 1441 d. C. La ciudad de Mayapán fue saqueada y destruida, mientras que casi todos los miembros de la dinastía Cocom fueron brutalmente asesinados. Poco después la ciudad fue abandonada y el último estado centralizado de los mayas del norte había caído. Su territorio se fragmentó en unos 16 pequeños reinos, que probablemente correspondían en cierta medida a antiguas provincias, gobernadas por otras casas de élite que sobrevivieron. A medida que la rivalidad entre ellos continuaba, se encerraron en un ciclo de constantes luchas internas. Para mediados del siglo XV d. C. todo el poderío económico e influencia política de los mayas del norte había desaparecido, y las capitales de los pequeños reinos eran solo una pálida comparación incluso con Mayapán, sin mencionar las ciudades de la edad de oro.

Vista panorámica de Mayapán. Fuente: https://commons.wikimedia.org

Pero a diferencia de la época clásica, cuando las Tierras Bajas eran la única región influyente, durante el posclásico tardío de la civilización maya, las Tierras Altas se las arreglaron una vez más para crecer lo suficientemente fuertes como para competir con sus hermanos del norte. Ese poder vino de la formación de la Confederación Quiché (o alternativamente conocida como K'iche), que se convirtió en un factor importante a finales del siglo XIV y principios del XV bajo el gobierno del rey K'ucumatz ("Serpiente Emplumada") que logró tomar el control de las tierras altas de

Guatemala central a través de una serie de guerras y conquistas. Sus sucesores continuaron expandiendo su reino, que se extendió desde el actual El Salvador hasta el sudeste de México, incluyendo la región de la costa del Pacífico, que para entonces ya se había recuperado de la erupción volcánica que puso fin al período preclásico. Fue uno de los estados mayas más grandes de la historia, cubriendo un área de unos $67.500km^2$ ($26.000mi^2$) con una población estimada de alrededor de un millón de mayas. Ese enorme reino estaba, al igual que Mayapán, gobernado por el sistema multe pal, lo que fue una de las razones por las que logró crecer exponencialmente. Pero probablemente también fue la razón por la que el estado de Quiché se desintegró bastante rápido, a finales del siglo XV.

La causa de la fragmentación del reino de Quiché fue la rebelión de una de las casas de élite del estado alrededor del año 1475 d. C. El éxito de esa revuelta hizo que otros aliados y señores se levantaran también, y para principios del siglo XVI, los Altos ya no estaban unidos. Para cuando llegaron los españoles, el Quiché ya no estaba en su apogeo, pero los europeos quedaron impresionados por la capital de Utatlán. Era un centro urbano algo pequeño ubicado en una de las cumbres de las tierras altas de Guatemala con una población de unos 15 mil habitantes. La pesada fortificación de la ciudad, que en cierto modo se asemejaba a las ciudadelas de la Europa medieval, fue lo que más impresionó a los conquistadores. De sus registros, está claro que los españoles vieron la capital de Quiché como una amenaza debido a la fortificación, que la única opción que tenían era destruirla, lo que finalmente hicieron. Sin embargo, no importa cuán impresionante fuera la fortaleza de Utatlán, para los historiadores de hoy en día el aspecto más importante de este asentamiento fue su papel en la cultura y la civilización de los mayas, así como nuestro actual entendimiento de su civilización.

Una de las características del Quiché fue que actuaron como centro cultural del posclásico tardío de la civilización maya. Su capital, la ciudad de Utatlán, fue también el principal centro de aprendizaje, de escritura de libros religiosos y de historias marcadas con las llamadas fechas del calendario maya. Uno de esos libros es el famoso Popol Vuh, que es una de las principales fuentes de la mitología maya actual. Fue escrito a mediados del siglo XVI, pero se basaba en una larga tradición oral de los mayas. Desafortunadamente, otros libros del Quiché fueron en su mayoría destruidos por los españoles que los vieron como satánicos debido a la escritura jeroglífica en ellos. Además de los registros escritos, la fuerza cultural y el desarrollo de Utatlán se muestran claramente en las obras públicas que no eran algo que se pudiera ver comúnmente en las ciudades mayas del norte. El sitio contiene cuatro templos impresionantemente decorados, un campo de juego de pelota, e incluso una pequeña pirámide de sólo 18m (60 pies) de altura. Uno de los detalles más interesantes de estos edificios detectados por los historiadores hoy en día son los claros signos de influencia del estilo de arte del centro de México y de la civilización azteca.

Considerando que a finales del siglo XV y principios del XVI los aztecas eran la nación más poderosa e influyente de Mesoamérica, la influencia azteca en el estilo maya no debería ser una gran sorpresa. Especialmente considerando lo débil que se había vuelto la civilización maya en ese período. Su estilo de arte, moda y arquitectura influenciaron a todos los mayas, desde la costa del Pacífico hasta las tierras bajas. Utilizaron el estilo azteca para representar sus propios temas tradicionales mayas, mientras que algunas ciudades incluso trataron de imitar las características arquitectónicas de la capital azteca. Pero su influencia fue aún más allá de eso. La supremacía azteca en el poder cultural y económico hizo del náhuatl, la lengua azteca, la lengua franca de la región mesoamericana. Era seguramente la principal lengua hablada entre los comerciantes y en los puertos, como lo atestiguan los españoles. Pero algunos de los nobles mayas aprendieron el náhuatl, tanto por su prestigio como por su uso en la diplomacia. En ciertas áreas, el imperio azteca no se contentaba con comerciar con los locales. Por ejemplo, en 1500 d. C., explotaron la agitación del reino Quiché y atacaron las fronteras occidentales ricas en cacaos. El resultado de esos ataques fue el tributo que el Quiché comenzó a pagar al poderoso imperio azteca. Parece que también se preparaban para hacer algo similar en Yucatán, pero la llegada de los españoles frustró sus planes.

No pasó mucho tiempo antes de que los aztecas se dieran cuenta de que los europeos representaban una seria amenaza para toda Mesoamérica, y su famoso emperador Moctezuma (o Moctezuma) instó a los mayas a unirse contra los nuevos conquistadores del otro lado del océano. Parece que los quichés estaban listos para seguir ese consejo, pero antes de que se pudieran dar pasos definitivos, el imperio azteca había caído. Al desaparecer el único poder político capaz de unir a los fragmentados estados mayas contra los españoles, cualquier posibilidad de un frente unido había desaparecido. La primera región que se convirtió en objetivo de los europeos fueron las Tierras Altas en 1524 d. C. A pesar de las súplicas del Quiché a otros estados de la región para que unieran sus fuerzas contra los conquistadores; otros estados mayas estaban más interesados en derrotar a los enemigos tradicionales que en luchar contra una nueva amenaza. Con la ayuda de los mayas locales, el estado de Quiché cayó rápidamente. Pronto los otros estados mayas se dieron cuenta de que tanto los aztecas como el Quiché tenían razón, los españoles eran la mayor amenaza para todos ellos. Pero era demasiado tarde y para 1530 d. C., el altiplano y la costa del Pacífico estaban bajo la bandera española.

No está claro si los mayas de Yucatán aprendieron de los errores de sus hermanos de las tierras altas, o si fue sólo sentido común, pero cuando los conquistadores llegaron por primera vez a su territorio en 1527 d. C., lucharon de forma más coordinada y unida contra los invasores, haciéndolos retroceder a pesar de haber perdido algunas batallas. Los españoles regresaron en 1530, pero después de un éxito inicial, los mayas fueron capaces de organizar de nuevo un frente unificado contra ellos y en 1535 d. C., Yucatán fue una vez más libre de los europeos. Desafortunadamente para los mayas, cuando los españoles regresaron en 1541, sus dos familias reales más grandes, la Xiu y la Cocom, estaban de nuevo en guerra entre sí. Sin la capacidad de actuar juntos una vez más para frustrar otra invasión de conquistadores, los mayas fueron rápidamente derrotados. El último intento organizado de resistencia ocurrió en 1546 cuando la mayoría de los mayas de Yucatán se rebelaron, pero al final, su resistencia fue inútil. Los españoles conquistaron casi por completo la patria maya. Algunos de los mayas declararon huir de sus ciudades a las zonas más remotas, creando pequeños enclaves donde siguieron viviendo de forma tradicional. Pero incluso esos cayeron bajo el dominio colonial uno por uno. Con la caída de Tah Itzá (Tayasal), una ciudad situada en el norte de Guatemala, en 1697 d. C., la civilización maya precolombina llegó finalmente a su fin.

La conquista española de la región maya fue en todos los sentidos un evento desastroso para los mayas. El resultado más trágico de este evento fue la muerte de hasta el 90% de toda la población maya. Esto fue causado en parte por la guerra y la esclavitud, pero la mayoría de los mayas cayeron como víctimas de enfermedades traídas por los europeos. Los historiadores de hoy ven en ello una de las principales razones de la fácil derrota de los mayas y los aztecas, ya que las enfermedades debilitaron a los mesoamericanos. Sin embargo, el desastre para los mayas no terminó ahí. Los misioneros católicos españoles vieron la cultura y la religión maya como pagana y malvada, por lo que trataron de "salvarlos" obligándolos a convertirse, quemando sus libros y destruyendo sus monumentos. Las graves consecuencias de estas acciones condujeron a una masiva dislocación cultural que incluso llevó a algunos de los mayas a negarse a tener hijos. Este brutal, casi apocalíptico final de la civilización maya causó que se perdiera y se olvidara por mucho tiempo, pero a pesar de esto, los mayas han perdurado hasta el día de hoy.

Capítulo 5 - El gobierno y la sociedad maya

Como se ha mostrado en capítulos anteriores, los mayas nunca fueron capaces de unir toda su etnia en un único imperio unificado, permaneciendo dispersos en muchos estados más grandes y más pequeños. Sin embargo, a través de la ideología y las creencias, la religión y la cultura, siguieron siendo un grupo relativamente homogéneo. La comparación más cercana del "viejo mundo" sería la de los antiguos griegos, que sufrieron un destino similar. A pesar de ello, los mayas sufrieron durante mucho tiempo la estrechez de miras y los prejuicios por parte de los historiadores que simplemente no podían creer que los "salvajes", como los conquistadores veían a los mayas, pudieran haber creado una civilización que pudiera rivalizar con los "antepasados de la civilización occidental", o incluso compararse con ellos. Por esa razón, durante gran parte del siglo XX los historiadores creían que los mayas nunca lograron formar gobiernos más complejos. La teoría dominante de la época era que el mundo maya seguía dividido en pequeños cacicazgos, con una simple sociedad de dos clases. Pero a medida que se reunían más pruebas, los historiadores se dieron cuenta de que estaban equivocados.

A medida que los arqueólogos inspeccionaron más sitios mayas encontraron los proyectos públicos, desde canales de irrigación hasta grandes palacios. Luego, el mapeo más detallado de algunos sitios más grandes mostró a los investigadores que el sitio estaba más densamente poblado. Finalmente, cuando el texto maya fue descifrado, mostrando la compleja jerarquía entre las ciudades, se hizo evidente más allá de toda duda que a finales del período preclásico tardío la sociedad y la política mayas se volvieron tan complejas que se habían desarrollado en estados preindustriales. Esa misma evidencia también desacreditó otro concepto erróneo acerca de los sitios mayas, que durante mucho tiempo fueron vistos sólo como centros ceremoniales y de mercado de los cacicazgos. Los arqueólogos llegaron a esta conclusión ya que sólo comprendían las fechas y la información astronómica que se podía leer en las inscripciones, y también porque la cuadrícula de las calles y la densidad de población no eran tan altas como en las ciudades de la era industrial de Europa. Pero cuando retiraron su atención de los grandes y principalmente intactos templos, encontraron restos de muchos edificios más pequeños cubiertos de vegetación. Después de un cuidadoso examen, quedó claro que más del 80% de ellos eran, de hecho, edificios residenciales. Esto, combinado con textos descifrados que muestran toda la complejidad de la historia maya, hizo que la teoría del centro ceremonial fuera desacreditada. Los asentamientos mayas eran de hecho ciudades, en el verdadero sentido de la palabra, con al menos 20 de ellas con una población superior a 50 mil habitantes durante la edad de oro de la era clásica.

Pero incluso antes de los días de gloria del período clásico tardío, durante los últimos siglos de la era preclásica, los mayas lograron evolucionar de simples cacicazgos a estados. La característica principal de los cacicazgos fue una división más simple de la población en dos clases; las elites y los plebeyos, con un gobernante chamán por encima de todos los demás. Sin embargo, a medida que su poder se expandió, también lo hizo el área que los cacicazgos gobernaban, creando una jerarquía de tres niveles de asentamientos en esas grandes políticas. Con eso, la sociedad maya comenzó lentamente a crear una nueva clase media. Esto, combinado con la creciente fuerza del culto a los gobernantes, fue suficiente para que los historiadores afirmaran que las políticas mayas del preclásico tardío se han convertido en estados arcaicos tempranos. El aumento de la complejidad de la sociedad maya continuó en períodos posteriores, alcanzando sus límites en la era del clásico tardío, donde los estados lograron desarrollar una jerarquía de cinco niveles de los asentamientos. En la parte superior estaba, por supuesto, la capital, seguida de los centros secundarios, luego vinieron los pueblos más pequeños, y al final de los niveles estaban los pueblos y aldeas. Y algunos de esos sitios más pequeños comenzaron a especializarse en ciertos campos como el comercio, la extracción de piedra o la artesanía. Ambos se reflejaron en la estructura social de la sociedad maya, que para entonces ya se había estratificado tanto vertical como horizontalmente.

Pintura de un escriba maya. Fuente: https://commons.wikimedia.org

Encima de esa estructura social estaba sin duda el rey, pero el tema del culto al gobernante vendrá más adelante en este capítulo, ya que es un tema complejo que merece mucho más que unas pocas frases. Debajo del monarca estaba la élite, que representaba aproximadamente una décima parte de toda la población. La posición en esta clase estaba representada tanto por la riqueza como por el linaje, y no era fácil para los no nobles ascender en la escala social hasta esta casta. A los nobles a veces se les llamaba "itz'at winik", que a grandes rasgos se traduce como "gente sabia", lo que probablemente se refería a su mejor educación y alfabetización. La mayoría de esta clase ocupaba posiciones importantes en la sociedad como sacerdotes superiores, supervisores de los centros secundarios, escribas y en algunos casos incluso artistas. Abajo, la élite era la clase media, que no era un grupo homogéneo apretado como se pensaba anteriormente. Esta clase tenía varios niveles de importancia social y riqueza. Estaba constituida por sacerdotes de bajo nivel y funcionarios del gobierno, soldados profesionales, comerciantes y artesanos. Pero es bastante importante notar que la línea entre estas dos clases es a menudo borrosa. Algunas de las élites eran también comerciantes y guerreros, mientras que en algunos casos los miembros de la clase media lograban convertirse en oficiales de alto nivel. Y en algunos casos, ciertos miembros de la clase media eran tan ricos como la élite, mientras que también había ejemplos de miembros de la élite empobrecida. Más que la ocupación y la riqueza, la principal diferencia entre estas clases parece ser la familia y el linaje del individuo, que era importante para los mayas.

Debajo de estos dos subconjuntos estaban los plebeyos, que, a diferencia de otras dos clases, rara vez se mostraban en el arte y nunca se mencionaban en los textos. Sin embargo, eran la enorme mayoría que era la base de toda la sociedad maya. La mayoría de ellos eran agricultores, obreros, artesanos no calificados y sirvientes. Vivían en aldeas y en las afueras de las ciudades, en relativa pobreza cuando se les compara con las clases más altas. Pero cuando los arqueólogos excavaron un pueblo que estaba cubierto por una erupción volcánica alrededor del año 600 d. C., descubrieron que incluso los plebeyos tenían una vida decente. Los investigadores incluso señalaron que las condiciones de vida allí eran incluso mejores que las de los trabajadores salvadoreños del siglo XX que ayudaron en la excavación del sitio. Los agricultores, que eran la columna vertebral de la sociedad, solían trabajar en sus propias tierras o en las de su familia, pero algunos de los agricultores sin tierra trabajaban en fincas de los nobles, que se heredaban con la tierra. La clase más baja de la sociedad maya eran los esclavos, que en realidad no eran tan numerosos. La mayoría de ellos eran plebeyos capturados en la guerra, ya que los nobles capturados a menudo eran sacrificados, y la élite los utilizaba como mano de obra. En algunos casos, los ladrones también eran esclavizados para poder devolver lo que robaban. Es interesante que, a diferencia de la mayoría de las otras sociedades del mundo, los mayas no consideraban a los hijos de los esclavos como esclavos también. A esos niños se les daba la oportunidad de vivir sus vidas de acuerdo a sus habilidades y no se les hacía pagar el precio de los "errores" de sus padres.

La estructura social comenzó a cambiar con la transición de la civilización clásica tardía a la civilización maya posclásica. Con el desarrollo del sistema multipolar los gobernantes comenzaron a perder poder, y los nobles pudieron incluso en algunos casos rivalizar con la dinastía real. El aplanamiento de la jerarquía social vertical fue más abajo, ya que los bienes que antes solo estaban disponibles para la clase elitista, como las conchas, la obsidiana y la cerámica, se distribuyeron más ampliamente y fueron accesibles incluso para los plebeyos. La distinción y la diferencia de riqueza entre estas clases se redujo; en algunos casos, incluso se podría afirmar que la clase media había desaparecido. Esto podría haber sucedido si la única división entre la élite y la no élite fuera el linaje y el conocimiento de los rituales religiosos. Pero al mismo tiempo, parecería que la estructura social horizontal creció. Con el surgimiento del sistema multipolar, el aparato burocrático creció tanto en tamaño como en complejidad, haciendo que los funcionarios del gobierno fueran más numerosos que nunca, con rangos jerárquicos más intrincados. Por supuesto, los rangos más altos e importantes estaban reservados a los miembros de la élite, y eran generalmente hereditarios, mientras que los rangos más bajos estaban abiertos a los plebeyos que eran nombrados sólo por un período de tiempo.

Después de que se hizo abundantemente claro que los mayas habían desarrollado estados y que su sociedad era más intrincada de lo que se pensaba antes, el siguiente tema de debate entre los historiadores fue sobre la naturaleza de esos estados. Una teoría es que las políticas mayas eran, de hecho, ciudades-estado que sólo controlaban sus áreas circundantes más cercanas, hasta 20 km (12,5 millas) a su alrededor. Esto se basa en una aproximación de la distancia que podían recorrer los mayas en un día a pie, lo que limitaba la comunicación, el transporte y el control eficiente de la capital. Y de acuerdo con esta teoría, no importa cuán grande fuera la capital, no podría gobernar suficientemente el área más allá de eso. Contrariamente a esto, existe una teoría del llamado estado regional, que sostiene que las capitales mayas lograron extender su límite de control a través de centros secundarios, los cuales estarían lo suficientemente cerca como para ser controlados desde la capital. Así, los centros secundarios extenderían a su vez el alcance de la capital en al menos otros 20 km, o incluso más si añadimos a ello un centro secundario, lo que ampliaría aún más ese control a otra ciudad secundaria o terciaria. Esta teoría encaja sorprendentemente bien con la distancia entre los centros secundarios de Chichén Itzá que guardaban el camino a su puerto. Sin embargo, cuando se considera todo, ambas teorías no están exactamente de acuerdo con los actuales hallazgos arqueológicos.

El problema es que esas dos teorías son polos opuestos. La mejor ilustración de las diferencias entre esas dos ideas es el tema de los estados del clásico tardío, alrededor del año 790 d. C. 60 sitios cumplían con los criterios de la teoría ciudad-estado. Sin embargo, si se aplica la teoría de los estados regionales, solo había ocho. El problema es que la evidencia muestra que había conexiones e interacciones significativas entre los estados, apoyando el modelo de estado regional. Pero al mismo tiempo, la guerra, la inestabilidad política y los enfrentamientos entre las ciudades que supuestamente estaban controladas por una de las capitales apoyan el concepto de ciudad-estado. Así que, en un intento por salvar de alguna manera la brecha entre dos teorías opuestas, los historiadores crearon la llamada teoría de los "superestados". Según esta teoría, en ciertos casos, el poder de un solo estado maya crecía tanto que lograba crear un dominio sobre un gran territorio, pero en lugar de gobernarlo directamente, esas formaciones políticas eran más bien una confederación vasalla en la que estados autónomos más pequeños pagaban tributos a la capital.

La conquista militar o la simple amenaza no obligó en todos los casos a estos vasallos autónomos. En algunos casos, los estados más pequeños simplemente ganaron prestigio al aliarse con la gran potencia. Por lo tanto, se convirtieron voluntariamente en parte de estos superestados. Los matrimonios dinásticos y las redes de comercio a veces reforzaban las conexiones entre los estados. Por supuesto, en algunos casos, las superpotencias conquistaron estados más débiles e instalaron gobernantes leales a ellos. Y estos superestados confederados existieron siempre y cuando los estados centrales fueran lo suficientemente poderosos para mantenerlos. A la primera señal de debilidad, comenzarían a desmoronarse. Pero también, tan pronto como el poder de los estados centrales fuera reestablecido, el superestado se construiría rápidamente. Esta teoría todavía está siendo desarrollada, pero parece ser la mejor explicación de la política del clásico tardío de Tikal y Calakmul. Puede reconciliar el hecho de que la influencia y el control de esas superpotencias mayas clásicas era de gran alcance, mientras que al mismo tiempo la patria maya parecía estar cubierta de ciudades-estado independientes. Otro punto a favor de esta teoría es que parece ser un tipo de gobierno típico mesoamericano, ya que también se asemeja a la forma en que funcionaba el imperio azteca.

Y la única razón por la que los historiadores aún no han elevado a Calakmul y Tikal al rango de imperios es el hecho de que su alcance nunca se extendió fuera de la región maya.

A pesar de la incertidumbre sobre el tamaño y la naturaleza exacta de los estados mayas, los historiadores están seguros de una cosa. Los monarcas gobernaban los estados mayas. Esto ha sido así desde las primeras épocas de la civilización maya, cuando los primeros gobernantes individuales se volvieron lo suficientemente poderosos como para dejar monumentos e inscripciones. En aquellos primeros tiempos, esos monarcas usaban el título "ajaw", que hoy en día traducimos como rey o señor. Durante la civilización maya media, para enfatizar su mayor fuerza y posición en la jerarquía social de la sociedad, los gobernantes mayas comenzaron a llamarse a sí mismos "k'uhul ajaw", que es aproximadamente equivalente a como divino o santo señor/rey. Para algunos gobernantes de Tikal eso por sí solo no era suficiente, por lo que también usaban "kaloomte'", un título que hoy en día se traduce como rey supremo, pero este título no estaba tan extendido. Curiosamente, los gobernantes que fueron subyugados por sus vecinos más poderosos seguían usando el mismo título, k'uhul ajaw, pero también añadían que eran "yajaw", o señor vasallo, de algún otro rey. Pero sin importar el título que usara un gobernante, una cosa permaneció igual a lo largo de casi toda la historia de la civilización maya. La base del control del monarca sobre la población subordinada se fundamentaba en su supremacía económica y en su importancia religiosa.

Estelas del XIII Ajaw de la dinastía Copán. Fuente:
https://commons.wikimedia.org

La autoridad religiosa de los gobernantes mayas tiene su raíz en la era de los cacicazgos, donde los jefes también eran chamanes, capaces de comunicarse con los antepasados deificados y de mediar con los dioses. Pero cuando la sociedad se volvió más compleja, y el poder de los gobernantes aumentó, los reyes comenzaron a afirmar que eran descendientes directos de los dioses, similares a los faraones del antiguo Egipto. Así, se creó el culto de los gobernantes, en el que los reyes mismos eran venerados como divinos. Esto fue evidente a partir del título de k'uhul ajaw. Con la autoridad religiosa detrás de ellos, se volvieron importantes para llevar a cabo ciertos rituales y ceremonias religiosas que se hacían en beneficio de todo el estado. Pero el poder teocrático por sí solo no era suficiente para cimentar su supremacía en la sociedad. Las dinastías reales también eran las más ricas, y su poder se basaba en el control de recursos importantes. A veces era el agua o la comida, en otros casos tal vez la obsidiana u otros bienes de exportación valiosos. A través del control de esos recursos, los gobernantes ganaban suficiente riqueza para recompensar a los que eran obedientes y también para pagar grandes obras públicas y otras exhibiciones de poder y prosperidad. Pero al mismo tiempo, los gobernantes organizaban fiestas de estado a través de las cuales demostraban su capacidad de proveer a toda la población, no sólo a los Reales. Por supuesto, ese tipo de gasto junto con la supremacía económica se mantenía más fácilmente ya que casi toda la población, con la posible excepción de la más alta nobleza y los miembros de la familia real, pagaba tributos al gobernante. Aunque la autoridad económica y religiosa creaba una base sólida para el dominio absoluto, también era un arma de doble filo.

Si el gobernante era capaz y tenía un poco de suerte de su lado, su autoridad era incuestionable. Pero si perdía una batalla, si se cortaban las rutas comerciales o incluso si la cosecha no era lo suficientemente buena, se consideraba un mal augurio. Significaba que el rey había perdido el favor de los dioses. Tanto su supremacía religiosa como económica se vieron sacudidas. Ese tipo de desastres podían derribar dinastías y aplastar estados enteros. Cuando consideramos este hecho, se hace más claro por qué después de una sola derrota u otro signo de debilidad muchos vasallos decidieron cambiar de bando o simplemente declarar la independencia. Por eso los mayas a menudo trataban de capturar y sacrificar al rey del enemigo. Era el último signo de debilidad, que en algunos casos asestaba un golpe tan religioso y político a un estado que nunca podía recuperarse completamente. Por otro lado, las reglas largas y exitosas como la de Yuknoom el Grande, significaban que el rey estaba en la buena gracia de los dioses, atrayendo más y más aliados a medida que pasaba el tiempo.

Cuando todo esto se tiene en cuenta, parece que la autoridad de los gobernantes mayas dependía únicamente del carisma y las capacidades individuales. Un gobernante tenía que ser un general victorioso, un diplomático exitoso y un líder religioso afortunado. Pero como hemos visto, los mayas se preocupaban mucho por la familia y el linaje. Esto era aún más importante para los ajaws y sus lazos dinásticos.

Las dinastías en el mundo maya, especialmente durante el período clásico, eran extremadamente importantes, ya que eran probablemente lo más importante que conectaba al gobernante con su divinidad. Sin una conexión con un ancestro deificado, los reyes no serían santos. Esa es una de las razones por las que los mayas mantenían registros tan cercanos de sus gobernantes, y siempre tuvieron al gobernante fundador de la ciudad en especial consideración. Esta conexión daba legitimidad a los sucesores. Otra dimensión de la importancia de las dinastías en la sociedad maya proviene de su tradición de adoración a sus antepasados. Y las familias reales representaban a los antepasados más poderosos e importantes. Ir en contra de sus herederos podría molestar a los poderosos antepasados. Sin embargo, los lazos dinásticos no sólo se lograban por nacimiento. También se crearon a través del matrimonio, similar a la Europa medieval. Un estado más pequeño y la dinastía ganaría en prestigio si la novia de un rey vino de un linaje fuerte y respetado. Esto ayudó no sólo en los asuntos exteriores, sino también para fortalecer la autoridad del gobernante en su propio estado. Un buen ejemplo de ello es el ya mencionado matrimonio entre un noble naranjo y la princesa de Dos Pilas. Su linaje elevó a este noble, y a sus herederos, a una familia real.

Aunque esto muestra hasta cierto punto lo importante que es la mujer en la política maya, no era su único medio de poder. Las dinastías mayas eran patrilineales, pero en ciertos casos extremos cuando la línea masculina, de padre a hijo, se rompía también podían convertirse en matrilineales. De esta manera el estado preservaba la familia real y la conexión con el rey fundador a través de la sangre de la reina o de una princesa, que en ese caso se convertiría en el gobernante. Hasta ahora los historiadores han encontrado sólo cinco ejemplos de esto, aunque podría haber más. Entre los ejemplos vemos dos ejemplos diferentes de mujeres gobernantes. Uno fue el ejemplo cuando gobernaron brevemente como regentes de sus hijos, lo cual era algo común en las dinastías de todo el mundo. Uno de ellos fue la anteriormente mencionada princesa que fue a Naranjo, Lady Wac-Chanil-Ahau, también conocida como Lady Six Sky. Aunque probablemente nunca fue coronada, sin duda gobernó esa ciudad a finales del siglo VII y principios del VIII d. C. Lady Six Sky asumió funciones religiosas, se involucró en la diplomacia, y algunos monumentos incluso la representaron en forma de rey guerrero, probablemente debido a que Naranjo logró algunos triunfos militares bastante impresionantes bajo su gobierno. Pero una de las reinas, Yohl Ik'nal de Palenque, en realidad gobernó con títulos completos del rey, como si fuera un heredero varón de la dinastía. Lady Corazón del Viento, como se la conocía, gobernó desde el año 583 hasta el 604 d. C. No se sabe mucho de su reinado, pero mantuvo la conexión sanguínea directa de los futuros gobernantes con el fundador de Palenque, ya que la misma familia real se mantuvo en el poder. Esta fue una flexibilidad importante que proporcionó un nivel extra de estabilidad en el trono de los estados mayas.

Sin embargo, por muy flexibles que fueran las dinastías mayas, ninguna de ellas era realmente eterna. Algunas de ellas se extinguieron naturalmente, otras violentamente. Algunas fueron destronadas por extraños, otras por sus propios nobles. Sería entonces razonable asumir que, con el fin de una dinastía, el vínculo con el rey fundador y el ancestro se rompería, especialmente si el nuevo monarca venía de fuera de la comunidad, puesto en el trono por un rey de otro estado. Pero ese no era el caso. Todos los gobernantes de una sola ciudad afirmaban que continuaban la línea del asustado fundador. Esa clase de continuidad real está claramente marcada por el hecho de que los mayas numeraron a sus gobernantes, empezando por el fundador. Un gran ejemplo de esto es la toma de Tikal en el año 378 d. C. Cuando Yax Nuun Ayiin fue coronado como rey, fue marcado como el decimoquinto sucesor de Yax Ehb Xook, el fundador de la ciudad. Y ni siquiera intentaba presentarse como un legítimo pretendiente al trono. De esta manera, el título de k'uhul ajaw podía por sí mismo dar autoridad y poder al portador y a sus sucesores, ya que su conexión con el padre fundador era más simbólica que realista.

Lo que sí era real era el poder del rey, que en el apogeo del culto a los gobernantes era incuestionable. Pero ni siquiera el monarca más poderoso y capaz podía gobernar todo el estado por sí solo, especialmente unos tan grandes como Tikal y Calakmul. Por eso no es de extrañar que los nobles sirvieran al gobernante en sus oficinas administrativas de mayor rango. Incluso el título, "sajal", que fue otorgado a las insinuaciones oficiales del rey, como la traducción literal es "noble". También había un cargo de "baah sajal" o jefe de la nobleza, que probablemente estaba a cargo de varios sajals, reportando directamente al propio rey. Por supuesto, había más títulos reservados para la élite, como "ah tz'ihb" o escriba real. Y los papeles exactos en una corte de algunos títulos, como "yajaw k'ahk'", o señor del fuego, siguen siendo un misterio para los historiadores. Sin embargo, muestra claramente que los gobernantes mayas tenían que confiar en la ayuda de su élite para gobernar eficazmente sus estados de crecimiento. Al mismo tiempo, era otra forma de vincular a los nobles a su gobierno, ya que esos títulos también se concedían a los gobernantes de los sitios secundarios y terciarios.

Este tipo de "compra" y de confirmación de la lealtad de la élite funcionó siempre que los reyes tuvieron éxito. Pero esta maniobra política fue contraproducente para los gobernantes posteriores en la era clásica y posclásica terminal, cuando el culto real comenzó a desaparecer. Los poderes otorgados a los nobles se convirtieron en demasiado para controlarlos, y la élite no estaba contenta con el resultado final del gobierno de los monarcas. Eventualmente comenzaron a limitar la autoridad de sus gobernantes. Un ejemplo de esto se ve a través de la creación de la casa del consejo, el Popol Nah. Los reyes mayas ya no podían gobernar de forma absoluta; tenían que responder ante el noble consejo. Al mismo tiempo, los nobles podían aconsejar más a su gobernante y dirigir la política del estado más a su gusto. Un ejemplo de este tipo de monarquía conciliar se ve en el siglo IX en Copán, donde los arqueólogos encontraron un Popol Nah decorado con glifos que representaban varios linajes nobles, lo que prueba que este edificio no fue creado únicamente para el gobernante y la familia real. Hoy en día los historiadores asumen que durante el período clásico terminal hubo tensión entre la familia real y la noble, sino una lucha más abierta por los poderes. Pero la falta de pruebas les impide crear una imagen más precisa de eso.

Lo que es ciertamente más claro es el hecho de que, como el culto al gobernante fue abandonado con mayor frecuencia en la era posclásica tardía, el sistema de consejo evolucionó hacia el sistema multe pal. En teoría, se trataba de un sistema de gobierno conjunto de varias casas nobles, que no necesariamente tenía que originarse en la capital del estado. Pero este sistema de oligarquía en realidad rara vez funcionaba como se pretendía. Las fallas se ven mejor en el ejemplo de Mayapán. Este estado se formó ciertamente con el sistema multepal, en el que varias casas nobles gobernaban juntas, compartiendo oficinas de gobierno entre ellas. Pero después de poco tiempo, se hizo evidente que una casa, la Cocom, se había hecho más fuerte que las demás, ya que su líder asumió el papel de rey. Incluso mantuvo como rehenes en la capital a representantes de otras familias nobles. Aunque su gobierno no era tan absoluto como el de los reyes del clásico tardío, ya no era un verdadero multimillonario. Pero los mayas no abandonaron completamente la idea del gobierno conjunto. Después de que el estado maya se derrumbó, se crearon muchos estados más pequeños. La mayoría de ellos fueron gobernados por reyes, ahora con el título de "halach uinic", que significa hombre real/verdadero, apoyado por consejos influyentes. El título en sí es una prueba más del fracaso del culto de los gobernantes. Pero lo más fascinante son varios estados pequeños cuyos textos no mencionan en absoluto la halaj uínica, solo los consejos. Estos parecen ser un ejemplo de un sistema multipolar real y funcional. Lamentablemente, cualquier desarrollo ulterior de este sistema y la idea del gobierno compartido en la civilización maya se detuvo abruptamente por la conquista de los españoles.

Hasta ahora, el tema de la regla gubernamental sólo se ha examinado mirando a los niveles más altos del estado, los gobernantes y los consejos de la nobleza, y se ha centrado principalmente en la capital. Por supuesto, esto es bastante razonable considerando que estos eran los factores más importantes del gobierno, pero también porque otros rangos inferiores del sistema de gobierno no se mencionaban en los textos mayas. Esta falta de evidencia se redujo un poco con la evidencia arqueológica encontrada en Cerén, un sitio de período clásico en el occidente de El Salvador. Alrededor del año 600 d. C., este pequeño pueblo, con una población de alrededor de 200 personas, fue cubierto por cenizas durante una erupción volcánica. Los arqueólogos han encontrado que el edificio más grande del sitio, con las paredes más gruesas, carecía de cualquier artículo doméstico común, pero estaba equipado con dos bancos en las paredes laterales y una gran jarra cerca de uno de ellos. Las paredes interiores también tienen signos de decoración en forma de líneas y puntuación. Todo esto llevó a los investigadores a concluir que se trataba de un edificio público, muy probablemente utilizado para el gobierno local y las reuniones de la comunidad. Los ancianos y líderes de la aldea se reunían en los bancos, discutían los asuntos locales, tomaban decisiones y resolvían cualquier disputa en su comunidad. La bebida servida en la gran jarra se usaba probablemente con el propósito ceremonial de sellar las acciones del consejo de la comunidad. Además, los arqueólogos piensan que esta "sala de la aldea" se utilizaba para deliberar y anunciar cualquier orden que llegara de la capital, así como para informar a los aldeanos sobre sus deberes laborales corvee. Aunque la mayoría de estas son suposiciones hechas por los arqueólogos basadas en escasa evidencia, gracias a la "Pompeya de las Américas", tenemos al menos una vaga idea de cómo funcionaba el sistema de gobierno maya a nivel local.

Capítulo 6 - La guerra de los mayas

Es evidente, tanto en los textos y monumentos mayas, como en algunos otros hallazgos arqueológicos, que la guerra jugó un papel importante en la civilización maya. Durante la mayor parte de su historia, los fragmentados estados mayas estuvieron encerrados en el casi perpetuo estado de guerra entre ellos. Ni siquiera las amenazas extranjeras, como las que provenían de Teotihuacán o los aztecas, pudieron hacer que los mayas llamaran a una tregua y se unieran contra el enemigo común. Cuando llegaron los españoles, los mayas de Yucatán reconocieron lo peligrosos que eran los europeos, pero incluso entonces, el impulso de saldar viejas cuentas era demasiado grande para que la paz y la unidad duraran más de un par de años. Se esperaría que algo tan crucial para los mayas como la guerra estuviera bien documentado y fuera plenamente comprendido por los historiadores, pero no es así. No se sabe mucho sobre la logística, la organización de los militares, o su entrenamiento, ya que no se describen o ni siquiera se mencionan en los textos y tallas. Los monumentos a veces contienen representaciones de batallas, pero en su mayoría se centran en la celebración de victorias y mencionan las guerras libradas por los reyes mayas. Esta falta de evidencia concreta no ha desalentado a los arqueólogos e historiadores en sus intentos de descubrir al menos algunos misterios de la guerra maya.

Una de las certezas de la guerra maya es que los gobernantes eran los capitanes de guerra supremos, como se evidencia en los monumentos. En el período preclásico los gobernantes eran representados, y en algunos casos incluso enterrados, con cabezas-trofeo en sus cinturones. Estos representaban a los cautivos sacrificados. Esas imágenes desaparecieron más tarde, y los gobernantes fueron representados de pie sobre sus cautivos. A veces, incluso las reinas se mostraban de la misma manera. Los prisioneros de guerra eran importantes para los reyes mayas, ya que era una forma de demostrar su valor tanto a los dioses como a los subordinados. Algunos documentos testifican que antes de que un gobernante pudiera ser coronado, tenía que capturar al menos un prisionero para su sacrificio. En algunas escenas, incluso los antepasados reales, vestidos como guerreros, aparecen aconsejando al gobernante actual en el campo de batalla. La importancia religiosa de los sacrificios, especialmente de los cautivos, persistió hasta el tiempo de los Conquistadores, dando una explicación de por qué la guerra era importante para los mayas y sus reyes. También ayuda a ilustrar por qué las guerras aparentemente nunca se detuvieron en el mundo maya, y por qué los gobernantes a menudo tomaban títulos como "El de los 20 cautivos". A pesar de todas las tallas y textos que representan a los gobernantes victoriosos, algunos historiadores afirmaron que los gobernantes mayas no participaban realmente en las batallas; que eran simplemente comandantes en jefe, no soldados. Veían las representaciones como pura propaganda. Desconociendo las escenas de reyes involucrados en combates mano a mano, el hecho de que muchas inscripciones mencionen a gobernantes que fueron capturados en batallas y sacrificados más tarde desmiente esta teoría. Incluso los españoles mencionan que algunas cabezas de las familias reales lucharon contra ellos en combate directo.

También fueron los conquistadores europeos quienes notaron algo de la organización y la jerarquía del ejército maya del posclásico tardío. Los españoles mencionan un título militar no hereditario de "nacom". Este rango no era permanente, sino que se mantenía durante un corto período de tiempo, no más largo que la duración de una guerra particular, similar al título del dictador en la antigua república romana. Su tarea consistía en reunir y organizar el ejército, al mismo tiempo que se realizaban ciertos rituales religiosos que probablemente antes realizaba el propio gobernante. Un nacom de Yucatán no dirigía personalmente a las tropas en la lucha, sino que sólo actuaba como jefe de estrategia militar. Pero en el reino Quiché, el nacón también dirigía las tropas en la batalla, apoyado por cuatro capitanes bajo su mando. Esos capitanes eran probablemente clasificados como "batab", un título que se daba a los gobernantes y gobernadores de los pueblos y sitios dependientes dentro del estado. Los españoles registraron que su obligación era dirigir sus ejércitos locales en la batalla bajo el mando supremo de su gobernante, o en este caso un oficial que representara al gobernante. Los historiadores han vinculado las responsabilidades y deberes al título de sahal del período Clásico Tardío, también otorgado a los gobernantes de las ciudades vasallas.

Otro rango militar del período clásico que ha sido descifrado es el título de "bate". Su verdadera naturaleza permanece oculta, pero parece que tiene algo que ver con los cautivos de guerra y su sacrificio. Este título lo han ostentado tanto el gobernante como los guerreros de élite, pero también se ha atribuido a algunas mujeres nobles. Aunque hay algunas menciones de mujeres que ayudan en la guerra, nunca fueron mencionadas como oficiales militares. Por lo tanto, parece que el bate era un título más honorífico y hereditario, otorgado a una persona o familia que demostraba su valor en el combate. Lo que conecta a todos los oficiales militares conocidos es que todos ellos estaban restringidos a los miembros de la élite, fueran o no hereditarios. Esto se debía probablemente al hecho de que sólo los nobles tenían la posibilidad de practicar el arte de la guerra y de la estrategia. Pero el hecho de que los nobles sirvieran como oficiales militares también era beneficioso para el gobernante y el estado, ya que podían criar un gran número de guerreros a través de su parentesco, las relaciones de tributación y el control directo de sus tierras. Esto puede compararse con los señores feudales de los reinos medievales europeos. Una gran diferencia entre los oficiales nobles mayas y los caballeros europeos es que en la sociedad maya un plebeyo podría avanzar en los rangos militares y sociales si pudiera demostrar su destreza en la guerra.

Los historiadores de hoy no pueden estar seguros de cuán común era ese tipo de avance, pero está claro que por debajo de los oficiales venía la mayoría de los soldados comunes. Los mayas no tenían un ejército permanente, pero algunas fuentes sugieren que tenían un pequeño grupo de guerreros estacionados en asentamientos más grandes, siempre preparados para la batalla. No se sabe si eran plebeyos o miembros de la élite. Sea cual sea el caso, los españoles informan que cada intento de ataque sorpresa a los puertos fue recibido por un grupo de mayas preparados para luchar. Los soldados mayas regulares eran en realidad reclutas, muy probablemente reunidos por sus gobernadores o señores locales. Su servicio militar también puede haber sido parte de los deberes laborales del corvee. El servicio de la gente común era especialmente necesario en tiempos de guerras a gran escala, cuando la mayoría de la población masculina adulta era reclutada para luchar por su rey y su estado. Es probable que trajeran sus propias armas, utilizadas en tiempos de paz para la caza. Y parece que la caza era el único entrenamiento que recibía un plebeyo, que más tarde se amplió por su propia experiencia de las campañas militares anteriores en las que participó. Durante los períodos de guerra, otro tipo de soldados utilizados eran mercenarios. Mejor entrenados, pero menos leales, fueron en algunos casos un factor decisivo en el curso de la guerra. Sus pagos les eran entregados por los capitanes de guerra que compraban sus servicios, pero los ciudadanos comunes los alojaban y alimentaban.

Los mercenarios, al igual que los oficiales y los reclutas comunes, trajeron sus propias armas al campo de batalla. El arma más comúnmente representada en los monumentos es probablemente el "átlatl" o el lanzador de lanzas. Esta arma fue traída al mundo maya desde el centro de México por los teotihuacanos alrededor del siglo IV d. C. Fue una gran mejora ya que la jabalina o un dardo, con su afilada punta de pizarra o de obsidiana, podía dar en el blanco desde una distancia de 45m (150 pies), con al menos el doble de fuerza y mejor precisión que si se hacía simplemente lanzando. Cabe señalar que algunos historiadores piensan que el uso del átlatl fue limitado, debido a su impracticabilidad en el terreno selvático, afirmando que sus representaciones eran comunes sólo como un símbolo de poder prestado del arte teotihuacano. Además del lanzador de lanzas, los mayas también usaban cerbatanas, que se utilizaban tanto en la caza como en la guerra. Esta arma era más utilizada por los plebeyos, ya que era más barata de fabricar y requería menos entrenamiento. El arco y la flecha también se conocían desde la época clásica, pero no fue hasta el posclásico que se convirtió en un arma común en el campo de batalla. También se asoció más comúnmente con los soldados no pertenecientes a la élite, que usaban flechas de caña, apuntadas con pedernales o con afilados dientes de pescado. Además, los mayas usaban una variedad de armas de mano.

Los soldados mayas usaban comúnmente lanzas, hachas y palos de madera, los cuales estaban comúnmente provistos de afiladas puntas o cuchillas de obsidiana. Tenían cuchillos y dagas, también hechos de obsidiana afilada o pedernal. Para los europeos la falta de armas de metal era extraña, y la consideraban bastante primitiva. Pero los mayas, cuando llegaron los primeros españoles, ya usaban cuchillas de cobre, aunque a escala limitada. En general, tendían a pegarse con filos de piedra, ya que la obsidiana era más común, más barata, más duradera y fácil de convertir en hojas afiladas. Además, no había nada de primitivo en la hoja de obsidiana, ya que el propio Cristóbal Colón señaló que las armas mayas cortaban tan bien como el acero español. Los guerreros mayas a menudo estaban más equipados con escudos. El tipo de escudo utilizado dependía principalmente del arma que llevaba un soldado. Si estaba armado con una lanza, un combatiente maya solía llevar un escudo flexible rectangular hecho de cuero y algodón. Sus capacidades defensivas eran limitadas y estos escudos se usaban principalmente para protegerse de los proyectiles y dar una protección más pasiva al cuerpo. Lo más probable es que la lanza proporcionara tanto ataques como paradas defensivas activas. Y los historiadores piensan que estos lanceros eran el tipo más común de guerreros mayas utilizados en las batallas, convirtiéndolos en el núcleo del ejército.

Los soldados con hachas o palos eran menos comunes y probablemente se usaban para complementar a los lanceros en la batalla, o quizás se les daban tareas más especializadas. También eran más valiosos en pequeñas incursiones a enemigos con armadura ligera. Este tipo de guerreros también llevaban escudos. Normalmente eran redondos y más rígidos, hechos de cuero, madera, y en algunos casos incluso de caparazones de tortuga. Como eran más pequeños y estaban bien atados al brazo, su uso principal era para detener los golpes del enemigo, ya que los palos y hachas más cortos no eran adecuados para ese propósito. Este tipo de escudo evitaba un tamaño más grande y protector en favor de una forma más pequeña, pero más maniobrable. Esto disminuyó en cierta medida la cantidad de protección que el escudo proporcionaba a un guerrero. Los arqueólogos también han encontrado un tercer tipo de escudo que era un rígido, grande y rectangular, que por lo general se hizo de madera, cuero o cañas tejidas. Esta fue una introducción del centro de México, ya que era más común en esa área. Pero los historiadores asumen que su uso era limitado, sobre todo como una señal de poder y prestigio. Esta teoría proviene de la impracticabilidad del escudo en las espesas selvas de la patria maya, y también del hecho de que los escudos se asociaban comúnmente con la iconografía y los dioses de estilo mexicano, lo que le daba al escudo más valor como símbolo de estatus.

Una figura del lancero maya. Fuente: https://commons.wikimedia.org

Parece que los cascos también eran algo simbólico. Normalmente los llevaban los oficiales de mayor rango y, aunque probablemente ofrecían alguna protección adicional, su uso principal era representar el estatus del portador. En el posclásico, estos cascos, normalmente de madera, se adornaban con diversos emblemas, efigies y plumas. Los del período clásico eran aún menos protectores y más estéticos. Eran tocados de madera y tela más elaborados que probablemente representaban el espíritu animal del guerrero. Los reyes llevaban el simbolismo aún más lejos. En algunos casos, los gobernantes mayas se vestían con trajes de guerra rituales para inspirar a sus tropas. Esta ropa ofrecería alguna protección extra, pero sería demasiado poco práctica para el combate. Por eso no era una práctica común y probablemente se usaba en casos en los que el rey no estaba directamente involucrado en la lucha real. En las representaciones más habituales de los gobernantes en la batalla, llevaban ropa más adecuada para protegerse, como chalecos de algodón acolchados y polainas de jaguar. También llevaban elaborados tocados y escudos de jaguar adornados con el símbolo del dios del sol jaguar, una deidad maya de la guerra y del inframundo.

A pesar del hecho de que los reyes fueron representados algunas veces usando una armadura de algodón acolchada, su uso no parece haber sido tan común. La mayoría de los guerreros comunes son representados usando nada más que un taparrabos. Por lo tanto, parece que, al menos en la era clásica, la armadura de algodón estaba reservada para los nobles. Esto puede haber cambiado en el posclásico, ya que hay registros de que los españoles han estado dejando caer sus propias placas de acero para cambiar a las túnicas mayas de algodón. Esto puede indicar que más de unos pocos nobles la usaban. Pero también demuestra lo efectivo que era. Proporcionaba una protección más que suficiente contra las armas de obsidiana, aunque fuentes de Conquistador indican que era un poco menos eficaz contra las armas de acero. Pero sus principales ventajas eran que era más ligero, más adecuado para las altas temperaturas de la región, y que era más flexible, lo que hacía que los soldados fueran más móviles que si llevaban una armadura de acero. Desgraciadamente, ese tipo de protección no estaba disponible para los plebeyos. Como luchaban con el pecho desnudo, a menudo se aplicaban pintura corporal. Las razones para ello pueden encontrarse en posibles ceremonias religiosas, para diferenciarse del enemigo, o incluso como una táctica de guerra psicológica para asustar a los oponentes.

Las tácticas exactas utilizadas por los generales mayas en los campos de batalla son desconocidas para nosotros ya que no hay registros sobre ellas. Algunos historiadores argumentan que la falta de banderas y estandartes apunta al hecho de que lucharon fuera de la formación. La evidencia que apoya esta teoría es el hecho de que las selvas densas no son un terreno adecuado para que los ejércitos mantengan el orden. Lo que los historiadores militares asumen, de acuerdo con los tipos de armas y equipos usados por los mayas, es que las típicas batallas se iniciaron con voleas de armas de proyectiles. Estas tenían como objetivo debilitar al enemigo, tanto físicamente como mentalmente. Entonces los principales combatientes de los ejércitos chocaban en combate mano a mano en un simple choque directo. Los ganadores de estas batallas serían los que tuvieran ejércitos más grandes, mejor equipamiento y, en última instancia, mayor moral y voluntad de luchar. Por supuesto, esto no puede descartar la posibilidad de que al menos algunos estrategas mayas usen tácticas más complejas, como el encierro o las emboscadas. Los historiadores simplemente no tienen la evidencia para confirmar esa posibilidad.

No todas las batallas mayas se libraban en el desierto, ya que una táctica importante de la guerra maya era llevar a cabo incursiones en las ciudades. En algunas situaciones, las ciudades que fueron atacadas estaban indefensas. Por ejemplo, el principal ejército de una ciudad defensora podría haber sido derrotado antes del ataque urbano. El ejército atacante podía entonces simplemente arar la ciudad, quemando, saqueando y causando destrucción. Pero las ciudades no siempre se quedaron sin ninguna protección. En esos casos, las calles anchas y las plazas abiertas muy probablemente se convirtieron en un campo de batalla fraccionado. Por supuesto, el destino de la ciudad y sus ciudadanos dependía del resultado de la batalla. A medida que estos ataques a los centros urbanos se hicieron más frecuentes, los defensores comenzaron a construir varias estructuras defensivas que alteraron la forma en que esas ciudades eran atacadas. No hay evidencia de que se necesitara equipo de asedio para atravesar las defensas, así que parece que la principal táctica era el bloqueo. El ejército atacante intentaba cortar los suministros de la ciudad con la esperanza de que los defensores acabaran cediendo. La habilidad de los mayas en el uso de esta táctica fue confirmada por los españoles, que fueron realmente derrotados por ella durante su ataque a Yucatán en 1533 d. C. Su campamento fue rodeado, cortado de suministros. Al no poder encontrar comida o agua, se vieron obligados a huir durante la noche para intentar salvar sus vidas. Otras posibles tácticas de asedio pueden haber sido utilizadas, como los ataques sorpresa, cogiendo a las fuerzas defensivas con la guardia baja. Tal vez la gente en los asentamientos puede haber sido sobornada para permitir la entrada de los ejércitos atacantes. Una vez más, estas tácticas no pueden ser verificadas concretamente por las fuentes, por lo que siguen siendo objeto de especulación.

Réplica de un mural maya que representa una batalla. Fuente: https://commons.wikimedia.org

Lo que es claramente evidente son los restos de las fortificaciones utilizadas para defender las ciudades de los ataques. Parece ser que inicialmente los tipos de defensa más comunes fueron las zanjas y fosos creados por el desvío de los canales agrícolas. Algunos historiadores sostienen que los fosos no eran principalmente defensivos, sino que sólo se utilizaban como depósitos de agua para la ciudad. Ambas teorías sobre el uso de los fosos son plausibles. En tiempos de paz la gente podía usarlos como fuente de agua. Pero, durante un ataque, los fosos presentarían un gran obstáculo para las fuerzas invasoras. También se construyeron muros, algunos de ellos de hasta 11 m de altura. Hay menos dudas sobre su propósito, ya que están claramente hechos para formar parte de fortificaciones. Algunos han argumentado que las murallas fueron erigidas para separar a la nobleza de los plebeyos, pero no parece probable ya que va en contra de la idea maya de espacios públicos abiertos para rituales y ceremonias. Uno de los mejores ejemplos de muros utilizados para la defensa se encuentra en Dos Pilas, donde fueron construidos apresuradamente con los materiales que componían los edificios religiosos. Los defensores construyeron dos muros concéntricos para crear una zona de matanza de 20 a 30 m de ancho (66 a 99 pies). Cuando los atacantes rompían las puertas, quedaban atrapados entre dos muros y se convertían en blancos fáciles para los defensores en el muro interior. Los arqueólogos han excavado numerosos puntos de proyectiles en ese lugar, mientras que los entierros de los varones adultos decapitados se encontraron justo fuera de las paredes. Esto demuestra lo efectivas y sangrientas que podían ser las tácticas defensivas y fortificaciones mayas. Pero como ya se ha mencionado, al final no fueron suficientes para salvar la ciudad.

Otras ciudades que compartieron un destino similar con Dos Pilas hicieron barricadas de escombros en tiempos de urgencia. Por supuesto, ese tipo de estructuras defensivas eran menos eficientes. Otro tipo de estructuras protectoras eran las empalizadas de madera, que a veces alcanzaban alturas de 9m (30 pies). Si no se construían apresuradamente debido a un ataque inminente, las empalizadas podían cubrirse con yeso para evitar que se incendiaran fácilmente. Durante los períodos clásico y posclásico terminal, hubo otro salto importante en los sistemas de fortificación. Las murallas se equiparon con murallas más amplias, parapetos y pasillos interiores. Esto se debió al aumento del uso de arqueros en las guerras, ya que podían disparar desde mayores distancias. Desde lo alto de las murallas, los defensores podían utilizar la amenaza de los arqueros para mantener a los atacantes más lejos. Durante este período, los sistemas defensivos se hicieron más complejos, creándose en múltiples anillos de defensa, siendo el último anillo el que protege el centro sagrado y más importante de la ciudad. Pero además de hacer que las defensas fueran más profundas hacia el interior, algunas de las ciudades crearon fuertes más pequeños fuera de los límites de la ciudad. Estos fueron usados como el primer perímetro de defensa; para disminuir la posibilidad de ataques sorpresa. Sin embargo, no importa cuán complejas y eficientes fueran estas defensas, parece que al final, nada podía realmente proteger a las ciudades mayas de los problemas de la guerra. Todas ellas acabaron siendo derrotadas.

Los mayas continuaron tratando de prevenir esos resultados fatales. Otra forma en que trataron de mejorar la capacidad defensiva de sus asentamientos fue utilizando el paisaje. Esto se hizo más común en la era posclásica, especialmente en las tierras altas. Allí, muchas ciudades y fortificaciones fueron erigidas en las cimas de las colinas, lo que dificultó el acceso a ellas. A veces, la única manera de acercarse a la ciudad era un camino estrecho, fácilmente controlado por los defensores. Otras veces, una ciudad estaba rodeada por un barranco que sólo podía ser cruzado por un puente de tablones que los defensores podían quitar. Pero este tipo de fortificaciones se convirtieron más bien en un tipo de ciudadela, usada principalmente para defensas y no como viviendas. En las Tierras Bajas, el principal uso de las defensas naturales eran las islas en los lagos y las costas, que no podían ser cruzadas sin una canoa o un barco. Los españoles también han mencionado el uso de trampas como medidas defensivas. Un ejemplo de ello fue el de los mayas tratando de atraer a los conquistadores a un camino estrecho y luego cortar las salidas. La idea era derrotarlos en un espacio alto donde sus caballos no podían maniobrar, convirtiéndolos en blancos fáciles tanto para los arqueros como para los lanceros.

Otra pregunta importante que debe ser respondida es por qué la guerra era tan importante para los mayas. Esto se explica mejor analizando los tipos de guerras que hacían, o más precisamente determinando cuál era el principal objetivo que debían alcanzar los atacantes. Lo más común es que los estados mayas entraran en guerra en un intento de expandir sus territorios e influencia. Esto se hizo para obtener beneficios económicos, principalmente a través del control de las rutas comerciales y los recursos, y además para lograr el avance político. Las guerras podían estar motivadas por el deseo de derrotar a un aliado o a un vasallo de un estado enemigo, por la búsqueda de la eliminación de una dinastía, por el impulso de mejorar la fuerza política del propio estado, o incluso por la venganza en algunos casos. Los beneficios añadidos de las guerras exitosas fueron los tributos pagados por las ciudades conquistadas. La venganza a veces daba a la guerra otras dimensiones, transformando una confrontación de un conflicto territorial en una misión de destrucción. Esto era menos común, ya que obviamente no producía tantos beneficios como la conquista. Si se hacía, generalmente era la culminación de años de animosidad y hostilidad. El mejor ejemplo de esto fue Dos Pilas, que fue destruido sin que hubiera indicios de que los atacantes hubieran intentado conquistarlo o someterlo. Otro ejemplo de una guerra de destrucción fue cuando Chichén Itzá aniquiló a uno de sus competidores en el comercio marítimo. No hubo motivación para la venganza sino por el simple cálculo de que un competidor necesitaba ser destruido sin dar ninguna oportunidad de resurgimiento posterior; la recuperación hubiera sido posible si simplemente se hubiera convertido en una ciudad vasalla.

Pero las ganancias y la venganza no fueron las únicas razones para que los mayas fueran a la guerra. Otra motivación crucial fue la religión y los rituales. Como hemos aprendido, era una parte importante de la imagen de los gobernantes ser presentada con cautivos para ser usada en los sacrificios ceremoniales necesarios para complacer a los dioses. Atrapar a esas víctimas era ciertamente uno de los motivadores de las guerras mayas. Aunque debe enfatizarse que, a diferencia de lo que creían los arqueólogos, esta no era la causa principal de la guerra. Con las guerras "comunes" que se libraban regularmente, a la mayoría de los estados no les faltaban los cautivos para esas necesidades. Pero en algunos casos, cuando los reyes mayas necesitaban probarse a sí mismos y adquirir víctimas de sacrificio, esto podía llevar a un conflicto, aunque no es probable que una guerra a gran escala. Y aunque la religión no era a menudo una causa de guerra, ciertamente se utilizaba comúnmente para justificarla. Los mayas a menudo miraban al cielo nocturno, observando el movimiento de Venus, que estaba asociado con la guerra. Las guerras se libraban típicamente cuando era visible en el cielo. De hecho, estas guerras han sido marcadas con un glifo de guerra de estrellas en los monumentos y en los textos. Esto significaba que la guerra era sancionada como una misión divina, de forma similar a las cruzadas o la yihad. Se utilizaba comúnmente como justificación de la guerra territorial, haciendo que la llamada "Guerra de las Galaxias" no fuera un acontecimiento poco común.

Capítulo 7 - Economía de la civilización maya

Hasta ahora, en los capítulos anteriores, se ha podido observar que la economía fue uno de los motores importantes de la civilización maya. Era una base que impulsaba sus políticas desde los cacicazgos hasta los estados, permitía la expansión de la cultura y los grandes logros arquitectónicos, por ello se iniciaron y terminaron las guerras. Incluso los mayas se dieron cuenta de lo importante que era la economía para ellos, especialmente en el período posclásico tardío, cuando su sociedad se volvió hacia la rápida comercialización. Para comprender plenamente la historia, el desarrollo y la cultura maya, hay que conocer también cómo funcionaba su economía. Empezó con sus primeros antecedentes tribales de caza y rebúsqueda de alimentos, y luego cambió a la agricultura cuando los antepasados mayas eligieron una forma de vida sedentaria. Desde entonces, la base de la economía maya fue la agricultura. Desde el principio, durante el preclásico, los mayas descubrieron que el manejo del agua era la clave para obtener cosechas mejores y más confiables. Por eso construyeron pozos, canales y, en algunos casos extremos como el de Kaminaljuyú, crearon sistemas de irrigación masiva. Además, era común crear reservas de agua a partir de cuevas subterráneas naturales y artificiales, así como pozos de cantera revestidos de arcilla para hacerlos más herméticos. En algunos casos, en Yucatán, los mayas incluso profundizaron las depresiones naturales de retención de agua y cultivaron nenúfares para frenar la evaporación del agua.

Las sequías no fueron el único problema que los mayas enfrentaron en la agricultura. Las inundaciones y las fuertes lluvias también eran preocupantes, pero los canales y otros sistemas de gestión del agua también drenaban el agua. Donde no había necesidad de canales se utilizaba la técnica de drenaje y elevación, donde los campos estaban cubiertos por una red de zanjas de drenaje que quitaban el exceso de agua, mientras que simultáneamente la tierra desenterrada de las zanjas se apilaba en los mismos campos, elevándolos de la llanura de inundación. Otro problema que enfrentaban los agricultores mayas era el de mantener la fertilidad del suelo. Para ello utilizaron varias técnicas, desde la siembra de especies complementarias cercanas entre sí, como el frijol y el maíz, hasta el uso de fertilizantes hechos con desechos domésticos y la rotación de cultivos. Los agricultores mayas también utilizaron métodos de agricultura de arrastre, pero esto se usó principalmente para crear nuevos campos. Y aunque en conjunto estos enfoques para la preservación del suelo muestran un verdadero entendimiento de la agricultura, no era suficiente para mantener los suministros de alimentos cuando la población crecía demasiado. Por lo tanto, muchos de los campos fértiles estaban sobre utilizados y agotados cuando la era Clásica estaba llegando a su fin.

Sin embargo, la agricultura maya perduró, mientras que los agricultores buscaron nuevos suelos fértiles en los que plantar sus cultivos. Estos se pueden dividir en dos grandes grupos, los cultivos alimentarios y los cultivos de exportación o comerciales. Los principales cultivos alimentarios fueron el maíz, la mandioca, la calabaza, la batata, la papaya, la piña, el aguacate, los tomates, los chiles y los frijoles comunes. Además, los mayas también cultivaban algunas hierbas medicinales en pequeños jardines de la casa. Y aunque los alimentos se comercializaban a veces, los principales ingresos comerciales provenían de los cultivos comerciales. La más importante de ellas era probablemente el cacao, que era muy buscado por las clases altas para la elaboración de bebidas de chocolate. El cacao también estaba vinculado a los dioses, e incluso servía como moneda hasta cierto punto. Otro importante cultivo de exportación era el algodón que, gracias al clima, crecía bien en la región de Yucatán. A diferencia del cacao, el algodón se convertía en un producto textil acabado antes de ser exportado, y era una importante fuente de ingresos. Un tercer cultivo comercial importante era el agave, que se utilizaba para producir fibras de cáñamo para la ropa y sandalias baratas de los plebeyos, así como cuerdas fuertes. Además, cultivaban tabaco, que se utilizaba tanto para los rituales religiosos como para el placer individual. A pesar del desarrollo de la agricultura, la caza y la rebúsqueda de alimentos también seguían siendo fuentes de comida e ingresos para los mayas.

Los animales que se cazaban iban desde los grandes ciervos, pasando por los pecaríes y los monos, hasta la codorniz y la perdiz. También cazaban cocodrilos y manatíes. Para la caza mayor, los cazadores mayas usaban principalmente lanzas y arcos, mientras que para los monos y las aves usaban cerbatanas. También empleaban trampas que se usaban principalmente para atrapar tapires y armadillos, así como tortugas e iguanas, que además de la carne eran una fuente de huevos muy apreciada. Al igual que en la agricultura, no todos los animales eran cazados para alimentarse. Los jaguares, guacamayos y quetzales se cazaban principalmente por sus plumas, garras, pieles y dientes, los cuales eran muy solicitados por los nobles para ropa y accesorios. Esto los convertía en valiosos artículos de comercio. Pero la selva también era adecuada para la búsqueda de alimento, dándole a los mayas más comida como hongos, a veces alucinógenos, y varias bayas, así como verduras como espinacas de árbol y plantas de raíz como el rábano. Las selvas tropicales también eran fuentes de hierbas medicinales y especias, como el orégano y la pimienta de Jamaica. También recolectaban vainas de vainilla, tanto para dar sabor como para fragancia, a veces incluso cultivando vides de vainilla en lo profundo de la selva tropical. Por supuesto, los mayas también pescaban, tanto en las costas del mar, como en el interior, y en lagos y ríos. Capturaban camarones, langostas, varios mariscos y peces. El pescado de origen marino a veces se salaba y se comercializaba como un manjar a las regiones del interior.

Todas las actividades económicas mencionadas anteriormente son bastante comunes en todo el mundo, por lo que no es sorprendente que los mayas también las practicaran. Lo que puede ser un poco chocante es que la cría de animales nunca fue verdaderamente desarrollada por los mayas. Solo domesticaban perros, para la caza y como mascotas, mientras que los pavos y patos moscovitas solo estaban semi domesticados. En algunos casos, capturaban y retenían un ciervo por un tiempo antes de comerlo más tarde. Pero los mayas practicaban la apicultura, especialmente en Yucatán. Allí hacían colmenas con los troncos de los árboles ahuecados, que tapaban en el extremo. La miel era importante como único edulcorante conocido para los mayas, lo que la convertía en una parte importante de la dieta y en un valioso artículo de comercio. Pero más importante que la miel dulce era la sal, necesaria para mantener la vida. Y aunque casi todos los mayas que vivían en la costa la producían, la sal de Yucatán era la más valorada y se producía en cantidades mucho mayores. Era buscada incluso por la nobleza del centro de México. Otro producto que en algunos casos se reservaba para la nobleza eran las bebidas alcohólicas, que se consumían principalmente durante las fiestas y rituales. Los ejemplos más famosos de las bebidas alcohólicas mayas, y que todavía se elaboran hoy en día, son el balché, un licor suave, y la chicha, una cerveza de maíz.

La segunda rama principal de la economía maya era la artesanía y el trabajo artesanal. La gama de estos productos, así como las habilidades de los fabricantes, iban desde lo simple y crudo hasta lo exquisito. Y aunque la mayoría de ellos eran plebeyos, los artesanos altamente calificados a menudo ascendían a la clase media, mientras que incluso algunos de los nobles practicaban formas de artesanía. De todos los productos que hacían esos artesanos, la cerámica era probablemente el más importante para la economía. En primer lugar, la cerámica era esencial en la vida cotidiana; desde las ollas de cocina hasta las jarras de almacenamiento. Estos productos variaban en calidad, belleza y forma. Pero, si estaban pintadas y adornadas, cumplían una función más ornamental, como los jarrones y las figuritas. Entonces la cerámica se convirtió en un producto comercial bastante importante, muy valorado por la nobleza. La importancia de la cerámica en la sociedad maya se puede demostrar aún más por el hecho de que desarrollaron un medio para producirla en masa. Crearon moldes de los cuales hicieron muchas copias del mismo producto, de los cuales se hicieron incluso figuritas artísticas. Y si era necesario, el "lienzo en blanco" de esos productos podía ser embellecido o individualizado a través de la pintura o la adición de detalles hechos a mano. Más importante es el hecho de que la producción en masa significaba que la cerámica era cada vez más fácil de hacer, más barata y disponible. Era útil en el comercio, tanto para transportar otras mercancías como para ser un artículo de comercio en sí mismo.

Aquellos que pintaron la cerámica, dependiendo de su habilidad y de la calidad de su trabajo, en algunos casos podrían incluso ser considerados artísticos, mientras que otros son más artesanos y simples pintores. Todos ellos utilizaron una variedad de pinceles y herramientas que se asemejan a la aguja de madera del antiguo Cercano Oriente. Estos, junto con otras herramientas y armas, eran otra parte importante de la artesanía de los trabajadores mayas preindustriales. Los principales recursos de los fabricantes de herramientas eran, como ya se mencionó, la obsidiana y el pizarrón. Estas herramientas formaban parte del comercio de la cerámica, pero también eran necesarias como bienes de consumo. Los fabricantes de herramientas también hacían sables, mangos y palancas de madera para tejer, mientras que los huesos se utilizaban para las agujas y los anzuelos de pesca. Para herramientas de trabajo más pesadas, como cinceles, raspadores, piedras de moler y hachas, usaban basalto. Estos tipos de herramientas se usaban comúnmente y se encuentran en todos los sitios. Pero las herramientas de trabajo precisas, como los micro-taladros necesarios para el trabajo lapidario más fino, se encuentran sólo en los barrios de élite de los centros urbanos. Esto indica que esos artesanos eran de ascendencia noble o eran muy apreciados por la clase dirigente. De nuevo, muestra cómo algunas partes de la industria artesanal eran apreciadas en la sociedad maya, al menos en el período clásico.

En el período posclásico, alrededor del siglo XIII d. C., los fabricantes de herramientas adoptaron una nueva tecnología y recursos para sus productos. Comenzaron a utilizar el cobre para crear hachas, anzuelos de pesca y pinzas. Esto desacredita uno de los mitos más comunes de que los mayas no tenían ningún conocimiento de la metalurgia. La verdad es que el cobre no era mucho mejor que las herramientas de piedra que crearon. Y, en su región no había minas de cobre, pero la obsidiana, el pizarrón y el basalto estaban presentes en abundancia. El único metal que tenían era el oro, y se extraía en pequeñas cantidades en las tierras altas. La mayoría de sus metales preciosos se comercializaban desde el sur de Mesoamérica, y generalmente eran importados como productos terminados. Aunque había algunos artefactos de oro y plata que muy probablemente fueron creados por los artesanos mayas, parece que no desarrollaron muchas de estas habilidades. Se centraron en el trabajo con piedras preciosas, que también eran abundantes en la patria maya. Jade, serpentina, turquesa y pirita eran las más utilizadas. A partir de ellas, crearon joyas, decoraciones para el hogar, figuras y otras piezas de arte. La pirita fue usada específicamente para crear espejos de adivinación. De estos, el jade era el más precioso y también el más difícil de trabajar. Los historiadores de hoy encuentran notable que los artesanos mayas fueron capaces de trabajar con el jade sin ningún tipo de herramientas de metal y piensan que se necesitaba una gran habilidad y dedicación para producir alta calidad de esa piedra en particular. El artesano maya también utilizó conchas rojas y huesos para hacer joyas y otras obras de arte. Todos estos productos eran muy valorados en el comercio.

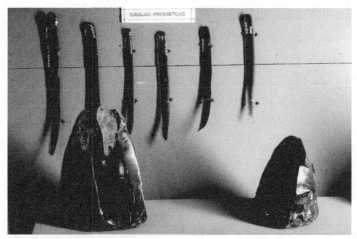

Hojas de obsidiana y obsidiana crudas hechas a mano por artesanos mayas.
Fuente: https://commons.wikimedia.org

Otro artículo comercializable era la ropa de algodón. Como se mencionó, el algodón era cultivado por los granjeros mayas, pero los tejedores expertos se encargaban de su procesamiento. Utilizaban una variedad de técnicas complicadas para crear piezas de tela de algodón utilizadas para hacer ropa. Se reservaba para los nobles, en algunos casos incluso se utilizaba como tributo y regalo a la realeza. Estaban adornadas con varios símbolos abstractos, la mayoría de las veces relacionados con motivos cosmológicos y religiosos. En algunos casos, también se tejían plumas en la ropa, que era comúnmente colorida. Utilizaban tintes hechos de plantas, insectos y conchas, y los colores más utilizados eran el azul oscuro, el rojo, el morado y el negro-morado. Los tejedores también producían tapices y brocados de algodón, como decoración y como arte. Todo esto indica que la empresa textil era otra parte importante de la economía maya. Por supuesto, ese tipo de textil de algodón de alto precio estaba reservado para la élite. En algunos casos raros, los mayas comunes tenían ropa hecha de algodón de menor calidad, pero más a menudo usaban simples taparrabos hechos de varias fibras de cáñamo. Otro tipo de atuendo común era la tela de corteza molida, que algunos historiadores argumentan que se usaba sólo para ocasiones ceremoniales.

Un uso más interesante del material de corteza molida fue para hacer una versión cruda del papel. Este papel mesoamericano, llamado así porque se desconoce su origen exacto, se fabricaba generalmente con corteza de higo silvestre que se hervía en agua de maíz, se trataba con cal o ceniza y luego se pelaba en hojas finas. Esas hojas se colocaban en forma de cruz sobre una tabla de madera y luego se golpeaban con una piedra hasta formar una sola hoja de papel. El acabado con una fina capa de yeso aseguraba que el producto final fuera lo suficientemente liso como para escribir sobre él. El uso más notable de este papel fue para escribir libros y códices, que desgraciadamente fueron casi todos destruidos por los españoles. Pero el papel mesoamericano también se usaba probablemente en rituales y para llevar registros de comercio, tributos y otros negocios estatales. Los mayas hacían otros productos con fibras vegetales y vides, sobre todo esteras, cestas y abanicos. Las esteras estaban conectadas con el gobernante y con la autoridad, lo que las hacía al menos simbólicamente importantes. Las canastas se usaban en la mayoría de los casos como un artículo de uso cotidiano para llevar diversos objetos, pero en algunas situaciones, se vinculaban con ceremonias de ofrendas de sacrificio a los dioses.

Después de enumerar todos los productos importantes de las dos ramas principales de la economía maya, es hora de dirigir nuestra atención a la tercera rama que no creó nada más que beneficios. Por supuesto, esta rama es la de comercio. A estas alturas debería quedar claro que gran parte de la vida maya giraba en torno al comercio, y los historiadores piensan que fue el "motor" más importante que impulsó el avance y el crecimiento de la civilización maya. La mayoría de los estados mayas más fuertes sacaron fuerzas del control de las rutas comerciales, y a menudo lucharon por ellas. Pero el comercio también facilitó la conexión con otras regiones de la patria maya, y también con otras naciones vecinas. Como resultado, los mayas no sólo intercambiaban bienes, sino también ideas, tecnologías y creencias. Esa es una de las razones por las que los historiadores han estado tan enfocados en el comercio interregional de larga distancia, que conectaba al actual Nuevo México con Panamá y Colombia. Los mayas ocupaban la posición central de ese comercio. Ellos exportaban e importaban casi todos los recursos y productos mencionados en este capítulo, excepto alimentos. También importaban recursos que no se encuentran comúnmente en su tierra natal, como plata, oro, perlas, cobre, caucho, turquesa, etcétera. Pero los comerciantes mayas también jugaron un papel de intermediarios en el comercio entre el norte y el sur de Mesoamérica, y en algunos casos incluso en áreas más grandes.

Esto no quiere decir que un solo comerciante maya viajara de Panamá a Nuevo México. El comercio a larga distancia se hacía por etapas, como una carrera de relevos, en la que las mercancías eran transportadas por un solo comerciante solo para una parte de la ruta. Sin embargo, los mercaderes mayas tenían un enclave en la Teotihuacan clásica temprana, a 1600 km de su tierra natal. Y esta estrecha conexión con el centro de México continuó cuando los aztecas se convirtieron en la mayor potencia de la región. Otro factor importante del comercio interregional es que reforzó la autoridad y el prestigio del gobernante, ya que la familia real solía controlar los recursos vitales comercializados por los mayas. Por lo tanto, cuando los mayas comerciaban con artículos de lujo, los productos adquiridos iban a parar al gobernante, y en algunos casos a la más alta élite. De esta manera, el rey y los nobles eran los que más se beneficiaban de este tipo de comercio. Por supuesto, este no era el único tipo de comercio. También había un comercio regional, entre los propios mayas. Como ya se ha mencionado, no todas las regiones de la patria maya eran aptas para producir todo o tenían acceso a las mismas materias primas. Por eso era necesario que las ciudades se complementaran entre sí con diversos productos. El mejor ejemplo sería el intercambio de productos de obsidiana por sal entre los estados de la Sierra y Yucatán. Estas conexiones comerciales eran obviamente fuertes y tan frecuentes que mantenían a los mayas estrechamente conectados en una civilización bastante homogénea.

Esto fue facilitado por los gobernantes, quienes por supuesto se beneficiaron del comercio. Patrocinaron y organizaron mercados en los centros de sus ciudades, tratando de atraer a más personas para que comerciaran en sus tierras. Aunque los arqueólogos no están completamente seguros, es probable que los grandes y permanentes mercados mayas estuvieran bajo un estricto control gubernamental. Sus funcionarios hacían cumplir las reglas, resolvían disputas y, por supuesto, cobraban impuestos. Naturalmente, estos mercados centrales también eran utilizados por la población local para adquirir los bienes que necesitaban, y también es probable que existieran mercados locales más pequeños y menos permanentes que se utilizaban para el comercio local. Este tercer tipo de comercio se utilizaba entre vecinos, intercambiando entre ellos los productos de los que carecían. Todas las familias estaban enfocadas y especializadas en un tipo de producción, por lo que creaban excedentes que intercambiaban por los artículos que les faltaban. Este tipo de comercio no era tan rentable y no lo hacían los comerciantes profesionales. Era la gente común la que hacía trueques entre sí. También es probable que no estuviera tan regulado como los niveles más altos de comercio. Sin embargo, era importante para la supervivencia de las comunidades locales y los ciudadanos comunes.

Familiarizándose con los tres niveles o tipos de comercio, así como con el alcance de los comerciantes, es posible hacerse una idea general de cómo era la red de comercio maya. Pero hay otro tema importante relacionado con esta red que aún está por discutirse: el transporte de mercancías. El primer método a desarrollar, y más comúnmente empleado en el comercio local y parcialmente en el regional, fue el transporte terrestre. Sin animales para facilitar el transporte terrestre, todo fue hecho por porteadores humanos. En algunos casos, llevaban las mercancías a la espalda, en otros dos o más de ellos llevaban una litera. También se utilizaban para transportar a los viajeros más ricos. Estos porteadores utilizaban senderos y sacbeob cuando existían en sus rutas. Los equipos de relevo se utilizaban para hacer el transporte más rápido y fácil, especialmente si la carga era pesada o si el destino final estaba más lejos. Pero, en cualquier caso, este tipo de transporte era bastante duro, lento y en esencia ineficiente. Por eso los mayas utilizaban el transporte acuático siempre que podían. Se hizo primero usando ríos, conectando las ciudades del interior. Pero a medida que la tecnología de construcción de barcos mejoró, y el comercio maya comenzó a expandirse cada vez más lejos, también comenzaron a usar el mar para el transporte.

Representación maya de un hombre en una canoa. Fuente:
https://commons.wikimedia.org

Para ello utilizaban canoas, que a principios del siglo XVI tenían unos 2,5m (8 pies) de ancho y tan largas como las galeras, según los relatos del hijo de Colón. Sus embarcaciones estaban equipadas con toldos de palma para proteger a los pasajeros y las mercancías. Y en la misma descripción, se dijo que las canoas mayas podían llevar hasta 25 personas a bordo, lo que significa que también llevaban cantidades sustanciales de carga. Este hecho también impulsó la expansión del comercio marítimo, lo que llevó al surgimiento de hasta 150 puertos en la costa de Yucatán en el período posclásico. Esto, por supuesto, causó que muchos de los centros de comercio de las Tierras Bajas de la era clásica perdieran su poder e importancia. Pero a lo largo de los períodos algunos aspectos del comercio no cambiaron mucho. Uno de ellos fue el sistema de pago. Parece que la "moneda" más común eran los granos de cacao. Se consideraban valiosas, y hubo algunos informes de falsificación de las mismas al llenar de tierra una cáscara de cacao vacía. Sin embargo, la forma exacta en que los gobiernos mayas controlaban su valor y protegían el cacao como un tipo de moneda sigue siendo un enigma para los historiadores. Además de pagar con el cacao, parece que también se utilizaron otros artículos de lujo para los pagos, también con lo que parecen haber sido valores de mercado fijos. Se trataba de cuentas de jade y conchas de ostras. Más tarde, con la introducción de los metales, los comerciantes mayas también comenzaron a utilizar el oro y el cobre. Por supuesto, el trueque también era una forma común de pago, especialmente en los mercados locales.

Para asegurar que los acuerdos comerciales se llevaran a cabo sin problemas, los comerciantes mayas incluso crearon contratos, especialmente para intercambios más grandes o más valiosos. Estos contratos podían ser solo orales, ya que se sellaban con el consumo de alcohol en público. Esto puede haber dado lugar a una cultura de integridad de los comerciantes, ya que los españoles han observado que los comerciantes mayas eran bastante honorables. También observaron que la usura no existía entre ellos. Todos estos factores combinados demuestran que el comercio maya era bastante complejo y muy organizado, nada primitivo como se pensaba. Esto, combinado con una producción agrícola y artesanal desarrollada, hace evidente que los mayas tenían una economía robusta y diversa. Esto muestra otra parte de la civilización maya que estaba prosperando, empujándola hacia una nueva grandeza.

Capítulo 8 - Los logros de los mayas en el arte y la cultura

La civilización maya, altamente desarrollada y bastante compleja, logró crear impresionantes piezas de arte, dando testimonio del nivel de sofisticación que alcanzó la cultura maya. Sus creaciones abarcaron desde la arquitectura y los monumentos monumentales e impresionantes, pasando por hermosas y finas figuras, pinturas y libros, hasta los logros intelectuales menos tangibles e igualmente sorprendentes. Con ellos, los mayas dejaron una clara huella tanto en la cultura mesoamericana como en la mundial, lo que da una razón más para que los investigadores e historiadores de hoy en día se concentren en descubrir sus historias y logros. Lo primero que les llamó la atención, por supuesto, fueron los grandes edificios y ruinas que quedaron, perdidos en las selvas salvajes. La pregunta de quién construyó esas grandes estructuras fue el misterio que inicialmente atrajo a los historiadores a la civilización maya. Y fue un primer paso para desmantelar los viejos prejuicios de los nativos que solo eran tribus primitivas bárbaras. Desde el primer vistazo, estaba claro que ninguna sociedad atrasada podría haber construido algo como las pirámides y los templos mayas. Y el hecho un tanto interesante es que los mayores ejemplos de esas estructuras provienen en realidad de la era preclásica, no de la edad de oro. Pero, aunque de menor tamaño, esos edificios, manteniendo su forma y aspecto básico, fueron construidos hasta la llegada de los españoles.

También, los tipos comunes de estructuras eran palacios, plataformas ceremoniales usualmente de hasta 4m (6.5 pies) de altura, casas de consejo, canchas de pelota, tumbas y acrópolis, observatorios, baños de sudor, y escaleras ceremoniales. Estos eran generalmente edificios públicos, excepto los palacios, que se colocaban generalmente alrededor de una plaza central de la ciudad. Jugaban un papel importante en la vida religiosa y política de cada centro urbano, y se adornaban con diversas tallas y otros tipos de decoraciones. Y como fueron construidos para durar, esos edificios fueron usualmente construidos con piedra caliza, pero también con otros tipos de piedra como mármol, arenisca y traquita, dependiendo de la disponibilidad local. En áreas donde la piedra no era tan común, esos edificios se construían con adobe, que se usaba más típicamente para las casas de los plebeyos. Para el mortero se utilizaba cemento calizo, mientras que el yeso se utilizaba para sellar las paredes exteriores, ya que era más fácil de decorar. Los albañiles mayas también dominaban la técnica de los arcos con ménsulas para crear puertas y cúpulas altas pero estrechas. La forma de "V" inversa de estos arcos, o bóvedas como también se les llama, es uno de los sellos arquitectónicos de los mayas, ya que casi ninguna otra civilización de Mesoamérica los construyó. Las estructuras con estos arcos se asemejaban a sus chozas originales de paja, pero también estaban mejor refrigeradas, lo cual es una ventaja importante en el clima tropical. Además, las bóvedas hacían que los edificios se vieran más impresionantes desde el exterior, lo cual siempre fue un factor importante para los mayas.

Todas estas características son comunes entre las ciudades mayas, distinguiéndolas del resto de Mesoamérica. Sin embargo, existió alguna diferenciación local de estilo, así como cierta evolución y desarrollo a medida que pasaba el tiempo. Estas fueron causadas por la disponibilidad de recursos y la diferente influencia extranjera, pero también por los gustos individuales de determinados gobernantes. Pero a pesar de los detalles, no hay duda de que los mayas, en general, eran albañiles capaces y hábiles, ya que sus estructuras siguen en pie y orgullosos. Sin embargo, los detalles que comúnmente se consideran su característica más hermosa no fueron hechos por ellos. Había talladores de piedra especializados que tenían la tarea de crear esas obras maestras artísticas. Normalmente se tallaban en estuco, con escenas que se tomaban de la mitología o que celebraban al gobernante. A menudo estas dos cosas estaban interconectadas, ya que se mostraba a los gobernantes realizando diversos rituales. Pero los escultores mayas no solo decoraban las paredes. También usaban su habilidad para adornar dinteles, altares, tronos y, sobre todo, estelas. Y hoy en día los historiadores elogian su trabajo no sólo por las habilidades escultóricas de los mayas, sino también porque esas tallas son una de las principales fuentes de información sobre el pasado de la civilización.

De igual manera, los murales y la pintura mural, usualmente realizados en las paredes interiores, también se convirtieron en evidencia importante de la historia maya. Aunque no se salvan muchos, los que se conservan hoy en día nos muestran atisbos de la vida de la corte, las ceremonias rituales, las guerras y las batallas. Esas escenas están pintadas con colores vivos y brillantes, que son un claro recordatorio de que las ciudades mayas eran lugares bastante coloridos. En la época clásica era común que las pinturas murales tuvieran un texto jeroglífico que las acompañaba, dando un contexto más detallado a las escenas. Y el nivel de habilidad de los pintores mayas no es menor que el de los talladores. Además de compartir una imaginería similar, si no la misma, también comparten las mismas características estilísticas. La más notable de ellas es la representación naturalista y bastante realista de los lugares y los seres humanos. Sin embargo, en la mayoría de las obras de arte la gente, incluso los gobernantes, carecen de los rasgos individuales que distinguirían sus características faciales. Otro hecho que los une es que su principal propósito era celebrar y promover a los gobernantes y sus cultos, lo que sugiere que en su mayoría fueron encargados por las familias reales. Solo en el Posclásico, cuando el culto a los gobernantes se estaba extinguiendo, las escenas se centraron más en temas religiosos y mitológicos, así como en los linajes nobles. Pero el hecho es que estos artistas trabajaban solo para los miembros de la élite, y muy probablemente trabajaban en sistemas de patronazgo.

No todo lo que los artistas crearon era tan grande como las decoraciones de las paredes. Tanto los pintores como los escultores también trabajaron en objetos más pequeños. Los escultores crearon muchas máscaras decorativas, celtas (cabezas de hacha), colgantes y figuritas de piedras preciosas, sobre todo de jade. Dependiendo de su propósito, sus temas cambiaban. En algunos casos, se hacían para representar a una cierta deidad o criatura mitológica, mientras que a algunos celtas se les equipaba con la representación de reyes. Y las más famosas eran generalmente máscaras mortuorias, sin rasgos faciales específicos. Como las creaciones hechas con materiales tan caros no habrían estado tan disponibles para los menos afortunados, los escultores mayas también tallaban figuritas y efigies de madera más pequeñas. De nuevo, los temas principales eran los gobernantes, y con mayor frecuencia son la representación de los dioses. Por otro lado, los pintores mayas trabajaron en la decoración de varios productos de cerámica, pero sobre todo en jarrones y cuencos. Sus obras de arte eran bastante similares en todos los aspectos a los murales, excepto en el tamaño. Los temas permanecieron conectados a la religión, los gobernantes y la corte, hechos en una paleta colorida. Y tanto las pinturas como las esculturas conservaban una forma naturalista y un sentido de realismo.

Copia de un mural maya con colores restaurados. Fuente:
https://commons.wikimedia.org

A diferencia de otros artistas mayas, los alfareros no solo se centraban en la fabricación de objetos de una belleza impresionante. También tenían que centrarse en la practicidad y la utilidad. Basándose en esta idea, es posible separar los tipos de cerámica maya en dos grupos principales. El primero sería el ceremonial, hecho para la élite y para las necesidades religiosas. Este tipo de cerámica era a menudo policroma, con una mezcla de más de un deslizamiento mineral, y a menudo estaba decorada con pinturas. Estas vasijas eran también más elaboradas en forma y tamaño, añadiendo un reborde de base, pomos en forma de cabezas de animales o humanos, y soportes en forma de mamífero o de patas. Algunas de las vasijas tenían la forma y la decoración de cabezas humanas o animales. Los alfareros mayas también hacían figuras naturalistas que representaban a personas haciendo varios tipos de actividades mundanas. Estas fueron pintadas en su mayoría, probablemente hechas para los nobles, ya que probablemente eran costosas. La cerámica utilitaria era más comúnmente usada por las clases bajas, ya que eran más baratas y menos finas. A diferencia de la cerámica hecha para las élites, estas eran monocromáticas, de forma sencilla y sin muchas decoraciones, si es que tenían alguna. El objetivo principal de los alfareros, en este caso, era hacerlos útiles en la vida cotidiana, sin preocuparse demasiado por la belleza. Y la ya mencionada cerámica producida en masa, mediante el uso de un molde, se creaba normalmente para los plebeyos, no para la élite. Por un lado, era más barata y más disponible, pero también a los nobles les gustaba que sus posesiones fueran más únicas, representando su posición en la sociedad.

El mismo papel de los símbolos de estatus social se asignó a la ropa y la joyería, que también representaban el hábil trabajo artístico de los artesanos mayas. Pero esto se discutirá en un capítulo posterior sobre la vida cotidiana de los mayas, ya que esas formas de arte son más adecuadas para describir su estilo de vida que los logros artísticos y culturales. Por otro lado, los libros y la escritura pueden ser vistos como la cúspide de los logros culturales mayas. Como se mencionó anteriormente, los libros se escribían en papel de corteza cruda, cubierto con una fina capa de yeso. Probablemente hubo miles y miles de códices mayas, como más comúnmente se llama a sus libros, escritos durante su larga historia, sin embargo, hoy en día sólo quedan cuatro, ya que los españoles los quemaron como blasfemos y malvados. Los cuatro libros están relacionados con los rituales, la religión, la mitología, la astronomía y la astrología. Pero no es improbable que entre muchos otros que fueron quemados haya libros sobre su historia y pasado, sobre sus hallazgos científicos y filosóficos, poesía y cuentos. Desgraciadamente, nunca lo sabremos con certeza. Lo que llama la atención es la belleza de los libros, en los que las ilustraciones complementan los textos. Esos dibujos, de estilo similar a las pinturas, son coloridos y naturalistas. En los cuatro códices restantes, representaban a dioses y héroes mitológicos, lo cual no es sorprendente considerando su tema. La escritura jeroglífica se realiza en un solo color, principalmente rojo o negro. Incluso esos glifos pueden ser vistos por sí mismos como motivos de arte, ya que no son menos impresionantes o interesantes que las ilustraciones. Y de manera similar a los libros modernos, las páginas de los códices mayas estaban protegidas con cubiertas hechas de corteza de árbol o pieles, en algunos casos incluso de piel de jaguar. En ese aspecto, cada libro representa una singular creación artística digna de cualquier gran civilización.

Pero los libros y otros textos mayas representan algo más que el arte. Transmiten un mensaje que puede trascender tanto el tiempo como el espacio. Y el desarrollo de un sistema de escritura es un paso de suma importancia en la creación de una civilización desarrollada. Desafortunadamente para los historiadores, no solo los españoles destruyeron los libros, sino que también destruyeron la alfabetización maya, al menos en lo que se refiere a sus propios jeroglíficos. Esa es una de las razones por las que durante mucho tiempo los historiadores y arqueólogos debatieron sobre la escritura maya, con los escépticos afirmando que no es realmente un sistema de escritura, sino más bien ilustraciones o símbolos religiosos, similares a los iconos cristianos. Por supuesto, a través de un largo y arduo trabajo de muchas generaciones de lingüistas y mayistas, ya no hay duda de que los mayas han tenido un sistema de escritura completamente desarrollado, uno que podía transcribir todo lo que hablaban. Según algunos investigadores, los mayas son la única civilización de la Mesoamérica precolombina que desarrolló una escritura completamente funcional, pero esta afirmación es incierta y podría ser desmentida si se descifra cualquier otra escritura mesoamericana.

El origen del sistema de escritura maya no está exactamente claro. Algunos historiadores creen que los mayas adoptaron su escritura de los olmecas. Los olmecas, mencionados anteriormente como una de las civilizaciones más antiguas de Mesoamérica, tenían un sistema de escritura que actualmente está siendo estudiado por los investigadores. Sin embargo, ese sistema no muestra signos del desarrollo total evidente en los jeroglíficos mayas. Una razón de esta conexión teórica entre la escritura olmeca y la maya es la similitud entre los glifos y el estilo de escritura. Otros piensan que los mayas desarrollaron su sistema de escritura por su cuenta. Una de las razones es que los primeros indicios de la protoescritura maya datan de alrededor del año 400 a. C., una época en la que la civilización olmeca estaba cerca de su fin. Y, los primeros guiones reconocibles datan de alrededor del 50 a. C., cuando los olmecas ya habían desaparecido. Sin embargo, incluso si la última teoría es correcta, es probable que los olmecas al menos influyeran ligeramente en la escritura maya. Sea cual sea la verdad, hoy podemos decir con certeza que el sistema de escritura maya era una mezcla de una escritura fonética y una escritura logística. Esto significa que ciertos glifos representan sílabas compuestas por una consonante y una vocal, que combinadas entre sí podrían deletrear cualquier palabra. Mientras que otros glifos representaban por sí mismos la palabra completa. Hoy en día la mayoría de estos glifos han sido traducidos, y constantemente se hacen nuevos descubrimientos. Gracias a este importante trabajo, los historiadores pueden ahora descifrar y traducir casi todos los textos mayas.

Páginas de uno de los códices mayas. Fuente: https://commons.wikimedia.org

El texto no se escribió solo en libros, sino en casi cualquier cosa; desde muros y monumentos hasta una variedad de cerámicas, celtas y herramientas de piedra. En objetos y paredes más grandes, contaban una historia, transmitían un mensaje complejo sobre los logros del rey o los detalles de un determinado ritual. En objetos más pequeños, como jarras o jarrones, eran simples etiquetas que marcaban a su creador o a su dueño. Incluso se encontraban en mercados permanentes, marcando áreas o puestos con el tipo de productos que se vendían allí. Este uso generalizado de la escritura, especialmente en objetos no relacionados con la realeza y la élite, planteó una cuestión de alfabetización general entre los mayas de antes de la conquista. Por supuesto, no hay manera de estar exactamente seguro, pero algunos historiadores sostienen que la alfabetización, por lo menos una básica, estaba bastante extendida entre toda la gente. De lo contrario, no tendría sentido escribir sobre objetos y lugares comunes. La alfabetización completa, sin embargo, se limitaba a las clases más altas con sus escribas especialmente capacitados, dado que había unos 800 glifos, de los cuales unos 500 eran de uso común. Pero, mientras los españoles libraban su guerra cultural contra los mayas, encontraron una forma de salvar al menos parte de su legado, mitología y tradiciones. Esto fue para que los mayas aprendieran a usar el alfabeto latino y luego transcribieran algunas de sus obras originales. Este tipo de libros no siempre fueron vistos como malvados por el clero español, y algunos lograron sobrevivir, aunque es razonable suponer que los europeos desalentaron a los mayas de sus esfuerzos de preservación. El ejemplo más famoso de la literatura maya transcrita al latín es el Popol Vuh, que probablemente fue escrito en la segunda mitad del siglo XVI.

Los logros intelectuales y culturales de los mayas no terminaron con la escritura. También eran magníficos astrónomos, que probablemente comenzaron a mirar las estrellas para poder alabar a sus dioses. Es precisamente por esto que algunos de los edificios comunes en todas las grandes ciudades mayas eran observatorios. Después de un tiempo, los observadores mayas comenzaron a observar ciertos patrones, anotándolos con una enorme precisión. Con nada más que sus ojos desnudos, cuerdas y palos calcularon que la revolución de Venus alrededor del Sol tomó 584 días. Los astrónomos de hoy en día la midieron en exactamente 583,92 días, lo que hace que el margen de error de los mayas sea de aproximadamente 0,01%. Por supuesto, también rastrearon los movimientos de otros cuerpos celestes, lo que se usó para alinear edificios importantes, como templos o palacios, con la posición del Sol en el horizonte en los solsticios y equinoccios, así como con los pasajes cenitales. Pero más comúnmente, esos movimientos y posiciones de los cuerpos celestes se usaban para adivinar y predecir el futuro. Así que, en cierto modo, los observadores del cielo maya eran una mezcla de astrólogos y astrónomos. Un ejemplo de esto es mirar la posición de Venus antes de ir a la guerra, ya que se consideraba que luchar sin ese planeta en el cielo nocturno enojaría a los dioses y traería mala suerte. Yendo más allá, también crearon su propio zodíaco, dividiendo el cielo en secciones y constelaciones. Es probable que lo utilizaran como todas las sociedades antiguas, y como se sigue utilizando hoy en día, para predecir fortunas y eventos futuros. Sin embargo, se desconocen los detalles exactos del número y la posición de las constelaciones mayas, sus signos celestes y su posición en el cielo nocturno, y están en constante debate entre los expertos.

Gracias a su capacidad de rastrear los ciclos de los cielos nocturnos, así como otras observaciones en la naturaleza, los mayas pudieron convertirse en excelentes cronometradores. Para ello, utilizaron un intrincado sistema que combinaba tres calendarios diferentes. Pero este sistema no debe ser visto como una creación pura de los mayas. Casi todas las naciones mesoamericanas lo usaban, y probablemente se originó en los olmecas, aunque eso no ha sido probado de manera concluyente. Por lo tanto, frases como "el calendario maya" no son correctas, y deberían ser sustituidas por "el calendario mesoamericano". El más corto de los tres calendarios que los mayas usaban se llamaba el Tzolk'in, y tenía 260 días de duración, divididos en 13 "meses" que numeraban 20 días. Los investigadores no pudieron encontrar ningún significado astronómico para este periodo de tiempo, pero se ha sugerido que estaba relacionado con el periodo de embarazo humano, que suele durar unos 266 días. Esta conexión todavía es utilizada por las mujeres mayas actuales. Otro posible vínculo es el cultivo del maíz, lo que da un tiempo aproximado de cuándo sembrar y cosechar este importante cultivo. Pero, su uso principal parece ser para la adivinación y la adivinación de la suerte. Hay pruebas de ello en los códices mayas, que contienen almanaques de Tzolk'in. Estos fueron usados por los adivinos para guiar a los gobernantes antes de tomar decisiones importantes. Hoy en día, los mayas todavía lo utilizan para elegir una fecha para una boda o un viaje de negocios, por lo que no es improbable que los plebeyos en el pasado hicieran lo mismo.

Menos religioso, pero más práctico, sería el segundo calendario que usaban los mayas llamado el Haab'. Este calendario tenía 365 días de largo, coincidiendo con un año solar. Estaba dividido en 18 meses de 20 días, con cinco días extra añadidos al final. Debido a su estructura, los eruditos hoy en día lo llaman el calendario del año vago. El uso principal de Haab' era para la agricultura, ya que el nombre de los meses sugiere una división estacional del calendario. Se agruparon los meses de agua y los secos, así como los meses de la tierra y los meses del maíz. Los 5 días añadidos al final de cada año se llamaban Wayeb' y se consideraban de muy mala suerte en toda Mesoamérica. Se creía que, durante estos cinco días, las conexiones entre el inframundo y los reinos de los mortales se incrementaban. Nada impedía que los dioses u otras criaturas vinieran al mundo y causaran muerte y destrucción. Por eso, durante estos días, los mayas realizaban diversos rituales para evitar la destrucción de su mundo y asegurar la llegada del nuevo año.

El uso de dos calendarios bastante diferentes podría haber confundido a los mayas, por lo que encontraron una manera de evitarlo. Crearon la llamada fecha redonda del calendario, combinando ambas fechas, la de Tzolk'in y la de Haab'. Esa fecha se repetiría después de 52 Haab' o 72 años Tzolk'in, haciendo una sola ronda del calendario. Pero aún quedaba un problema más con esos dos calendarios, y es el de medir los largos períodos de tiempo, ya que se hizo posible confundir fechas específicas dentro de diferentes rondas de calendario. Esto puede compararse con la forma en que a veces escribimos nuestras fechas, por ejemplo "5.3.18". Al escribir la fecha de esta manera, podríamos estar refiriéndonos al 3 de mayo de 2018 o al 3 de mayo de 1918. Para evitar esa confusión, los mayas usaban el calendario cíclico mesoamericano de cuentas largas, que a menudo se denomina erróneamente el calendario maya. La base de este calendario era el Haab', con ciclos que comenzaban desde un día (k'in), pasando por un mes (winal) de 20 días, hasta un año (tun) compuesto por 18 winals. Un tun era de 360 días y no incluía los desafortunados 5 Wayeb', que no se contaban como una verdadera parte del año. Los ciclos continúan, siendo el ciclo k'atun de 20 tun, o años, largo, siguiendo con el ciclo b'ak'tun que dura 20 k'atuns, o unos 394 años. La escala continúa, con cada nuevo ciclo que dura 20 veces más que el anterior. El último, el noveno ciclo llamado alautun dura un poco más de 63 mil años. Los mismos mayas generalmente se detenían en b'ak'tun cuando inscribían sus fechas. Por eso sus fechas de Cuenta Larga están marcadas por series de 9 números, con el primero representando b'ak'tun y el último representando k'in. Los estudiosos modernos anotan estas fechas de la misma manera, por ejemplo, el 22 de enero del año 771 d. C., se anotaría 9.17.0.0.0, con cada número representando un solo ciclo.

Esos ciclos se están contando a partir de la creación mitológica maya del mundo que, transcrita al calendario gregoriano, está fechada en el 11 de agosto del año 3114 a. C. Y, de manera similar al final del ciclo de Haab', los mayas reverenciaban todos los demás ciclos importantes. La mala interpretación de la naturaleza de las tradiciones mayas y la naturaleza del calendario de la Cuenta Larga llevó al ahora infame frenesí mediático del "fin del mundo" de 2012. De acuerdo con algún texto maya, el mundo que estamos viviendo actualmente es en realidad la cuarta iteración, con las tres anteriores terminando después de 13 b'ak'tuns. Y el 21 de diciembre de 2012 d. C., el 13 b'ak'tun del 3114 a. C., estaba llegando a su fin. Esto llevó a algunas personas a interpretar esto como la profecía maya de que el mundo terminaría en esa fecha, aunque esto no se mencionó explícitamente. Es posible que los antiguos mayas hayan visto esta fecha como religiosamente importante, pero no hay signos claros que la vean necesariamente como un comienzo del apocalipsis. Es más probable que para ellos esa fecha fuera solo otro fin de ciclo en su calendario. Probablemente habrían realizado un ritual o una ceremonia para rezar a los dioses por la buena fortuna en el nuevo ciclo. La naturaleza cíclica de sus calendarios influyó en la forma en que los mayas pensaban sobre la historia y la naturaleza que los rodeaba. Todo tenía su principio y su fin; nada era permanente. Y todo se repetía.

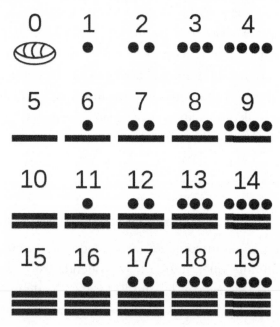

Ejemplo de números mayas. Fuente: https://commons.wikimedia.org

Uno de los conceptos significativos en los tres calendarios que usaban los mayas era el uso del número 20, con meses de 20 días de duración, y en los ciclos del calendario de Cuenta Larga también se basaba en el 20, con la excepción de que esta regla era una túnica hecha de 18 victorias. Esto puede parecer extraño para la mayoría de la gente hoy en día ya que nuestro sistema numérico es el sistema numérico decimal posicional, lo que significa que se basa en el número 10. Pero los mayas, así como la mayoría de los mesoamericanos, usaban el sistema numérico posicional vigesimal, basado en el número 20. Los mayas sólo tenían tres símbolos numéricos. El punto representaba el número 1, la barra horizontal era el 5, y el glifo de concha representaba el 0. Con esos tres escribían cualquier número del 0 al 19. Por ejemplo, 16 sería tres barras apiladas una encima de la otra con un solo punto sobre todas ellas. Y si los mayas querían ir por encima de eso, agregaban otra línea por encima, lo que significaría que los números en esa línea serían multiplicados por 20. Por ejemplo, 55 se escribiría con dos puntos en la línea superior, lo que representaría 2x20, y en la línea inferior serían tres barras, que serían 15. Y los mayas podían sumar líneas tanto como quisieran, multiplicando cada línea una vez más por 20. Así, la tercera línea se multiplicaría por 400 y la cuarta por 8000.

Aunque este sistema de base 20 es interesante, más importante es el uso de cero en Maya. Similar tanto al sistema calendario como al numérico, el glifo de concha 0 también se usaba en toda Mesoamérica, y los orígenes exactos del glifo siguen siendo un misterio. Algunos piensan que fue creado por los olmecas, mientras que otros lo atribuyen a los mayas, pero también puede ser de alguna otra civilización mesoamericana que prosperó en los últimos milenios a. C. El glifo de concha fue detectado por primera vez en el conteo largo que data del siglo I a. C., donde era un marcador de posición que representaba la ausencia de un conteo calórico particular, pero es probable que haya sido creado antes de eso. En el siglo IV a. C., había evolucionado hasta convertirse en un número propio que se utilizaba para realizar cálculos. Y se usaba para escribir números; por ejemplo, 40 sería dos puntos en la segunda línea, y un glifo de concha en la parte inferior. Hoy en día este sistema suena confuso y parece que requiere mucha matemática para ser usado, pero en realidad, era bastante práctico. Las fuentes nos dicen que los mercaderes mayas, usando granos o habas fácilmente transportables como marcadores de posición, podían escribir y calcular grandes cantidades, haciendo su sistema bastante eficiente. Esto parece ser especialmente así cuando se compara con los sistemas alfabéticos de los antiguos griegos y romanos. Y es otra señal de lo avanzada y capaz que era la civilización maya, a pesar de que durante mucho tiempo se la consideró bárbara.

Capítulo 9 - La religión y los rituales en la sociedad maya

La religión jugó un papel importante en casi todas las sociedades antiguas; los mayas no fueron una excepción. Permeaba cada parte de la vida, desde los problemas cotidianos y las esperanzas de los plebeyos, hasta los asuntos de comercio, agricultura y economía, y los asuntos de estado de las guerras y el culto a los gobernantes. Todo fue guiado e influenciado por los presagios y predicciones tanto del futuro como del pasado, enraizados en las creencias religiosas de los mayas. Por eso los hombres de fe eran una parte importante de su sociedad. El primer tipo de estos hombres santos que apareció en la sociedad maya fueron los chamanes. Sus orígenes se pueden rastrear a la sociedad pre-civilizada de los antepasados mayas. Ellos jugaron un papel crucial en el establecimiento de los fundamentos de los calendarios y el orden mundial a través de su seguimiento de la naturaleza y las estrellas. Utilizaron ese tipo de conocimiento para predecir las lluvias, un tiempo adecuado para planificar las cosechas, curar enfermedades con hierbas y, por supuesto, realizar rituales de adivinación. Además, los chamanes de aquellos tiempos representaban el vínculo con los antepasados, así como con los dioses. Tenían una cantidad decente de poder y prestigio en ese momento. Pero con la creciente complejidad de la civilización maya en formación, la mayoría de esos primeros chamanes comenzaron a transformarse en la clase de élite de especialistas religiosos de tiempo completo que ahora llamamos sacerdotes. Sin embargo, el papel de los chamanes no se extinguió del todo, ya que muchos plebeyos asumieron ese llamado en sus comunidades locales. Desempeñaban papeles similares a los de antes, pero su alcance era sólo a nivel local, atendiendo a la necesidad de sus semejantes.

En contraste con los chamanes, los sacerdotes, ahora miembros de la nobleza, eran responsables del bienestar religioso de todo el estado. Administraban los calendarios, la adivinación para los asuntos más importantes del estado, los libros sobre el pasado y el futuro, y los rituales y ceremonias públicas. Todas esas actividades y responsabilidades estaban vinculadas con la prosperidad y el éxito tanto del gobernante como de todo el estado. Con esa clase de poder e importancia, los sacerdotes ganaron un poder político y social sustancial. Y como el número de cargos políticos y gubernamentales era limitado, muchos de la élite más joven y de los niños reales veían esas funciones como una forma de mantenerse cerca del estatus en el que habían nacido. Pero ser de ascendencia noble no era suficiente para convertirse en sacerdote, ya que todos los nuevos acólitos tenían que pasar por un período de aprendizaje y formación para convertirse en sacerdotes plenamente comprometidos. Luego se ponían sus elaboradas e impresionantes vestimentas y, a través de los muchos rituales públicos que llevaban a cabo, inspiraban asombro, admiración y, en última instancia, obediencia de las masas tanto al estado como, más aún, al rey. Al mismo tiempo, aconsejaban a sus gobernantes, ayudándoles a elegir un camino y a conducir sus políticas hacia el futuro.

Sin embargo, la importancia de los sacerdotes en los asuntos religiosos se vio ensombrecida por nada menos que el rey al que aconsejaban. El gobernante era también el sumo sacerdote, no solo encargado de proteger a sus súbditos de los daños del mundo material, sino también del sufrimiento causado por el reino de los espíritus. También realizaba varios rituales y actos de adivinación, en un intento de apaciguar a los dioses, asegurar el éxito de su estado y, en última instancia, mantener el orden en el universo. Como se ha dicho en capítulos anteriores, esta conjetura de poder religioso y político llevó a la formación del culto al gobernante, lo que llevó a muchos a referirse a los gobernantes mayas como los reyes chamanes. Para enfatizar este aspecto religioso del gobierno real, los gobernantes usaban túnicas con símbolos de varias deidades, portaban cetro y usaban tocados que estaban vinculados con algunos de los dioses. Yendo aún más lejos, afirmaban ser divinos, ya sea como descendientes directos de los dioses, o al menos su voz en la tierra. Los gobernantes también se representaban a sí mismos como seres en el centro del universo, conectando todas las planicies mundanas, en un intento de equilibrar sus fuerzas. En última instancia, es a través del gobernante y los rituales que realizaba que los poderes sobrenaturales se fusionaban con las actividades y la vida de los humanos, mientras que al mismo tiempo vinculaban la religión y la política con un vínculo inquebrantable.

Figura de un sacerdote maya. Fuente: https://commons.wikimedia.org

Para los mayas, el vínculo de las llanuras sobrenaturales y el mundo material también existía en la naturaleza. Lo más potente eran las montañas y las cuevas, ya que contenían portales mágicos a lugares de otro mundo. Las montañas solían estar conectadas a los dioses y al reino de los cielos, representaban el bien, la potencia y se consideraban el origen del maíz. Por otro lado, las cuevas tenían un papel más dual en la religión. Como conducían al interior de las montañas sagradas, también se consideraban como lugares de posible fertilidad potente. Al mismo tiempo, eran portales al inframundo, lo que las convertía en lugares bastante peligrosos. En Yucatán, los cenotes jugaban un papel similar al de las cuevas y eran considerados como sagrados, con las diversas ofrendas que se dejaban caer en ellos. Para cosechar los poderes sobrenaturales de los lugares y transportarlos a sus ciudades los mayas construyeron templos piramidales, ahora uno de los aspectos más famosos de su civilización. Por supuesto, la pirámide representaba la montaña. Pero en algunos casos, había ciertas cámaras dentro de las pirámides que representaban las cuevas. En una de las pirámides esa cámara era una cueva real sobre la que se construyó el templo. Y en la cima de la pirámide, los mayas construyeron lo que es el verdadero templo, la casa del dios, como la llamaron. Fue allí donde los reyes y sacerdotes se conectaron lo más directamente posible con los dioses y su reino. Por supuesto, no todos los templos se construyeron sobre las pirámides, especialmente en las ciudades y pueblos más pequeños. Allí se asemejaban más a las casas, representando más la conexión con los antepasados. Y eran vistos como menos potentes sobrenaturalmente. Los mayas también construyeron pequeños santuarios, a veces incluso en las mismas montañas que alababan.

Por supuesto, como los templos piramidales representaban el lugar más potente para establecer conexiones con los dioses, se usaban para ceremonias públicas centrales. Podían ser eventos de un solo día, o grandes celebraciones que duraban varias noches y días. En ese tipo de ceremonias, habría varios cientos o incluso miles de personas involucradas, muy probablemente en las plazas abiertas que se construían frente a los templos. Las ceremonias eran dirigidas por los reyes y sacerdotes, vestidos para representar a los dioses, posiblemente incluso asumiendo sus identidades en estado de éxtasis religioso. Realizaban rituales de conducción de la ceremonia, en un intento de conectarse con las fuerzas sobrenaturales, mientras que la gente común tocaba música, bailaba, festejaba y bebía. Pero no todas las ceremonias eran asuntos de estado. Había toda una gama de ceremonias que involucraban a los plebeyos y a las aldeas locales. Sin embargo, todas estas ceremonias, a pesar de ser pequeñas, seguían un patrón similar. La comunidad se reunía, comía y bebía junta, y bailaba mientras el chamán, vestido con símbolos de los dioses, trataba de comunicarse con los dioses y los antepasados.

Pero no importa a qué nivel se celebren esas ceremonias, tienen que llevarse a cabo de la manera correcta. Primero había que encontrar la fecha correcta a través de métodos de adivinación, luego los que dirigían las ceremonias, si no todos los involucrados, soportaban varios días de abstinencia y ayuno, simbolizando la purificación espiritual. Y la mayoría de las ceremonias incluían rituales similares, más comúnmente alguna forma de adivinación, expulsando las fuerzas malignas, danzas y música, y ofrendas a los dioses en diversas formas de sacrificios, derramamiento de sangre, alimentos o materiales preciosos. Todos esos rituales solían ir acompañados de la quema de incienso, cuyo humo se suponía que transmitía más directamente el mensaje o la súplica a los dioses del cielo. También era común que tanto los chamanes como los sacerdotes y reyes consumieran diversas sustancias alucinógenas para inducir un estado de trance. La población más común y los chamanes locales utilizaban para este fin bebidas alcohólicas fuertes y tabaco silvestre, que era más potente que el tabaco que se fuma hoy en día, mientras que los sacerdotes "profesionales" de alto rango consumían diversos hongos, que eran alucinógenos más fuertes y contenían más sustancias psicoactivas. Todas las alucinaciones y otro tipo de experiencias que los hombres de fe percibían durante esos estados alterados eran concebidas como comunicación con los dioses. Esos mensajes sobrenaturales eran ya sea predicciones del futuro o posibles soluciones y respuestas a las preguntas y problemas que se les pedía a los dioses.

En ciertos casos, se requería que la ropa y los objetos utilizados en una ceremonia fueran nuevos y no usados. Para esas ceremonias particulares, todos los artículos fueron hechos especialmente. También era importante el agua, que se utilizaba comúnmente en muchos rituales. Pero para los rituales que permitían el uso de objetos, ropa y otros equipos ya usados, los artículos todavía tenían que ser purificados con el humo del incienso. Si la ceremonia era de gran importancia, los santos mayas recogían agua fresca "virgen" de las cuevas para ser usada. Otra parte importante de todas las ceremonias importantes era la música. De los hallazgos arqueológicos, es obvio que los instrumentos de percusión eran más comunes con varios tambores de madera, tambores de concha de tortuga, sonajeros de calabaza y escofinas de hueso. También había flautas de madera o barro, ocarinas, trompetas de concha y silbatos. La música era vital para la procesión de apertura de los sacerdotes que normalmente iniciaban las ceremonias, pero también para puntuar las partes y pasos importantes del ritual. Es probable que los mayas sintieran que la música agradaba a los dioses, facilitando el éxito de la ceremonia. Y por supuesto, la música era crucial para acompañar las danzas rituales realizadas durante la ceremonia.

Sin duda para los mayas, esos bailes no eran entretenimiento, sino una seria práctica religiosa. Los danzantes se vestían como los dioses con los que trataban de conectarse, recreando escenas importantes de su mitología. Sentían que casi se convertían en la deidad en cuestión, además de reunir la fuerza vital que estaba en la naturaleza que les rodeaba, la cual era necesaria para la interacción entre los reinos. Además de la ropa incrustada con símbolos religiosos, los danzantes también llevaban comúnmente cetro, estandartes, bastones, lanzas, sonajeros e incluso serpientes vivas. El arte maya muestra que los danzantes rituales eran, entre otros, reyes, sacerdotes, nobles e incluso guerreros. Pero también es probable que los chamanes locales bailaran durante sus rituales mientras intentaban conectarse con las fuerzas sobrenaturales. Por supuesto, las danzas diferían, ya que estaban específicamente adaptadas para una determinada ceremonia y alcanzaban un determinado objetivo. Además, algunas de esas danzas se realizaban antes de las batallas, rezando por la buena fortuna y la victoria. Los bailes se realizaban normalmente con más de un bailarín. En algunos casos, una persona dirigía el baile o jugaba un papel central. También, en algunas tallas, hay bailarinas representadas, pero parece que no eran tan comunes como los hombres. Pero los rituales, por muy intrincados y bien pensados que fueran, no iban a complacer a los dioses sin la adición de ofrendas.

Un mural de músicos mayas durante una ceremonia. Fuente:
https://commons.wikimedia.org

Las ofrendas rituales a los dioses variaban según la importancia y la urgencia del ritual. Para las ceremonias y oraciones menos importantes y más comunes, bastaría con artículos menos preciosos y simbólicos, como lo demuestran las ofrendas que se encuentran en el cenote sagrado de Chichén Itzá. Pero los mayas creían que lo que los dioses realmente anhelaban era más de la fuerza de la vida.

Por lo tanto, más a menudo ofrecían comida. Las más bajas en esa escala eran las ofrendas de plantas, ya que se consideraba que la "sangre" de las plantas era potente. Y a medida que crecía la importancia, también lo hacían el poder y el tamaño del ser que se sacrificaba, y cuya sangre debía ser ofrecida. Por ejemplo, en una ceremonia de una aldea local hecha por un chamán común, una ofrenda de un pájaro o un pequeño mono sería suficiente. Para una ceremonia estatal más grande dirigida por un sacerdote es más probable que sacrificaran un ciervo, o incluso varios. Sin embargo, no importa cuán grande y poderoso fuera el animal, la sangre humana era vista como la ofrenda más potente que se podía hacer. Esto lo hacían los mayas de todas las clases, pero de nuevo, cuando lo hacían los miembros de la élite, lo hacían más comúnmente por el bienestar de todo el estado y su población. La fuente más común de la sangre era la mano, pero hay representaciones de otras partes del cuerpo que sirven como fuente, como la lengua o una mejilla. También hay evidencia de que en algunos rituales los reyes sacaban sangre de sus penes, muy probablemente en un intento de rezar por el aumento de la fertilidad. La sangre, sin importar su origen, era comúnmente empapada con papel de corteza y quemada o untada en los ídolos que representaban a los dioses.

Pero no importa cuán potente sea la sangre del derramamiento de sangre auto infligido, no siempre fue suficiente. Por eso los mayas practicaban el sacrificio humano, lo que se convirtió en uno de los hechos más notorios y conocidos de su civilización y religión, y otra razón más por la que fueron vistos como salvajes durante mucho tiempo. Pero para los mayas, era una extensión lógica de la ofrenda a los dioses, ya que no había nada más poderoso que una vida humana entera. Era el último sacrificio. De ninguna manera era un evento cotidiano; solo se usaba en ocasiones especiales como la coronación de un nuevo rey, para bendecir su reinado y conectarlo con los dioses, o cuando se necesitaba dedicar un templo recién construido. Los sacrificios humanos también se usaban en tiempos de gran peligro y problemas, ya sea de sequía, hambruna, brotes de enfermedades, o una gran y peligrosa guerra. Las víctimas más comunes eran miembros de la élite enemiga capturados durante las guerras, ya que la captura de prisioneros era uno de los principales objetivos de la guerra maya. Menos a menudo los cautivos sacrificados eran de las clases bajas, y aún más raro era un rey enemigo. Pero en algunos casos extremos no había ningún prisionero para ser sacrificado, así que se utilizaba a la población local, aunque lo más probable era que empezara desde los plebeyos, y luego posiblemente llegara hasta las élites si nada más ayudaba. Y en estos casos, no queda claro si las víctimas se ofrecieron voluntariamente o si fueron escogidas a la fuerza, o si fue una mezcla de ambas cosas. Y como la mayoría de las víctimas eran cautivos de guerra, los hombres eran más comúnmente sacrificados, pero hay alguna evidencia de que tanto las mujeres como los niños eran ofrecidos a los dioses también.

Aunque probablemente la forma más temprana y común de ejecutar a la víctima fue una simple decapitación, más tarde los sacrificios mayas se volvieron más espantosos y sangrientos. Ataban a los cautivos a los postes y los destripaban o los ejecutaban con una ráfaga de flechas. En períodos posteriores, por influencia del centro de México, comenzaron a cortar los corazones aún latentes de las víctimas, ofreciendo el núcleo mismo de la vida humana a los dioses. En Chichén Itzá, durante el Posclásico, comenzaron a realizar sacrificios en los que los prisioneros eran arrojados a su cenote sagrado. Las víctimas eran asesinadas por la caída de 20m (65 pies) o por ahogamiento, tal vez agobiadas por las piedras. También, durante esos períodos posteriores, otra práctica fue importada de la región central de México. Los mayas comenzaron a pintar a sus víctimas con el color azul de los sacrificios. Finalmente, el famoso juego de pelota mesoamericano, que se jugaba en canchas especialmente diseñadas, también se usaba para realizar sacrificios humanos. Los detalles exactos del juego, su propósito y uso están bajo constante debate por los historiadores, pero es claro que al menos parte de él estaba ligado a la religión. Algunos piensan que los equipos que jugaban entre sí, en un juego en el que el objetivo era empujar la pelota a través de un aro sin utilizar las piernas y los brazos, en realidad recreaban famosas batallas tanto de la historia como de la mitología. También se sugiere que los movimientos del juego representaban los movimientos del sol y la luna, mientras que la cancha misma era vista como la representación del inframundo o incluso la puerta de entrada a él.

Un jarrón maya que representa el sacrificio humano. Fuente: https://commons.wikimedia.org

Se sugiere que el equipo perdedor, o al menos su capitán, fue sacrificado a los dioses cuando el juego terminó. Eso llevó a los investigadores a concluir que los jugadores eran muy probablemente, al igual que otras víctimas, cautivos. Sin embargo, algunas pruebas, sobre todo el equipo representado en algunas tallas, sugieren que esto no siempre puede ser el caso. También es posible que personas libres se ofrecieran voluntariamente para el juego, sabiendo que podrían terminar siendo sacrificadas, ya sea por sus creencias religiosas o más simplemente en un intento de probarse a sí mismas y ascender en la escala social. Pero hay que señalar que el juego de pelota no fue un evento puramente religioso. También contiene ciertos elementos de entretenimiento y competencia. Algunos historiadores también sugirieron que podría haber sido utilizado para resolver disputas entre varias comunidades que eran parte de la misma política. Cualquiera que sea la verdad, una cosa era cierta, sacrificio o no, todos eventualmente mueren, y la muerte era una parte importante de la religión maya. Por eso los rituales de entierro se han considerado bastante importantes. La práctica común, sin importar la clase social, era poner maíz o una cuenta de jade en la boca del difunto, representando la vida misma. Junto al cuerpo se ponían varias efigies, así como un objeto que representaba la vida de esa persona, por ejemplo, un libro para un sacerdote. Por supuesto, si el difunto era más importante y rico, también se le enterraba con varios otros tesoros, incluso algunos hombres sacrificados, posiblemente para actuar como sirvientes en la otra vida.

Otra práctica común era esperar un par de días antes del entierro, para que el alma tuviera la oportunidad de dejar el cuerpo y continuar su viaje. Los lugares reales donde se enterraba a los muertos diferían tanto del período de tiempo como, por supuesto, de la clase de la que procedía el difunto. Los plebeyos eran enterrados en sus propias fincas, en tumbas familiares o eran dejados en cuevas. Algunas pruebas también llevan a la conclusión de que existían ciertos "cementerios" o terrenos de enterramiento en las afueras de las grandes ciudades, donde se enterraba a los plebeyos. Los miembros de la élite y las familias reales eran enterrados en tumbas más elaboradas, y algunos de los gobernantes importantes eran enterrados en templos, en los centros de las ciudades, para que pudieran ser reverenciados como antepasados poderosos. Incluso las tumbas de los plebeyos eran visitadas por sus descendientes en ciertas fechas, quienes quemaban incienso y les rezaban con la esperanza de recibir orientación. Este es un ejemplo más de la admiración que los mayas sentían por sus antepasados, que era una parte importante de su religión. Y de este capítulo, es obvio que la religión maya era en realidad un sistema complejo de rituales, ceremonias y creencias que guiaban sus vidas diariamente. Esa intrincada matriz de ideas religiosas, sin importar cuán sangrienta o bárbara pueda parecer desde nuestro punto de vista moderno, es otro ejemplo más de la complejidad y el avance de la civilización maya.

Capítulo 10 - Mitos, leyendas y los dioses de los mayas

La religión maya era politeísta con un intrincado y rico folclore de varios mitos, leyendas e historias. Considerando lo importante y complejo de sus prácticas y rituales religiosos, esto no debería ser una gran sorpresa. Los mayas usaban estos mitos para explicar y describir el mundo que les rodeaba, para establecer ciertas pautas en la vida, para dar a su universo algún significado. Y para poder entender tanto su religión como su sociedad, uno debería primero entender cómo se dividía su universo. Verticalmente se dividió en tres reinos. Primero fue el Mundo Superior (Kan), el reino del cielo donde vivían muchos de los dioses y donde se desarrollaban la mayoría de sus acciones. De acuerdo con algunas pruebas, este reino se dividió a su vez en 13 niveles ascendentes, y también puede haber tenido un papel similar al del Paraíso de la Cristiandad, en el que se admitían directamente a los guerreros que caían en la batalla y a las mujeres que morían durante el parto. El segundo reino fue el Inframundo (Xibalba), que era un lugar subterráneo que también estaba lleno de dioses y otras criaturas sobrenaturales. Se imaginaba como un lugar acuático, que era a la vez el reino espantoso de la enfermedad y la decadencia, y fuente de grandes poderes generativos y de fertilidad. Se dividió en 9 capas, y aquí se envió a la gente que murió de forma pacífica.

Entre esos dos reinos estaba la Tierra (Kab), el mundo material en el que vivían los mayas. Parece que creían que el Mundo Medio, como también se le llama, era el lomo de algún tipo de reptil, ya sea tortuga o caimán, que nadaba en el mar primordial, lo que explicaba la naturaleza acuática del Inframundo. Este reino estaba dividido horizontalmente en 5 direcciones del mundo. El Este era la dirección en la que renacía el Sol, y su color era rojo. El Oeste era donde el Sol moría, y como tal era la dirección del Inframundo, o más bien su entrada, representada con el negro. El Norte representaba el mediodía y el cielo, un lugar de los antepasados, y su color era blanco. El Sur era la dirección donde el Sol no era visible ya que allí, probablemente en el mismo Inframundo, se luchaba contra los señores de Xibalba para poder nacer de nuevo. El color del sur era amarillo. Y el centro se consideraba la quinta "dirección", ya que era el eje central del universo, donde el Árbol Sagrado del Mundo conectaba los tres reinos, compartiendo su energía espiritual y permitiendo el transporte de las almas y los dioses entre ellos. Estaba simbolizado por la cruz. Y cuando los gobernantes querían representarse a sí mismos como el centro del universo, se adornaban con símbolos del Árbol del Mundo, enfatizando su papel como conectores de los reinos, directamente vinculados a los dioses.

Pero la cuestión de los dioses en el panteón maya es bastante complicada. Hasta ahora, los investigadores han señalado unos 250 nombres de deidades mayas, pero no creen que todos ellos fueran dioses separados y distintos. A diferencia de la mayoría de los panteones occidentales, donde los dioses son bastante distintos y singulares, las deidades mayas eran mucho más fluidas. Un dios maya podía manifestar diferentes aspectos de su poder y naturaleza, y para cada manifestación, se le nombraba y representaba de forma diferente. Algunos de los dioses existían en forma cuatripartita, correspondiendo cada manifestación con cuatro direcciones y colores del mundo. Otros existían en formas duales que representaban opuestos como el bien y el mal, o jóvenes y viejos.

Sin embargo, en el núcleo de ambos casos, seguiría siendo una sola deidad. Por otro lado, muchos de los dioses, en esas manifestaciones, se superponían entre sí. Sus identidades, roles y funciones podrían ser mezcladas. Por eso la mayoría de los investigadores tienden a pensar que el panteón maya está hecho de grupos de dioses, no de deidades individuales. El hecho de que los mayas también creyeran que algunos dioses eran zoomórficos, capaces de convertirse en animales, o que combinaban elementos humanos y animales también añade otra capa de complejidad al panteón. Pero algunas de las deidades principales han sido identificadas y más claramente separadas unas de otras.

El dios maya Itzamná. Fuente: https://commons.wikimedia.org

Entre las deidades más importantes se encontraba Itzamná, que fue la que más se acercó a ser una deidad suprema de los mayas. Se le representaba como un anciano sabio, a menudo como un escriba, a veces con espejos de obsidiana negra utilizados para leer el pasado y el futuro. Era fundamentalmente un dios de la creación, jugando un papel importante en la creación. A Itzamná también se le atribuyó la invención de los libros, de ahí las representaciones de escribano. Como el Señor de los Dioses, presidía los cielos, tanto de noche como de día. Como tal, representando un aspecto de su fluidez, también se ha manifestado como la principal deidad de ave llamada Itzam-Ye o Vuqub Caquix. La importancia de Itzamná se subraya aún más con el hecho de que fue el patrón del día Ahaw, que era el día del rey en el calendario ritual Tzolk'in. También ha manifestado poderes de curación de enfermedades, dándole los atributos de una deidad de la medicina. Está casado con una de las diosas de la luna. El siguiente en la línea de importancia y poder fue el joven dios del sol, K'inich Ahaw (el señor con cara de sol). En algunos casos, él e Itzamná compartían una dualidad de viejo y joven, ya que K'inich Ahaw a veces parece una versión más joven del dios creador. Como dios del sol, representaba el ciclo del día y la energía solar que era vital para toda la vida natural, por lo que era bastante importante para los agricultores. Pero cuando el Sol bajaba al inframundo se transformaba en el dios Jaguar, quien a través de su batalla por el renacimiento se convertía en el patrón de la guerra también. Como tal, los reyes mayas a menudo se conectaban con él.

Otro dios que era importante para los agricultores era el dios de la lluvia y la tormenta llamado Chaac. Fue representado con varios rasgos reptiles y se dijo que vivía en lugares húmedos y mojados como cuevas. En su forma benévola, se le asociaba con dar la vida y la creación, ya que la agricultura y toda la vida dependía de las lluvias estacionales. Debido a su importancia, también fue importante para los reyes mayas que usaban sus símbolos para enfatizar su autoridad. El dios de la iluminación, K'awiil, también era importante para el culto de los gobernantes, y sus símbolos se grababan en los cetros reales. Y, como el maíz era la quintaesencia de la supervivencia maya, también tenían una deidad para eso. En el Popol Vuh es conocido como Hun Hunahpu. Tenía dos manifestaciones, como un dios del maíz viejo y joven, y en esencia, era un dios benevolente que representaba la abundancia, la prosperidad y, en última instancia, la vida. También es notable como un dios que murió y renació, y como el padre de los gemelos héroes. Sus nombres eran Hunahpu y Xbanalque, y jugaron un papel crucial en la creación del mundo actual.

En una versión abreviada y simplificada del mito de la creación, los dioses crearon tres mundos anteriores a la versión perfecta y actual, que entre otras cosas estaba llena de humanos hechos de la masa de maíz. Para hacer humanos, primero necesitaban liberar el maíz para que creciera en el Medio Mundo, lo cual no era posible ya que su padre, el Dios del Maíz, había sido asesinado en el Inframundo. Los gemelos héroes fueron invitados a Xibalba para participar en una serie de tareas y un juego de pelota creado por los dioses de la muerte. Una de las tareas importantes era sacrificarse y ser revividos, haciendo un acto heroico de auto-sacrificio, lo cual era importante para los rituales mayas. Al final, logran vencer a los dioses de la muerte y revivir a su padre, quien luego crece de un caparazón de tortuga al mundo medio. Al renacer, el maíz volvió a estar disponible en el Kab, y a partir del Kab los dioses finalmente crearon a los humanos. Este hecho es otra explicación religiosa para los sacrificios en el mundo maya. Si los humanos crecen y comen maíz, entonces es normal que el sustento de los dioses sean los humanos, que ellos crearon. Y como recompensa por sus hazañas, los Gemelos Héroes ascienden al cielo.

A pesar de su triunfo, al menos un dios de la muerte prevaleció. Su nombre es Kimi, y normalmente se le muestra como una figura esquelética o como un cadáver hinchado. Además de la muerte, también está relacionado con la guerra y todas sus consecuencias, incluyendo los sacrificios humanos. Los búhos también son vistos como la representación de la muerte, como viciosos depredadores nocturnos, y en algunos mitos, incluso son mensajeros de Kimi. Entre muchas deidades había dos dioses mercantes, aunque dos de ellos pueden estar relacionados o formar parte del mismo "complejo de deidades". Ambos se muestran portando paquetes de mercaderes, lo que indica comercio y riqueza. Uno de ellos, conocido como Ek Chuaj, es también un patrón del cacao, un importante recurso comercial y una forma de moneda. El otro dios mercantil, cuyo nombre aún no ha sido descifrado, se muestra con un cigarro en la boca, representando su conexión con los chamanes, y es considerado uno de los dioses más antiguos. Curiosamente ambos, además de la riqueza y el comercio, muestran signos de guerra y peligro. El dios mercantil más antiguo se muestra con atributos de un búho y un jaguar, ambos relacionados con la guerra y la muerte. Por otro lado, la conexión de Ek Chuaj es más clara, ya que se le muestra llevando una lanza. A través de estos símbolos, los mayas representaron los peligros que siguieron a una vida de comerciantes, que a menudo tuvieron que defenderse.

Cumpliendo con el papel que, a diferencia de los dioses mercantes, era más importante cosmológicamente, estaba un dios llamado Pawahtun. Era uno de los dioses que tenía forma cuadripartita, y cada una de sus manifestaciones tenía la tarea de sostener uno de los rincones del mundo. Pero a pesar de su seria tarea como portador del mundo, a menudo era representado borracho y en compañía de mujeres jóvenes. Aún más importante era un par de los llamados dioses Remeros, que son representados como remeros en una canoa. Al sentarse en los lados opuestos de la canoa, representan el día y la noche, mientras viajan por el cielo. Los investigadores modernos los llamaron Viejo Remero Jaguar y Viejo Remero Mantarraya, ya que están representados por esos animales. A veces se les representa viajando a través de las aguas del Inframundo, lo que puede indicar que tenían alguna conexión con el transporte del difunto a la otra vida. También se sugirió que los dioses Remeros también jugaron un papel en la creación del universo, pero más común fue su conexión con el ritual de sangría y sacrificio. Están representados en escenas de esos rituales, mientras que una de las partes más constantes de las imágenes de los dioses de los Remeros eran algunas de las herramientas utilizadas en las ceremonias de derramamiento de sangre.

No todas las deidades mayas eran masculinas. Un papel importante en su panteón lo desempeñaban dos diosas de la Luna, una joven y otra vieja, representando de nuevo la dualidad en las creencias mayas. La diosa más joven, a veces representada por una luna creciente y un conejo, tenía sus poderes y deberes divinos que se superponían con el dios del maíz, en forma de fertilidad y abundancia. Esto está probablemente conectado con el ciclo lunar, que era importante para determinar cuándo plantar los cultivos. Por eso algunos estudiosos la vincularon, o al menos una de sus manifestaciones, con la esposa del Hunahpu. Otros piensan que fue emparejada con el dios Sol, ya que el retrato de la madre de un gobernante a veces se representaba dentro de su símbolo, mientras que el signo solar se usaba para el padre. La diosa de la Luna más antigua, Ix Chel, también servía como deidad del arco iris, que era vista como la marca de los demonios, que conducía al Inframundo. Debido a este hecho, ella tenía una cierta dualidad de bien y mal dentro de ella. Cuando se conectaba con el arco iris estaba conectada a las tormentas, inundaciones, enfermedades y finalmente a la destrucción del mundo. Pero cuando estaba conectada con la luna, estaba asociada con el agua como fuente de vida. Entonces se vinculó con la creación, siendo la deidad patrona de la medicina y el parto, así como de la adivinación y el tejido. Como tal, estaba casada con Itzamná.

La diosa maya Ix Chel. Fuente: https://commons.wikimedia.org

Hay otra deidad importante, que debe ser mencionada para enfatizar el hecho de que la religión, como todos los demás aspectos de la cultura maya, también fue influenciada por los contactos con otras civilizaciones mesoamericanas. Se trata de Kukulcán, o como lo llamarían los aztecas, Quetzalcóatl. Esta deidad, una famosa serpiente emplumada de las religiones mesoamericanas, existió desde los primeros días de los mayas. Y, puede haber sido originalmente el producto de la influencia olmeca. En esos primeros días, Kukulcán estaba más conectado con la guerra y la conquista. Pero con el contacto posterior con el centro de México, se conectó más con el aprendizaje y los comerciantes, mientras que también era una deidad patrona de los gobernantes. También sirvió como un dios del viento. Kukulcán llegó a ser prominente sólo en los periodos clásico y posclásico terminales, convirtiéndose en una de las deidades centrales en Chichén Itzá y Mayapán. Hoy en día se considera que esta reverencia compartida de la Serpiente Emplumada entre todos los mesoamericanos ayudó a facilitar el comercio entre personas de diferentes orígenes étnicos y sociales. Pero a pesar de los orígenes del pueblo, los mayas creían que cada ser humano vivo poseía varias almas. Este es otro ejemplo más de la pluralidad de la religión maya, para la cual los detalles exactos del número y la naturaleza son borrosos.

Se creía que las almas son eternas y que la moralidad residía en ellas. Se consideraba que la pérdida de una cierta cantidad de almas llevaba a la enfermedad, y los chamanes tenían la tarea de curar a los pacientes devolviendo las almas a la normalidad. Las almas jugaban una parte importante del chamanismo en otras formas. Por ejemplo, se creía que algunas de las almas estaban realmente vinculadas a los espíritus animales de compañía, lo cual era crucial para los chamanes y su conexión con la naturaleza. La muerte llegó sólo cuando todas las almas habían dejado el cuerpo. Algunas de las almas murieron junto con el cuerpo, otras viajaron a la otra vida. También se consideraba posible que ciertos tipos de almas renacieran en una nueva persona, posiblemente un futuro descendiente, creando así otro vínculo con los mayas y sus ancestros. Con almas complicadas y numerosas, es bastante difícil especificar exactamente en qué tipo de vida después de la muerte creían los mayas. Hay ciertas ideas de una vida después de la muerte, con posibles recompensas y castigos similares a los del cielo y el infierno cristianos. Al mismo tiempo, la idea de la reencarnación también existía. Para los reyes, la deificación también era una posibilidad. El concepto de una vida después de la muerte puede haber variado en las diferentes regiones del mundo maya, así como en todas las demás partes de la religión maya, lo que es una razón por la que los investigadores encuentran difícil de descifrar el cuadro completo sobre ella. La verdad es que, tanto a través del tiempo como del espacio, las creencias mayas cambiaron y tuvieron sus propias características únicas, con ciertos temas centrales que permanecieron iguales. Sin embargo, no se puede negar que fue otra parte de la civilización maya la que mostró lo elaborados y desarrollados que eran los mayas.

Capítulo 11 - La vida cotidiana de los mayas

Es común en todas las civilizaciones del mundo que los artistas y escritores a menudo centren su atención en las clases más altas: sus vidas, rituales y obligaciones. Y los historiadores, debido a la evidencia más sustancial, también tienden a dar más tiempo y esfuerzo en el aprendizaje de ellos. Es más, o menos lo mismo con los mayas, y hasta ahora en este libro, el enfoque principal ha sido en las castas superiores de la sociedad. Sin embargo, los plebeyos constituían alrededor del 90% de la población maya, y como tales son al menos igualmente importantes en la historia de la civilización maya. Este capítulo se centrará en la medida de lo posible en sus vidas, con sólo ocasionales retrocesos a la élite, sobre todo a modo de comparación. Una de las primeras preguntas importantes con respecto a los plebeyos era cuáles eran sus oficios. Hoy en día, se estima que alrededor del 75% de la población maya estaba involucrada en algún tipo de producción de alimentos. Los hombres se encargaban principalmente de la agricultura y la caza, mientras que las mujeres mantenían los huertos, rebuscaban alimentos y preparaban la comida. Es probable que en algunos casos las mujeres ayudaran a sus maridos en el campo. Sin embargo, los alimentos se producían durante todo el año y durante los descansos, los mayas tejían, trabajaban en las construcciones, hacían herramientas o incluso servían como guerreros. El otro 25%, incluyendo las élites, eran profesionales en diferentes artesanías. Eran alfareros, artistas, pintores, escultores, comerciantes, soldados, sacerdotes, canteros, joyeros, artesanos fabricantes de herramientas, funcionarios de gobierno y otros. Casi la mitad de estos no-agricultores eran miembros de las clases nobles, y tenían más trabajos socialmente deseados de sacerdotes, soldados, e incluso artistas y joyeros.

Una de las cosas que era común a todas las clases era la importancia de las familias. Esto fue demostrado notablemente por la nobleza, pero los plebeyos también prestaron mucha atención al linaje. La mayoría de los matrimonios parecen haber sido arreglados por un tercero, y estaba prohibido casarse con alguien que tuviera el mismo apellido, para evitar la mezcla dentro de la misma familia. Sin embargo, era socialmente deseable que ambos recién casados fueran de la misma ciudad y clase. Después del matrimonio, el marido y la mujer conservaban los apellidos de su madre y de su padre, para llevar la cuenta de su linaje. En los primeros años, la pareja vivía con la familia de la esposa, donde el marido trabajaba para "pagar" el precio de su mano. Luego se mudaron a la familia del marido donde construyeron su propia casa y hogar. Cabe señalar que la mayoría de los mayas eran monógamos, especialmente los plebeyos, y el divorcio era posible y aparentemente fácil de realizar. Las parejas casadas empezaron a tener hijos lo más pronto posible, con las mujeres rezando a Ix Chel por la fertilidad y un parto fácil. Los bebés, cuando nacían, eran amamantados el mayor tiempo posible, incluso hasta la edad de cinco años en algunos casos. Es a esa edad que pasaron por una ceremonia en la que se les vistió por primera vez y se convirtieron en una parte más funcional de la familia. A medida que crecían, pasando por la pubertad, pasaban por un ritual público que significaba que se convertían en adultos. Después de eso, normalmente esperaban a que se organizara un matrimonio para ellos. Durante este período de espera, se esperaba que las jóvenes se comportaran de manera casta y modesta. Por otro lado, los hombres eran más libres, y algunas evidencias señalan que pueden haber disfrutado de la compañía de prostitutas. Después de casarse, se esperaba que ambos miembros de la pareja permanecieran fieles.

La educación formal no existía, y se suponía que la familia debía enseñar a sus propios hijos. Los padres se encargaban de enseñarles las tareas domésticas tradicionales, las técnicas de cultivo y los fundamentos de la tradición y la religión. En los casos de habilidades y oficios más especializados, como la alfarería o el corte de piedra, aprendían y se formaban con los miembros de la familia extendida. En los casos de las élites, había algún tipo de educación formal y capacitación para oficios que requerían un conocimiento más esotérico de los rituales, la astronomía, la medicina y, por supuesto, la alfabetización. Es posible que existiera una especie de escuela para escribas, aunque también puede haber sido más bien un aprendizaje. Los padres también tenían la tarea de educar moralmente a sus hijos para que se convirtieran en partes funcionales de la sociedad maya. Esto era importante, ya que el castigo por los crímenes podía ser severo. Los autores de crímenes violentos como el asesinato, el incendio provocado y la violación eran generalmente sentenciados a muerte por sacrificio, lapidación o incluso desmembramiento. Aunque en caso de asesinato, la familia de la víctima puede pedir una retribución material en su lugar. Esta era una norma para los delitos contra la propiedad como el robo, en los que el delincuente o bien pagaba lo que tomaba o bien se esclavizaba hasta que saldaba su deuda. El adulterio también era un delito grave, pero sobre todo para los hombres, que a menudo sufrían penas de muerte, mientras que se consideraba que la humillación pública era suficiente para las mujeres. Y esta desigualdad ante la ley era común también en el estatus social. A un ladrón de ascendencia noble se le tatuaba toda la cara como símbolo de su desgracia, mientras que el asesinato de un esclavo no se consideraba una ofensa grave. También es probable que algunas leyes prohibieran a los plebeyos adornarse con artículos relacionados con la nobleza, como plumas exóticas, pieles y joyas.

Funcionarios de alto rango de la ciudad, a menudo de ascendencia noble, actuaban como jueces, y aunque sería probable que en algunos casos fueran parciales, la mayoría de las fuentes nos dicen que actuaban de manera imparcial.

Y como la familia era el núcleo de la sociedad maya, sus hogares jugaban un papel importante en su vida cotidiana. Estos se componían normalmente de varios edificios, utilizados tanto para el alojamiento como para el almacenamiento, centrados alrededor de un patio o un patio. Y era común que varias generaciones vivieran en la misma casa. Este patrón se seguía sin importar la clase o la riqueza de la familia, pasando de las simples casas de barro y paja de los plebeyos a los palacios de piedra de la familia real. Los edificios también servían como áreas de trabajo para hacer cerámica casera, herramientas, cestas, ropa y cocina. La comida de los comuneros era variada, pero la mayoría de los días comían platos sencillos hechos de calabaza, frijoles y, por supuesto, maíz. Estos se complementaban con hierbas, otras verduras, frutas y carne. También preparaban varias bebidas, entre las que destacan el atole de maíz caliente y la chicha fermentada. Los nobles también bebían una bebida de chocolate para la que parece ser un nombre centroamericano, el xocoatl. También es interesante que las famosas tortillas mexicanas no eran tan comunes entre los mayas. Según los restos encontrados, incluso los plebeyos mayas estaban bien alimentados y eran saludables.

Además de una buena nutrición, una parte importante del mantenimiento de la salud era la limpieza. Los mayas limpiaban sus casas, se lavaban las manos y la boca después de comer y ocasionalmente tomaban baños de vapor. Estos baños pueden haber sido parte de ciertos rituales religiosos. Los chamanes mayas también realizaban rituales de curación, probablemente relacionados con la idea de las almas desaparecidas anteriormente explicada. Pero esos también fueron emparejados con varias curas de hierbas y ungüentos. Y aunque algunos eran bastante eficientes y potentes, incluso aliviando algunas enfermedades del corazón, otros eran completamente contraproducentes. Por ejemplo, los mayas creían que fumar tabaco curaría el asma. Además de la salud y la higiene, también se preocupaban mucho por su apariencia. Y mientras que para nosotros hoy en día sus ideas de belleza parecen inimaginables, ellos pusieron mucho esfuerzo en ello. Lo más notable fue el ideal de las frentes alargadas y con la espalda inclinada. Esto se lograba aplanando las frentes todavía blandas de los bebés con dos piezas de madera firmemente atadas en la parte trasera y delantera de la cabeza. En investigaciones anteriores, se asumió que esto sólo lo hacían los nobles, como signo de su estatura. Pero estudios recientes muestran que en realidad fue hecho por la mayoría de los mayas, probablemente en el intento de asemejarse a la mazorca de maíz.

Otro, según los estándares de hoy, extraño ideal de belleza en la sociedad maya eran los ojos ligeramente bizcos. Esto también se lograba a una edad muy temprana, atando pequeñas bolas de hebras delante de los ojos del bebé, haciendo que se centren en él. La práctica de los tatuajes y los piercings era más afín a la moda moderna. Los tatuajes se hacían de una manera muy dolorosa, al dejar cicatrices en la piel pintada, infundiendo el pigmento en las cicatrices. Debido a eso, así como al hecho de que podría causar fácilmente infecciones, los tatuajes no eran tan comunes y se hacían principalmente para probar y mostrar la valentía personal. Por otro lado, los piercings eran más comunes, con tapones para las orejas, los labios y la nariz, que a menudo eran adornados por nobles adinerados con piedras preciosas y conchas de colores. Ambas prácticas eran realizadas por hombres y mujeres, aunque en forma y medida ligeramente diferentes. Curiosamente, los hombres no sólo tenían más tatuajes, sino también más perforaciones, lo que también se utilizaba para indicar la posición de alguien en la sociedad. Una tradición que no dejaba marcas permanentes era la pintura corporal. Los guerreros usaban pintura roja y negra para parecer más fieros y peligrosos. Los sacerdotes a veces se pintaban de azul, para sus rituales religiosos, mientras que las mujeres usaban varios colores para resaltar su belleza, casi como maquillaje. La pintura negra también era utilizada por las personas involucradas en la limpieza y otros rituales, así como para el ayuno ceremonial.

El peinado también fue un factor importante en el estilo y la belleza maya. Parece que tanto los hombres como las mujeres llevaban el pelo largo. Los peinados masculinos eran más sencillos; los lados se cortaban, mientras que la espalda se mantenía larga. Normalmente lo llevaban en coleta, pero a veces los mechones largos se trenzaban con plumas o cintas. Las mujeres tenían el cabello largo arreglado en elegantes y adornadas trenzas y tocados, más comúnmente adornados con plumas, cintas y otros tipos de accesorios. También es posible que la parte delantera de sus cabezas fuera rasurada, para enfatizar sus frentes alargadas, pero esto sólo puede ser una representación artística que realzara el aspecto deseado. En realidad, es bastante difícil precisar el aspecto exacto de los peinados mayas, ya que a menudo se les representa con elaborados tocados y sombreros utilizados en diversos rituales y ceremonias. Los hombres generalmente evitaban las barbas, y aunque algunos de los gobernantes eran representados con ellas, esto era posiblemente falso, y algo que se usaba sólo con fines ceremoniales. Y, como los mayas vivían en climas cálidos y tropicales, usaban perfume y ungüentos para disminuir sus olores corporales. Se hacían con varias hierbas y frutas, aunque parece que el perfume de vainilla era el más común.

Una figura de una mujer maya. Fuente: https://commons.wikimedia.org

Y aunque la mayoría de los ideales de belleza y moda eran bastante similares para ambos sexos, la ropa era algo diferente. Las mujeres llevaban faldas, blusas y usaban chaquetas con bufandas y pareos alrededor de sus torsos. No todas las mujeres se cubrían los pechos. Debajo de sus faldas las mujeres usaban pantalones. Los hombres llevaban capas largas y sólo pantalones, aunque a veces se les representaba con algo parecido a una falda masculina o una falda escocesa. Las túnicas y chaquetas complicadas eran usadas principalmente por los nobles que realizaban rituales. La ropa más formal a menudo se adornaba con plumas bordadas, pieles y símbolos de los dioses. La ropa regular, especialmente los artículos usados por los plebeyos, era menos ornamentada, pero posiblemente de colores brillantes. Para enfatizar su apariencia, los mayas también tenían joyas que no perforaban, como collares, cuellos, colgantes, cinturones y brazaletes. Una vez más, los hombres las llevaban más que las mujeres, ya que eran un importante indicador del estatus social. El material utilizado para hacerlos variaba tanto a través del tiempo como entre las clases. Mientras que los nobles usaban varias piedras preciosas, sobre todo jade, así como conchas preciosas, y más tarde oro, los plebeyos usaban más a menudo madera y hueso, a veces coloreados para hacerlo más especial.

Pero la buena apariencia y las baratijas no eran la única parte vital de la vida cotidiana de los mayas, ni tampoco proporcionaban diversión y emoción. Para ello, tenían varios entretenimientos. Lo más importante eran, por supuesto, las grandes ceremonias religiosas, que duraban días, con música, baile y fiestas. Pero estas no eran para la diversión diaria. Para eso jugaban una variedad de juegos de mesa, jugaban, y jugaban tipos menos brutales de juegos de pelota, jugados en simples campos de tierra, sin ningún significado religioso detrás de ellos. También cantaban y bailaban, de nuevo sin muchas connotaciones rituales, y algunos investigadores creen que ciertos tipos de códices fueron escritos para lecturas y actuaciones públicas, pareciéndose a un espectáculo teatral. Los nobles también tenían banquetes y fiestas privadas, con mucha comida, bebida y diversos entretenimientos como músicos y bufones. Además, una parte importante de la sociedad maya eran las celebraciones familiares más privadas para eventos como bodas y aniversarios de los antepasados, que también proporcionaban algo de tiempo libre. Pero todos estos entretenimientos eran probablemente menos comunes de lo que consideraríamos normal hoy en día, ya que la mayoría de los mayas, especialmente los plebeyos, tenían que trabajar duro durante todo el día, y no tenían demasiado tiempo de ocio. Pero a pesar de eso parece que, en la mayoría de los casos, la vida cotidiana de los mayas no era tan mala, dejando a la mayoría de ellos sanos, felices y bien alimentados.

Capítulo 12 - Desde la época colonial hasta hoy, los mayas persisten

Muchos libros sobre la historia y la civilización maya terminan con la llegada de los conquistadores españoles. Después de una breve descripción de cómo fueron dominados por europeos tecnológicamente superiores, ayudados por enfermedades, la historia maya termina. Casi parece una decisión consciente de los historiadores de alejar a los mayas actuales de la grandeza de sus antepasados y de su cultura. Y también envía un mensaje al mundo de que la civilización maya murió bajo el dominio colonial. Si bien es cierto que fue severamente alterada e influenciada por los españoles, sobre todo en materia religiosa, sería erróneo pensar que todas sus tradiciones fueron abandonadas, a pesar de que el gobierno colonial español hizo todo lo posible para que los mayas se olvidaran de su pasado. Con cerca del 90% de la población maya devastada por las enfermedades, el gobierno colonial recibió instrucciones de recoger lo que quedaba de los mayas y concentrarlo en pueblos y ciudades construidos para asemejarse a los asentamientos españoles en Europa. Allí les sería más fácil controlar y convertir a la población indígena. Y aunque algunos de los mayas se resistieron hasta finales del siglo XVII, finalmente casi todos fueron relegados a los asentamientos.

En los centros de todos los nuevos asentamientos había dos edificios principales, una iglesia y una sede del gobierno civil. Con furioso celo los nuevos maestros trabajaron en la conversión de los mayas, presionándolos a olvidar sus dioses, mitología, ceremonias y rituales, a quemar sus libros y a borrar su sistema de escritura tradicional. En su lugar, les ofrecieron su único dios, el salvador Jesús, la Biblia y el alfabeto latino. Los sacrificios humanos rituales alimentaron aún más el fervor religioso de los sacerdotes cristianos en la conversión de la población recién conquistada. Lo consideraban satánico, malvado y completamente inmoral. Sin embargo, descubrieron que la quema de infieles en las hogueras, la tortura de varias maneras crueles y todas las demás prácticas asociadas con la Inquisición española eran completamente buenas, morales y acordes con las naciones "civilizadas". Al mismo tiempo, los amos coloniales también impusieron nuevos sistemas civiles y de gobierno. Por un lado, los mayas perdieron su independencia y su voz, mientras que al mismo tiempo fueron utilizados casi como mano de obra esclava y obligados a pagar impuestos y tributos. Los españoles también cambiaron la economía de la región, introduciendo herramientas de acero, animales domésticos, y finalmente cerrando el comercio local ya que todos los recursos valiosos de la patria maya fueron enviados a Europa.

Pero a pesar de toda la degradación de todo lo maya bajo el dominio español, la cultura y la civilización maya lograron sobrevivir. Aunque su religión se perdió en última instancia, ciertos aspectos lograron fusionarse con el cristianismo y sobrevivir. Uno de ellos fue el respeto a sus antepasados, mientras que en algunos casos los rituales cristianos se actualizaron con las prácticas locales. En algunos casos, incluso los sacrificios continuaron, aunque se realizaron en animales, principalmente en pollos. Y algunos de los mayas más educados usaron el recién adoptado alfabeto latino para transcribir al menos algunos de sus libros tradicionales, como el Popol Vuh, salvando en ellos ciertos elementos de su cultura. Entre otros aspectos de la cultura que preservaron se encontraban los símbolos y patrones que usaban en sus ropas, aunque estos también se mezclaban con el simbolismo cristiano y se hacían en ropas de estilo europeo. Pero lo más importante es que los mayas preservaron su propia lengua maya. Pero gracias a la separación de los diferentes grupos de los mayas, su lengua, así como otras tradiciones, se separaron durante el gobierno colonial. Con eso la población maya colonial y poscolonial y su civilización, se fracturó y separó, de nuevo careciendo de la unidad para luchar por sus propias necesidades.

Pero hay que señalar que la conquista del corazón de los mayas no fue completamente exitosa. A pesar de intentar "civilizar" a los mayas, los señores españoles y los ladinos, españoles no de élite e hispanizados, vivían separados de ellos. Y como eran superados en número, vivían en comunidades confinadas. Alrededor y entre ellos estaba la población maya local, que era más que consciente de las diferencias entre ellos. Esencialmente, los intentos del gobierno colonial de asimilar e incorporar a la población local en su propia civilización se vieron frustrados por su propio desdén hacia los mayas. Fueron tratados como ciudadanos de clase baja, básicamente sin ningún derecho. Y durante mucho tiempo, los mayas tuvieron que soportar eso porque no tenían poder para luchar. Pero en el siglo XIX, el Imperio colonial español se desmoronó y surgieron nuevos estados Mesoamericanos. A pesar de ciertas expectativas de que con la desaparición del sistema colonial los locales, incluyendo a los mayas, vivirían mejor, básicamente nada cambió. Los descendientes de los ladinos continuaron gobernando los países, oprimiendo a los mayas igual que antes. Y finalmente, eso llevó a los mayas a rebelarse.

Los mayas yucatecos tomaron las armas y en 1847 comenzaron la guerra contra el gobierno central mexicano. Para la élite blanca que los explotaba, esto se conoció como la "Guerra de las Castas", lo que es otra confirmación de que veían a los mayas como la clase más baja del pueblo. Durante esta rebelión, parece que los antiguos espíritus guerreros despertaron entre los combatientes mayas, ya que lograron hacerse con el control de casi todo Yucatán. Las tropas del gobierno mexicano fueron confinadas en unas pocas ciudades de la costa. Durante un corto período de tiempo, parecía que la conquista se había revertido y que habían recuperado su libertad. Pero al llegar la temporada de siembra, el ejército maya, al igual que en los tiempos precolombinos, regresó a sus hogares para trabajar en sus campos. Sin embargo, este no fue el final de este levantamiento. Las escaramuzas y los combates localizados continuaron, pero en 1850 se produjo un nuevo resurgimiento del espíritu de lucha dentro de los mayas. Se inspiraron en la manifestación de la llamada "Cruz Parlante", a través de la cual pensaron que Dios se comunicaba con ellos, diciéndoles que continuaran su lucha. Una vez más, la religión se infundió con la guerra, y con un nuevo poder, los mayas del sureste de Yucatán se las arreglaron para luchar contra las tropas del gobierno y establecer su estado semi-independiente. A menudo se le llama Chan Santa Cruz, nombrado por su capital como en el apogeo de la civilización maya.

La cuestión de la independencia de este estado maya es bastante complicada. El gobierno central mexicano no tenía ningún control sobre ese territorio, los mayas eran libres de hecho. Pero excepto Gran Bretaña, ningún otro país reconoció su separación de la Ciudad de México. Y la única razón por la que Gran Bretaña lo hizo fue por el comercio entre el Belice británico y Chan Santa Cruz. También hay algunas sugerencias de que algunas de las armas usadas en la rebelión vinieron de Belice. Otros grupos más pequeños de los mayas también declararon su propio camino independiente, pero tuvieron menos éxito. Algunos de esos grupos incluso se opusieron a Chan Santa Cruz, ya que consideraban que la adoración de la Cruz Parlante se desviaba del camino del verdadero cristianismo. Y por supuesto, el gobierno central mexicano no permaneció pasivo, atacó a Chan Santa Cruz, incluso llegando cerca de la capital en algunas ocasiones. Los combates continuaron durante los siguientes 50 años, con el mayor punto de inflexión sucediendo en 1893 cuando Gran Bretaña firmó un tratado con México, en el que entre otras cosas se reconoció que Chan Santa Cruz estaba bajo la soberanía mexicana. Esto fue un gran revés para los mayas porque no pudieron reabastecerse de armas y municiones desde Belice. Y en 1901 fueron finalmente derrotados por las tropas del gobierno. Se estima que durante esta guerra murieron entre 40 y 50 mil personas, en su mayoría mayas.

Pintura al óleo de la Guerra de Castas, c. 1850. Fuente:
https://commons.wikimedia.org

A pesar de perder la guerra y su libertad, hubo algunas consecuencias positivas de este levantamiento maya. Alrededor de 1915, el gobierno central implementó ciertas reformas. Entre ellas se encontraban las reformas agrarias que abolieron el sistema laboral colonial, y que resolvieron algunos de los problemas que causaron la revuelta. Pero, por supuesto, los mayas seguían siendo tratados como ciudadanos de segunda clase, y su posición, en general, no mejoró mucho. Y como a los mismos mayas no le importaba mucho la integración a la sociedad mexicana, se mantuvieron relativamente separados tanto política como económicamente, viviendo principalmente como agricultores pobres. Pero la política de la Ciudad de México cambió en los años 50 y 60. A través de muchas iniciativas trataron de modernizar e incorporar a los mayas en la comunidad mexicana, creando una migración de los mayas ofreciéndoles tierras no utilizadas, así como partes de la selva que podían despejar, para que pudieran crear nuevas granjas. Estas iniciativas tuvieron un éxito muy limitado, y la mayor consecuencia fue el aumento de la ira de los mexicanos no indígenas que sentían que sus tierras se habían entregado a los mayas. Por eso, en los años 70 estas iniciativas se detuvieron. Pero aproximadamente al mismo tiempo, los mayas de Guatemala pasaron por el período más oscuro desde la llegada de los conquistadores españoles.

Durante ese período los países centroamericanos fueron arrastrados por el torbellino de la Guerra Fría, donde los rebeldes de izquierda, apoyados por algunos países socialistas y parte de la población indígena que esperaba una sociedad más equitativa, se enfrentaron a la dictadura militar de derecha apoyada por los Estados Unidos. Como parte de este problema político más amplio, la Guerra Civil en Guatemala comenzó en 1960, y desde el principio uno de los principales objetivos del gobierno de derecha fueron los mayas. Aunque su limitado apoyo a los rebeldes jugó un papel en esta decisión, más a menudo fue causado por el racismo y la intolerancia del gobierno ladino hacia los mayas, a quienes a menudo veían como impuros e indignos. En última instancia, para ellos, los mayas eran la raza inferior odiada. El terror hacia la población indígena se intensificó de 1975 a 1985, período durante el cual el ejército guatemalteco llevó a cabo más de 600 masacres y destruyó más de 400 pueblos mayas. Entre 150 y 200 mil personas fueron asesinadas, más de 40 mil "desaparecieron" y alrededor de 100 mil mujeres fueron violadas. Además de ellos, había alrededor de medio millón de refugiados que buscaban seguridad en los países circundantes y en los Estados Unidos. La gran mayoría de estas víctimas fueron los mayas, con estimaciones que varían entre el 80 y el 90%. Algunos otros grupos indígenas más pequeños también fueron blanco de ataques. La Guerra Civil duró hasta mediados de los años 90, pero sus consecuencias todavía se sienten hoy en día.

Después de que la guerra civil terminó, este terror fue reconocido internacionalmente como un genocidio, usualmente llamado el genocidio guatemalteco o el genocidio maya. Otro nombre, aunque menos usado, fue Holocausto Silencioso, en parte porque parecía que a nadie le importaban las víctimas mayas mientras ocurría el genocidio. Fueron silenciados e ignorados por la mayoría del mundo, que estaba mucho más interesado en el aspecto de la Guerra Fría de la Guerra Civil. Una comisión de las Naciones Unidas llegó a la conclusión de que parte de la responsabilidad de las masacres debería recaer en el entrenamiento de los oficiales guatemaltecos en las técnicas de contrainsurgencia, aunque esto no trajo consecuencias para los Estados Unidos. Y, como los mayas guatemaltecos finalmente encontraron algo de paz en los años 90, las cosas volvieron a empeorar para los mayas mexicanos. El tema principal fue que, para unirse al Tratado de Libre Comercio de América del Norte (TLCAN) con Estados Unidos y Canadá, México tuvo que modificar ciertos artículos de su constitución, entre otros uno que protegía la tierra indígena comunal. Esa tierra era la principal fuente de alimentos e ingresos para muchos mayas, así como para algunos otros grupos nativos. Con la redacción de ese artículo, el gobierno central podía privatizar y vender esas tierras. Además, la población local que dependía de esas granjas comunales se convirtió en ocupantes ilegales de tierras, y sus comunidades se convirtieron en asentamientos informales.

Una vez más, el gobierno central hizo oídos sordos a las quejas de los mayas y modificó la constitución mexicana. Esto causó una revuelta armada de los mayas en enero de 1994, que esta vez ocurrió en el estado mexicano de Chiapas en lugar de Yucatán. El Ejército Zapatista de Liberación Nacional lideró la insurgencia, con demandas de derechos culturales, políticos, sociales y de tierra para todos los mayas de México, así como para el resto de la población indígena del país. El ejército mexicano respondió rápidamente y después de sólo 12 días se anunció el cese al fuego. Sin embargo, este acontecimiento conmocionó al gobierno mexicano. Los políticos de la Ciudad de México no estaban acostumbrados a la idea de que los indígenas se rebelaran tan abiertamente. Pero lo que más les preocupaba era el apoyo que el movimiento obtuvo por todo México y por todo el mundo. Los mayas lo lograron a través de un excelente uso de los medios de comunicación, especialmente el Internet, que era todavía una nueva tecnología en ese momento. Bajo presión, el gobierno aceptó negociar con los mayas y prometió que la población nativa de México sería protegida. Sin embargo, tan pronto como el polvo se asentó, continuaron con sus propios planes, de la misma manera que antes. Y hasta el día de hoy los mayas protestan, tratando de que sus voces sean escuchadas, mientras que los políticos mexicanos tratan cada vez más de evitarlos, ignorándolos. En esas situaciones de tensión, se producen algunas peleas y escaramuzas locales, pero sobre todo entre la población civil, y no hay signos de mejora.

Hoy en día los mayas de todos los países viven en relativa paz, aunque sus vidas están lejos de ser ideales. Las selvas tropicales están siendo destruidas, sus granjas tradicionales están siendo sustituidas por ranchos de ganado; el ejército es una amenaza inminente. Sin embargo, siguen luchando por sus derechos políticos, y en los últimos años los líderes mayas se están dando cuenta poco a poco de que la única solución posible para su salvación es conectar a todos los diversos grupos mayas que viven en todos los estados mesoamericanos. A pesar de sus diferencias lingüísticas, trabajar juntos es la única manera de preservar su cultura, tradición e historia. Sin embargo, en las últimas dos décadas se ha producido otro cambio. Con atención extra, tanto de los círculos científicos como de los medios de comunicación hicieron que su civilización fuera mejor conocida por el mundo. Con una cultura interesante, restos impresionantes y una naturaleza colorida a su alrededor, los mayas se hicieron bastante populares en los círculos turísticos. Cada vez más visitantes llegan a sus comunidades, debido a la grandeza del pasado maya. Y esto es un arma de doble filo. Por un lado, ningún país se atrevería a cometer atrocidades como antes, tanto por la imagen negativa de los medios de comunicación como por el impacto económico del turismo. Por supuesto, las ganancias económicas también son beneficiosas para los mayas, que ahora pueden ganar más dinero y son menos dependientes de la agricultura. Además, su cultura es ahora mucho más difícil de destruir, ya que se ha vuelto más reconocible y popular.

Una mujer maya haciendo recuerdos. Fuente: https://commons.wikimedia.org

Y ahí es donde la cuchilla golpea a los mayas. La mayoría de los turistas vienen a los mayas con ciertas expectativas de lo que deben y quieren ver. Y en esas expectativas hay muchos conceptos erróneos y verdades a medias, a las que algunos de los mayas les complacen. No quieren perder a los clientes que traen los ingresos tan necesarios. Y bajo esa presión, los turistas al mismo tiempo ahorran y cambian la cultura maya. Además, de alguna manera, el turismo degrada su rica cultura y tradiciones en algo trivial. Su artesanía y arte se reducen a una nimiedad comprada en el mercado de pulgas como recuerdo del viaje. Para ellos, no hay un significado más profundo. Pero, por ahora, no hay alternativa para la mayoría de los mayas. Y considerando tanto las situaciones políticas como el turismo, se plantea la cuestión del futuro de los mayas. Aunque hay un gran peligro acechando para ellos, no hay duda de que prevalecerán. Como tantas veces en el pasado, se adaptarán y superarán los obstáculos, tratando de mantener sus tradiciones y su civilización.

Conclusión

Esperamos que, a través de esta guía, usted haya obtenido la comprensión básica de quiénes son los mayas, lo que su cultura y civilización representan. Ahora verá lo compleja e intrincada que fue su historia, con sus luchas políticas, alianzas y guerras entre sus antiguos estados y las sociedades desarrolladas. Y ha aprendido cuán crucial fue su papel en la región mesoamericana, conectándola a través del comercio, compartiendo ideas, cultura y mitología con las civilizaciones que los rodean. Más importante aún, debería ser obvio que los mayas no eran unos salvajes atrasados que vivían en las selvas antes de que los europeos vinieran a mostrarles lo que significa la verdadera civilización. Crearon un arte impresionante, grandes maravillas arquitectónicas comparables con las antiguas maravillas del mundo y rastrearon las estrellas y los planetas con una precisión increíble. Y aunque su visión del mundo era bastante diferente de la que tenemos hoy en día, no era menos elaborada y bien pensada. Su religión, a pesar de los controvertidos sacrificios, era un complicado sistema de creencias, mitos, pautas morales y rituales. Y de ninguna manera debe ser considerada primitiva o menos digna que cualquier otra religión antigua. Además, ver algunos aspectos de su vida cotidiana debería acercarlos a nosotros, entendiendo que ellos también vivieron sus vidas llenas de esperanzas y temores, preocupaciones y celebraciones. Esto los hace sentir menos como reliquias del pasado y más como seres humanos que todavía están por aquí.

En última instancia, esta guía debería haber explicado por qué la civilización maya debe ser respetada y alabada por igual, junto con muchas otras civilizaciones antiguas. Al mismo tiempo, es un recordatorio de que los mayas, a diferencia de la mayoría de las otras civilizaciones alabadas del pasado, nunca desaparecieron. No solo siguen existiendo, sino que tratan de preservar su patrimonio y sus tradiciones, luchando por la supervivencia. Y ese hecho debería ser un recordatorio constante de que la historia no siempre es algo que ocurrió hace mucho tiempo en una tierra lejana, sino algo que sigue presente, haciendo eco en el mundo de hoy. La historia de la lucha maya en los últimos tiempos también debería servir de inspiración para que, no importa cuán oscuras parezcan las cosas, mientras haya gente dispuesta a luchar, siga habiendo esperanza. Por eso, el respeto a la civilización maya debe extenderse a la gente que la mantiene viva hoy en día, el pueblo maya de nuestros tiempos. La comprensión de todo esto debería, al final, mostrar por qué es importante para el patrimonio cultural mundial que la historia de los mayas no sea olvidada, y por qué debería ser conservada también para las generaciones futuras.

Por supuesto, esta es una tarea que va más allá de lo que este libro puede hacer. Así que, al final, esta guía, educativa e informativa, así como divertida e interesante, se suponía que serviría sólo como una introducción al mundo maya, tanto al pasado como al presente. Construye una base sólida sobre la cual se debe construir un mayor conocimiento. Y esperamos que encienda una chispa de interés, asombro e intriga sobre la civilización maya, ya que hay mucho más que contar sobre ella. Es exactamente a través de esa chispa, de esa sed de más conocimiento y de una comprensión más profunda de los mayas, que este libro sirve a la meta más elevada. A través de ello, hacemos nuestra propia contribución, no importa cuán pequeña sea, a la preservación de la hermosa, intrigante y única civilización maya.

Cuarta Parte: La historia azteca

Una guía fascinante sobre el imperio azteca, la mitología y la civilización

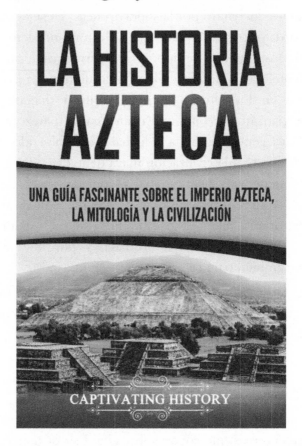

Introducción

Durante muchos años, los aztecas han capturado nuestra imaginación. Las historias de los invasores europeos originales combinadas con ruinas y leyendas únicas e impresionantes que hablan de palacios de oro crean una imagen de la sociedad azteca definida por la grandeza, la riqueza y el esplendor. Pero, ¿Quiénes eran exactamente los aztecas? ¿De dónde vienen? ¿Cómo llegaron a controlar una extensión tan amplia de tierra? Y si eran tan poderosos, ¿Cómo es posible que cayeran del poder y la dominación solo tres años tras el primer contacto con los españoles?

Por suerte para nosotros, podemos responder a la mayoría de estas preguntas. Relatos históricos detallados de conquistadores españoles, documentos aztecas como el Codex Mendoza (una descripción detallada de los gobernantes aztecas, el sistema de tributos y la vida cotidiana en el imperio creado a mediados del siglo XVI después de la conquista española y una gran cantidad de sitios arqueológicos) han hecho posible descubrir algunos de los secretos de esta antigua civilización.

Realmente, la vida diaria de un plebeyo azteca no era tan diferente de la vida de la gente común de hoy. Claro, la tecnología era mucho más primitiva y había una amenaza constante de destrucción completa y total a manos de uno de los muchos dioses aztecas. Pero aparte de esto, el ciudadano azteca promedio era responsable de trabajar sus tierras, pagar impuestos y mantener a sus familias. Cuando no estaban haciendo esto, o bien cumplían con su servicio militar obligatorio o quizás disfrutaban de un relajante juego de patolli con sus amigos.

Si bien la vida de un plebeyo en el imperio azteca parecía estar bien, estaba llena de trabajo e incertidumbre sobre el futuro. Pocos plebeyos aztecas podían disfrutar de bienes o servicios más allá de las necesidades básicas de la vida y la adoración. Los líderes aztecas, por otro lado, vivían una vida de lujos. Los sirvientes, las concubinas y los trabajadores estaban ligados a la nobleza, y esta vida de lujo ayudaba a emplear a la creciente población azteca.

En general, el Imperio azteca, o el Imperio de la Triple Alianza, crecería tanto en tamaño como en población para ser uno de los más grandes del mundo antiguo. Fue el segundo imperio más grande de toda América en el siglo XVI; solo los incas ocuparon un territorio mayor. En su apogeo, el Imperio azteca incluía unas 50 o más ciudades-estado y más de 3 millones de personas. Sin embargo, casi todo esto desaparecería con la llegada del español. Armas superiores y enfermedades devastadoras destruyeron gran parte de lo que los aztecas habían construido durante los siglos anteriores.

Muchos de los secretos del Imperio azteca han sido descubiertos. Sin embargo, aún quedan muchos más. Los historiadores y arqueólogos están aprendiendo constantemente más sobre la forma en que vivían los aztecas, cómo se organizaban políticamente y cómo interpretaban su posición en el mundo y el cosmos.

Esta guía repasará algunas de las partes principales de la historia azteca, incluida una descripción detallada de quiénes fueron los aztecas, cómo se expandieron, cómo vivieron, cómo adoraron, cómo jugaron y, finalmente, cómo murieron. Dedicando el tiempo para recordar a los aztecas y sus logros, todos podemos participar para asegurarnos de que una de las civilizaciones más grandes del mundo viva para siempre.

Capítulo 1: ¿Dónde vivían los aztecas?

Para entender a la civilización azteca, es importante comprender el paisaje geográfico diverso en el que se basó su imperio. Los aztecas se consideran una civilización mesoamericana, siendo Mesoamérica el término para describir el área que se extiende desde el norte-centro de México hasta la costa del Pacífico de Costa Rica.

Como cabría esperar de un área tan grande, la característica definitoria de la geografía mesoamericana es la diversidad. Las tierras bajas costeras difieren mucho de las tierras altas centrales en todos los aspectos, del clima, las condiciones del suelo y la disponibilidad de cultivos. Es importante tener en cuenta que lo que tradicionalmente se considera el Imperio azteca, el área que rodea a Tenochtitlán (actual Ciudad de México) en el Valle de México, difería mucho de sus territorios circundantes y se basaba en ellos para una serie de diferentes recursos esenciales y de lujo.

En general, Mesoamérica se puede dividir en tres zonas ambientales principales. Las tierras bajas tropicales se refieren a las tierras situadas por debajo de 1.000 metros (~ 3280 pies). Estas partes de Mesoamérica se conocen como tierra caliente. Toda Mesoamérica se encuentra en un clima tropical, pero en las zonas más altas se reducen las temperaturas. Cerca de las costas, sin embargo, esto no sucede. Las temperaturas son altas, el aire es húmedo y la lluvia es intensa. Los principales paisajes en esta zona son los bosques de vegetación pesada o los pastizales de la sabana. Los aztecas confiaban en estos territorios para bienes tales como plumas coloridas de loros y quetzales (usados para rituales y arte), pieles de jaguar, tabaco y jade.

A medida que uno se mueve hacia el interior, entran en las tierras altas de Mesoamérica. Las tierras altas se refieren a áreas que se encuentran entre 1.000-2.000 m ($\sim$ 3280-6560 pies) y a menudo se les conoce como *tierra templada* (país templado). Las temperaturas rondan los 70ºF (21ºC) y, en las distintas estaciones secas (de enero a mayo) y lluviosas (de junio a octubre), las precipitaciones son suficientes en la mayor parte de las tierras altas de Mesoamérica para que las personas puedan cultivar con éxito todo el año.

Si bien este territorio es montañoso, la civilización humana ha florecido en los valles de los ríos y otras extensiones con tierras relativamente planas. Muchas otras civilizaciones mesoamericanas encontraron su hogar aquí, incluidos los mixtecos, zapotecas, tarascos y mayas de las tierras altas. La parte sur del corazón del Imperio azteca cae en este territorio.

Si continúa subiendo las montañas y hacia el centro de México actual, entrará en la meseta central de México. Donde quiera que vaya, hay al menos 2.000 m ($\sim$ 6560 pies) sobre el nivel del mar, lo que hace descender las temperaturas tropicales y le da a la meseta el nombre de *tierra fría*. El corazón de la civilización azteca estaba en el centro de esta meseta, el Valle de México. Pero grandes valles adicionales se encuentran al norte, al oeste y al este. Las precipitaciones varían ampliamente en esta parte de Mesoamérica, y las temperaturas más frías hacen que las heladas sean un desafío para los agricultores, acortando la temporada de crecimiento y la disponibilidad general de cultivos.

En el corazón del Valle de México se encuentra Tenochtitlán, la capital azteca. Construida esencialmente en el lago Texcoco,

Tenochtitlán fue fundada en 1325 y crecería hasta convertirse en una ciudad poderosa, la más grande de Mesoamérica. Los acuerdos con las ciudades-estado cercanas expandieron enormemente su capacidad para crecer y expandirse tanto en la influencia territorial como la cultural.

Alrededor del Valle de México, la elevación disminuye rápidamente y la diversidad cultural se expande. Al norte, los hablantes de otomí dominaron y se mantuvieron relativamente fuera de la influencia azteca. Al oeste se encuentra el Valle de Toluca, donde los hablantes de azteca-náhuatl compartieron territorio con diferentes grupos lingüísticos. Y al este se encuentra el valle de Puebla, donde varias ciudades en la parte norte de este territorio resistieron la conquista azteca y se mantuvieron independientes hasta que llegaron los españoles en 1519.

Es importante comprender el entorno en el que se desarrolló el Imperio azteca. Terreno desafiante y diversidad cultural creados para un estado de constante competencia por el poder y la influencia. Establecer el dominio en este área requería un uso inteligente y eficiente de los recursos, junto con una gran cantidad de fuerza y astucia, y la creación de enemigos en el camino. Esta sería la eventual desaparición del Imperio azteca, pero primero facilitó una civilización que es responsable de gran parte de la historia mesoamericana.

Capítulo 2 – ¿Quiénes eran los aztecas?

Lo primero que hay que recordar es que los aztecas son los aztecas solo para nosotros. Este es el nombre que los historiadores usan para describir el imperio formado por los pueblos de habla náhuatl que se referían a sí mismos como los mexicas. Se dice que el nombre azteca se deriva de la palabra Atzlan, que describe un lugar en el norte de México donde se cree que se·originó el mexica seminómada. La ubicación exacta de Aztlán es desconocida, aunque generalmente se acepta que está en el norte del México moderno. Muchas tribus de habla náhuatl dicen que su origen es de Atzlan, pero incluso los aztecas que conocemos no tenían una idea clara de dónde se encuentra. Montezuma, famoso, envió una banda de guerreros y exploradores para encontrarlo, pero no tuvieron éxito. La palabra azteca proviene de *náhuatl aztecatl*, que significa "habitante de aztlán". Sin embargo, los aztecas no usaron este nombre para describirse a sí mismos. Se convirtió en el término aceptado con el tiempo. En general, no está claro si los aztecas se mudaron al Valle de México porque así lo habían planeado o, más bien, como parte de una migración mucho más grande hacia el sur llevada a cabo por la gente del norte de México.

Es probable que los aztecas estuvieran relacionados de alguna forma u otra con los toltecas, una civilización que creció en importancia en el norte de México en los siglos XI y XII. Era muy importante para los primeros gobernantes aztecas establecer algún tipo de linaje con los toltecas, ya que sentían que esto les daba legitimidad. Además, los aztecas adoptarían y adaptarían muchas de las prácticas religiosas y espirituales de los toltecas. Por ejemplo, el dios azteca Quetzalcóatl, considerado uno de los dioses más importantes de la religión azteca, era el sacerdote-rey de Tula, la capital tolteca.

Sin embargo, a pesar de los esfuerzos de los gobernantes aztecas para establecer conexiones directas con los toltecas, es mucho más probable que las personas a las que nos referimos ahora como aztecas fueran en realidad una combinación de diferentes tribus de cazadores-recolectores. No está claro por qué, a principios de los aztecas, los soberanos encontraron que era necesario legitimar su gobierno al reclamar el linaje con los toltecas. A medida que el imperio creció y se consolidó, esto se volvió menos importante. Sin embargo, algunas de las similitudes culturales y religiosas son difíciles de ignorar. Al final, fue el idioma náhuatl el que reunió a distintos grupos culturales para formar lo que hoy conocemos como los aztecas.

El Imperio azteca típicamente se refiere a lo que se conoce como la Triple Alianza. Esta fue una alianza entre las tres ciudades en el Valle de México, Tenochtitlán, Texcoco y Tlacopan. La capital debía ser Tenochtitlán, y crecería para ser el centro de la influencia azteca en la región.

La historia, o historias, de la fundación de Tenochtitlán arroja algo de luz sobre los valores y visiones del mundo aztecas que se pueden ver a lo largo de la historia del imperio. La primera historia habla del poder de la religión y el mito. Después de haber sido forzado a establecerse en otro lugar, el dios Uitzilopochtli se acercó al sacerdote Quauhcoatl y le dijo que debían construir su ciudad donde encontraran un cactus tenochtli con un águila sentada encima. La leyenda cuenta que los hombres con los que viajaba

Quahcoatl encontraron este cactus poco después y decidieron establecerse allí.

Otra historia explica por qué los mexicas buscaban un nuevo lugar para establecerse. Eran seminómadas, lo que significa que cambiaban las tierras según las necesidades agrícolas o pastorales. Forzados hacia el sur, encontraron que la mayor parte del valle de México ya estaba ocupado por otras tribus y grupos lingüísticos.

El primer asentamiento de los mexicas, Chapultepec, se encontraba en una colina en la orilla occidental del lago Texcoco. Fundada en aproximadamente 1250, Chapultepec no duraría mucho. Para finales del siglo XIII, los tepanecas de Azcapotzalco, la tribu que había establecido el dominio en el área que rodea a Chapultepec, habían expulsado a los mexicas de Chapultepec y les habían dado permiso para vivir en las tierras áridas que rodeaban la ciudad-estado de Tizapan, también en los alrededores del lago Texcoco.

En 1323, sin embargo, los mexicas jugaron un truco cruel con su nuevo gobernante. Después de pedir la mano de su hija en matrimonio, la sacrificaron rápidamente y le desollaron la piel. Un sacerdote se presentó al rey con la piel de su hija. Horrorizado, esto hizo que los mexicas fueran expulsados de Tizapan. Una vez más se vieron obligados a encontrar un nuevo lugar para vivir.

Es imposible saber si los aztecas eligieron Tenochtitlán debido a la intervención divina o por necesidad. Obligados a evacuar dos asentamientos anteriores, los mexicas ya no podían ser demasiado exigentes. Tenochtitlán es esencialmente un pantano, y su crecimiento se debió en gran parte al tremendo esfuerzo de agregar tierra y barro para construir un terreno sólido sobre el que se pudiera construir una ciudad.

Sin importar la razón, Tenochtitlán fue el centro de lo que ahora llamamos el Imperio azteca. Su símbolo es, apropiadamente, un águila posada sobre un cactus. Esta imagen aparece en el centro de la bandera de México moderno, indicando el papel que desempeña esta antigua civilización en la psique colectiva de una de las naciones modernas más grandes del mundo.

Cada vez es más común referirse a Tenochtitlán por su nombre completo: México-Tenochtitlán. El significado exacto del nombre no se entiende completamente. Tenochtitlán dibuja claramente su apodo de la palabra náhuatl para nopal, *tenochtli*, pero el origen de la palabra *México* es más difícil de descubrir. La mayoría de los investigadores ahora están de acuerdo en que significa "en el centro de la luna", y la luna se refiere en este contexto al lago Texcoco. Esta deducción se confirma al observar cómo se traduce el nombre México-Tenochtitlán al idioma otomí cercano, donde se hace referencia a la capital mexicana como "*anbondo amedetzana*". Se sabe que Bondo significa nopal y amedetzana significa "en el medio de la luna". Muchas fuentes y documentos históricos se referirán a la ciudad simplemente como Tenochtitlán, pero aquellos que vivieron durante el apogeo del Imperio azteca habrían usado su nombre completo.

Estas historias de origen de México-Tenochtitlán reflejan cómo llegaríamos a percibir esta antigua civilización y cultura. La mitología y la religión azteca han sido muy estudiadas, y la mayoría de las representaciones modernas de la vida azteca incluyen al menos alguna referencia a la brutalidad del sacrificio humano. Las imágenes de sacerdotes arrancando los corazones de los ciudadanos son abundantes. Y mientras esto ocurrió, la cultura azteca fue, como es de esperar, decididamente diversa y dinámica, especialmente para una civilización de este tamaño.

Las estimaciones indican que más de 1 millón de personas vivían en el Valle de México cuando Cortés entró en escena en 1519. Y probablemente había otros dos o tres millones en las tierras altas que lo rodeaban. Estas cifras hacen de la civilización azteca la más grande de América en el momento de la llegada de los europeos.

También es importante recordar que cuando hablamos del Imperio azteca, en muchos aspectos estamos hablando del período de tiempo posterior a la formación de la Triple Alianza. Este fue un acuerdo para unir las tres principales ciudades-estado que rodean el Lago de Texcoco, específicamente México-Tenochtitlán, Texcoco y Tlacopan, y para ubicar a México-Tenochtitlán en el centro como la capital. Las tres ciudades compartirían recompensas del comercio y los tributos, permitiéndoles organizar su expansión en el valle circundante.

Capítulo 3 – El gobierno, ciudades-estado y la expansión

La civilización azteca se puede dividir en dos períodos principales: el período azteca temprano y el período azteca tardío. Muchas de las ciudades-estado que se convertirían en parte del Imperio azteca se fundaron a principios del siglo XII. La mayoría persistiría y crecería a lo largo de los siglos venideros, y muchas se convertirían en importantes ciudades-estado en el imperio. Sin embargo, a medida que estas ciudades se convirtieron en ciudades y, finalmente, ciudades-estado, gran parte de lo que se había construido en el período azteca temprano se destruyó, dejando poca evidencia arqueológica de estos asentamientos.

El inicio del período azteca tardío generalmente se asocia con la fundación de México-Tenochtitlán en 1325. Cuando llegaron los mexicas, había muy poca tierra que aún no se había colonizado. Diferentes tribus y grupos étnicos ocuparon el territorio, pero con el tiempo, muchos de ellos se asimilarían a la cultura azteca. El único grupo étnico capaz de mantener su propia identidad independiente fue el otomí, que mantuvo sus propias tradiciones lingüísticas y culturales a pesar de la presión constante de sus vecinos de habla náhuatl.

El sistema político de los aztecas era el despotismo. Reyes y cuasi reyes gobernaban ciudades-estado e interactuaban con otras ciudades-estado de varias maneras. A veces cooperaban entre sí, generalmente a través de alianzas comerciales y militares, pero también luchaban entre sí constantemente. Como tal, las relaciones entre las ciudades-estado fueron siempre cambiantes e impredecibles.

Sin embargo, el Imperio azteca se entiende mejor como una alianza política entre unas cincuenta o más ciudades-estado que ocuparon el Valle de México. La única institución política real que los unió fue el sistema de impuestos y tributos que fue diseñado para ayudar a elevar el estatus de los soberanos y la nobleza y también para suprimir y someter a los plebeyos. A medida que el imperio se expandió, este sistema de tributos se hizo más exigente. Y en los casos en que las ciudades-estado quedaron bajo el control de los aztecas debido a la conquista militar, los tributos fueron aún más severos.

La edad de oro del Imperio azteca comenzó en 1428 con la formación de la Triple Alianza entre México-Tenochtitlán, Texcoco y Tlacopan. Esto representa la forma más sólida de cooperación política entre cualquiera de las ciudades-estado en el Valle de México, y fue gracias al poder económico y militar de estas ciudades-estado que los aztecas pudieron finalmente obtener el control sobre casi todos los asentamientos en el valle de México y más allá.

Esta alianza, sin embargo, nació de la guerra. Las hostilidades entre los mexicas o aztecas y los tepanecas, una ciudad-estado que también tuvo una influencia considerable en el Valle de México, se intensificaron alrededor del año 1426. Los tepanecas intentaron bloquear Tenochtitlán en un esfuerzo por obtener impuestos y tributos más altos. Mientras intentaban intimidar a los mexicas en Tenochtitlán, los tepanecas, dirigidos por Maxtla, también estaban acosando al Acolhua en Texcoco. Cuando obligaron a Netzahualcoyotl, el soberano de Texcoco, a huir, los mexicas encontraron un aliado en su lucha contra los tepanecas. Además,

Motecuhzoma, el líder de Tenochtitlán en ese momento, intentaba reunir apoyo para una rebelión en el Valle de México al complacer a los ciudadanos de Tlacopan que estaban cansados del gobierno de los tepanecas y estaban buscando un cambio.

La guerra completa estalló en 1428, y con las fuerzas de Texcoco, Tlacopan, Tenochtitlán y Huexotzinco combinadas, los tepanecas fueron derrotados, dejando a los mexicas como principal poder en el Valle de México. Siendo la más grande y rica de las tres ciudades-estado, y también teniendo el ejército más grande, Tenochtitlán fue la elección natural para el centro de esta alianza imperial recién formada. El Huexotzinco, que vive al otro lado de las montañas, estaba simplemente interesado en eliminar a los tepanecas, pero no tenía más ambiciones en el Valle de México. Después de que finalizara la guerra, regresaron a su hogar y las tres ciudades-estado restantes formaron lo que ahora llamamos la Triple Alianza.

Esta colaboración fue tanto una alianza militar como una cooperación económica. La primera doctrina fue acordar no emprender la guerra entre sí y apoyarse mutuamente en las guerras de conquista y expansión. Los impuestos de estas conquistas serían compartidos, con dos quintas partes destinadas tanto a Texcoco como a Tenochtitlán y una quinta parte a Tlacopan. La capital debía estar en Tenochtitlán, lo que significa que el líder de esta ciudad-estado era el emperador de facto, sin embargo, este líder sería elegido de manera un tanto democrática. Un colegio electoral formado por nobles y dignatarios de las tres ciudades-estado de la Alianza fue responsable de elegir al líder del pacto. Itzcoatl fue nombrado el primer emperador del nuevo Imperio azteca, a pesar de que Motecuhzoma había sido el líder de Tenochtitlán. Motecuhzoma tendría que esperar su turno para asumir la posición de emperador.

Después de unir fuerzas, el nuevo Imperio azteca rápidamente fijó sus metas en ganar el control sobre todo el Valle de México.

Las campañas a lo largo de la década de 1430 trajeron a las ciudades de Chalco, Xochomilco, Cuitalhuac y Coyocan bajo la influencia de la Triple Alianza. Después de completar estas conquistas, los aztecas miraron más al sur, y se mudaron al estado moderno de Morelos. Aquí conquistarían Cuauhnahuac (la ciudad moderna de Cuenravaca) y Huaxtepec. Ubicados en elevaciones más bajas, los climas en estas ciudades eran mucho más favorables. La agricultura intensa dio como resultado producciones impresionantes que los aztecas deseaban para alimentar a su gente y enriquecer su imperio.

En 1440, Itzcoatl murió y Motecuhzoma I fue elegido como el próximo emperador. El reinado de Motecuhzoma I fue una parte importante de la historia azteca. Comenzó la construcción de algunos de los templos aztecas más importantes, incluido el gran templo de Tenochtitlán. Pero quizás lo más importante es que Motecuhzoma era responsable de consolidar el poder político en manos de los mexicas.

Cuando las nuevas ciudades-estado cayeron bajo el control de los aztecas, Motecuhzoma instaló a su propia gente como recaudadores de impuestos para evitar a las dinastías que habían existido anteriormente, centralizando el poder en las manos de Tenochtitlán y quitándoselo a las tribus rivales. Motecuhzoma I también estableció un nuevo código legal que sirvió para distinguir a la nobleza de la gente común.

Sin embargo, también estaba interesado en sofocar las rebeliones y mantener las ciudades-estado que habían sido conquistadas bajo su control. Una cosa que hizo fue crear un nuevo título, el quahpilli (señor águila). Cualquiera podía ocupar esta posición y se daba típicamente a los guerreros que habían tenido un éxito excepcional en la batalla.

Motecuhzoma también presidió uno de los períodos más oscuros del Imperio azteca. La sequía severa que golpeó la región en 1450 llevó a hambrunas significativas en los siguientes cuatro años. Miles de aztecas morirían de hambre durante este período. Después de que terminaran las hambrunas, hubo un aumento significativo en la cantidad de sacrificios humanos en todo el imperio, ya que se creía ampliamente que esta sequía y hambre era el resultado de la falta de sacrificios en los años anteriores a 1450.

Motecuhzoma I y Nezahualcoyotl de Texcoco comenzaron una serie de campañas militares en 1458 que expandirían dramáticamente la esfera de influencia azteca en la región. Pudieron extender su control mucho más allá del Valle de México, estableciendo el dominio en la mayoría de los estados modernos de Morelos y Oaxaca.

Cuando Motecuhzoma I murió en 1468, Axayacatl, nieto de Motecuhzoma I e Itzcoatl, se hizo cargo del trono. La mayor parte de los 13 años de su gobierno los pasó consolidando o reconquistando algunos de los territorios ya confiscados por los gobernantes anteriores. Axayacatl fue sucedido por su hermano Tizoc en 1481. Sin embargo, era un gobernante débil y un líder militar pobre. Murió en 1486 y fue reemplazado por otro de sus hermanos, Ahuitzotl. Algunas evidencias sugieren que Tizoc pudo haber sido asesinado, ya que aquellos en el centro del imperio vieron a Tizoc como una responsabilidad.

Cuando Ahuitzotl tomó el trono, comenzó otro período de conquista militar que expandiría significativamente el territorio controlado por los aztecas. Específicamente, conquistó gran parte del Valle de Oaxaca y la costa del Soconusco en el sur de México. Aunque eran las más alejadas del centro imperial, estas áreas eran significativas, ya que eran una fuente importante de bienes, como el cacao y las plumas, las cuales fueron utilizadas por la nobleza como medio de expresar su riqueza y mayor posición social.

El reinado de Ahuitzotl representa el período más próspero del Imperio azteca. No solo se expandió considerablemente en términos del territorio que controlaba, sino que Ahuitzotl también pudo consolidar el poder dentro de la Triple Alianza. Reemplazó el título *tlataoni*, que significa "aquel que habla", y fue la palabra azteca para el soberano, con *huehuetlatoani*, que significa "rey supremo". Las otras ciudades-estado fueron consultadas menos sobre asuntos imperiales que parecían tener poco deseo en tratar de recuperar el control de los líderes de Tenochtitlán. El gran templo de la ciudad se completó durante la época de Ahuitzotl, lo que indica que su gobierno también presidió un período de importante prosperidad económica.

Cuando Ahuitzotl murió en 1502, fue reemplazado por Motecuhzoma Xocoyotzin, a quien se menciona a menudo en los libros de historia como Montezuma, o Montezuma II, que no debe confundirse con Motecuhzoma I. Siguiendo los pasos de los emperadores anteriores que asumieron el poder después de un período de expansión imperial significativa, el reinado de Moctezuma se definió en gran medida por sus intentos de consolidar el poder. Pero esta vez, parecía haber un esfuerzo más acentuado para consolidar el poder no solo en manos de la Triple Alianza, sino también en manos de la familia de Moctezuma. Él esencialmente abolió el estatus de muchos nobles, reemplazándolos con personas más cercanas a su círculo inmediato. En la corte, Moctezuma gobernó con terror, lo que llevó a algunos estudiosos a indicar que Moctezuma pudo haber estado tomando medidas para crear una monarquía absoluta en el Imperio azteca.

El Imperio azteca estaba en su apogeo durante el reinado de Moctezuma. Tenía control político, económico, social y militar sobre una vasta extensión de tierra que estaba poblada por unos 3-4 millones de personas. Sin embargo, un fracaso particular de los gobernantes anteriores fue su incapacidad para conquistar con éxito a los Tlaxcallans, un grupo de habla náhuatl que había establecido su hogar cerca del Valle de México, pero que se había resistido al control azteca.

La incapacidad azteca de conquistar a los tlaxcallanes demostró tener consecuencias desastrosas, ya que los españoles pudieron formar una alianza con ellos.

De hecho, no fue difícil para los españoles encontrar apoyo para su causa. Para entender por qué fue así, es importante recordar por qué los aztecas estaban tan preocupados por la expansión. Estaban buscando nuevas ciudades-estado para someterlos a su sistema de impuestos y tributos, y también buscaban nuevas víctimas que pudieran ser sacrificadas a los dioses.

Además, estaban interesados en expandir el conjunto de recursos del imperio. Una población en crecimiento significó una mayor demanda de alimentos. Las ciudades-estado en elevaciones más bajas eran mucho más productivas desde el punto de vista agrícola, por lo que la conquista de estos asentamientos le facilitó a los aztecas la alimentación de su población, y también representó una oportunidad para enriquecer a la élite azteca mediante la recaudación de impuestos y tributos. Esta estrategia demostró ser efectiva a medida que el Imperio azteca creció en riqueza y población considerablemente después de la formación de la Triple Alianza, pero también tuvo el efecto de crear mucha animosidad hacia Tenochtitlán y el Imperio azteca, algo que pondría a los aztecas en una desventaja significativa contra los españoles. Había mucha gente dispuesta a unirse a los españoles para ayudar a conquistar a los poderosos aztecas.

A lo largo de los aproximadamente 100 años de la Triple Alianza, los aztecas tomaron su civilización de una colección suelta de ciudades-estado semi-alineadas, pero a menudo en guerra, y la convirtieron en el segundo imperio más grande del Nuevo Mundo (solo los incas controlaban una expansión más amplia de territorio) y el imperio más grande que haya existido en Mesoamérica. Su sistema de expansión y consolidación fue constante y dirigido. Los emperadores que lograron expandir el territorio fueron seguidos por líderes que lograron consolidar y organizar las tierras y ciudades adquiridas recientemente. Se produjeron muchos contratiempos en el camino (varias ciudades fueron conquistadas, perdidas y reconquistadas, por ejemplo), pero en general, el imperio estaba creciendo tanto en tamaño como en influencia en el momento de la llegada de los españoles. Sin embargo, el contacto con los españoles llevaría al rápido declive al que se había convertido en uno de los imperios más poderosos del mundo antiguo.

Capítulo 4 –La llegada de los españoles y la decadencia del imperio

Con la llegada de Cristóbal Colón a las Indias Occidentales en 1492, los españoles fueron oficialmente los primeros europeos en el Nuevo Mundo. Con ganas de explorar, establecieron una base en Cuba y comenzaron a enviar expediciones a diferentes partes de América del Norte, Central y del Sur. Una de esas expediciones fue la de Hernán Cortés. Los españoles habían oído hablar de una gran potencia en el centro de México. Los rumores de grandes riquezas combinados con el deseo de expandir la influencia española en el nuevo mundo llevaron a Cortés a fijarse en el Valle de México y el imperio azteca.

La expedición de Cortés fue inicialmente autorizada y financiada a medias por la corona española, y el propio Cortés aportó el resto del dinero necesario para que se llevara a cabo la misión. Sin embargo, poco antes de zarpar hacia México, la corona española rescindió su apoyo, pero Cortés zarpó de todos modos. Varias expediciones serían enviadas tras Cortés en un esfuerzo por arrestarlo y ponerlo bajo custodia.

En 1519, Cortés llegó a la costa de México cerca de la actual ciudad de Veracruz con unos 500 soldados. Fueron recibidos por mensajeros de Moctezuma, que habían oído hablar de estos extraños hombres que exploraban la costa. Moctezuma fue cauteloso con ellos y también pensó que podrían ser dioses. Los aztecas que saludaron a Cortés le ofrecieron regalos como una forma de establecer relaciones pacíficas, pero también para confirmar si estas personas eran o no de hecho divinas. Cuando se les dio el oro, los españoles se volvieron locos, y esta manifestación de codicia y lujuria convenció a los aztecas de que los recién llegados no eran descendientes de los cielos.

Cortés inició su marcha hacia el interior, haciendo aliados en el camino. Había oído rumores de que los ejércitos aztecas podían sumar miles, y aunque los españoles tenían mejores armas, Cortés sabía que necesitaría más tropas si esperaba tener éxito en su conquista. Moviéndose tierra adentro, Cortés se alió primero con los totonacas. Luego, se dirigieron hacia Tlaxcalla, la poderosa ciudad-estado que había resistido el control de la Triple Alianza. Después de un conflicto inicial, Cortés pudo convencer a los Tlaxcallans de que se unieran a él en su viaje hacia el interior de Tenochtitlán. Cuando Cortés finalmente se abrió camino hacia el centro de México, tenía varios miles de tropas bajo su mando.

Su primera parada fue en la ciudad santa de Cholula. Fueron bienvenidos al principio, pero Cortés temía una emboscada y masacró a miles de civiles desarmados. Al oír esto, Moctezuma comenzó a sospechar cada vez más de los españoles. Temiendo las intenciones de los españoles y el tamaño de su fuerza, continuó enviando regalos como una forma de tratar de ganar la amistad y desalentar la hostilidad, pero todo esto fue un aumento del deseo que Cortés y sus hombres tenían de alcanzar y conquistar a los aztecas. Moctezuma siguió enviando oro, y era el oro lo que querían los españoles.

Cuando llegaron los españoles, Moctezuma les dio la bienvenida colocándolos en lo que era el equivalente a un palacio real. Cortés respondió tomando prisionero a Moctezuma. Luego comenzó a gobernar Tenochtitlán, fingiendo que estaba actuando bajo la dirección del emperador azteca. En 1520, Cortés recibió la noticia de sus exploradores de que se había enviado una expedición a México para arrestarlo, por lo que abandonó Tenochtitlán con la mitad de sus fuerzas para luchar contra esa expedición. Tuvo éxito y luego regresó a Tenochtitlán para terminar el trabajo de poner a los aztecas bajo el control español.

Al regresar a la capital azteca, Cortés descubrió que habían surgido tensiones que pusieron a los españoles en gran peligro. Hicieron planes para huir de la ciudad y reagruparse, pero cuando intentaron escapar en medio de la noche, sufrieron grandes bajas. Muchos españoles se habían cargado de oro, lo que los ralentizó y los convirtió en objetivos más fáciles. Finalmente, los españoles lograron escapar de Tenochtitlán. Se retiraron a Tlaxcala en las montañas.

En los próximos meses, Cortés logró reagruparse considerablemente. Marchó nuevamente en Tenochtitlán con unos 700 soldados españoles y alrededor de 70,000 tropas nativas. Luego se asentarían en la ciudad durante meses. Enfermedades como la viruela causaron estragos en la ciudad, diezmando a su población, y los españoles cortaron todas las fuentes de agua dulce y detuvieron todos los envíos de alimentos. Finalmente, el 13 de agosto de 1521, Cuauhtemoc, quien había reemplazado a Moctezuma como emperador, fue capturado y los españoles se adjudicaron la victoria. Esta vez, esta gran civilización entraría en un período oscuro. Los españoles, ansiosos por explotar a la gente y la tierra, mataron a miles de aztecas y esclavizaron a muchos más. El Imperio azteca, después de casi cien años de gloria en el Valle de México, se había terminado.

Muchas personas que no están familiarizadas con la forma en que cayó el Imperio azteca expresaron sorpresa de cómo un grupo tan pequeño de soldados españoles fuera capaz de derrocar a un imperio tan inmensamente poderoso. Pero esto representa un grave malentendido de cómo Cortés pudo finalmente conquistar a los aztecas. Primero, su fuerza era mucho solo mayor a unos pocos cientos de personas. Las antiguas rivalidades combinadas con el resentimiento hacia los impuestos y tributos establecidos por los aztecas hicieron que a Cortés le resultara muy fácil reclutar aliados en la lucha para derrotar a Tenochtitlán.

Pero los españoles tenían otra arma a su disposición, la enfermedad. Las enfermedades como la viruela nunca antes se habían visto en Mesoamérica. Mientras que los europeos habían estado expuestos a ella durante siglos y habían desarrollado inmunidades, los aztecas no lo habían hecho. Cientos de miles morirían de la viruela, el sarampión, las paperas, la influenza y muchas otras enfermedades. Esta arma silenciosa demostró ser una de las razones más importantes por las que los españoles pudieron tomar el control de un imperio tan poderoso en tan poco tiempo.

La historia de la caída de la dominación azteca no hace justicia a la naturaleza impresionante de su imperio. Establecieron uno de los imperios más grandes, no solo en América, sino en todo el mundo antiguo. Sin embargo, al final, no fueron rivales para la enfermedad y la potencia de fuego europeas, y su dominio sobre el Valle de México se detuvo de forma escandalosa solo unos pocos años después de que Cortés y los españoles desembarcaran en la península mexicana.

Capítulo 5 - Un día en la vida de un ciudadano azteca

Las clases sociales y la jerarquía influyeron dramáticamente en la vida del ciudadano azteca. Los derechos, deberes y privilegios se determinaban como resultado de la posición social de uno. Los nobles, que poseen más recursos y capacidad para movilizarlos, tienen la mayor cantidad de agencia y autonomía. Sin embargo, al observar más de cerca las vidas de las clases más distintas, es claro que la movilidad ascendente era ciertamente posible. Ni siquiera un esclavo estaba destinado a ser esclavo durante toda su vida, y lograr la libertad no era tan difícil, especialmente si se compara con la esclavitud que surgiría en las colonias europeas.

No obstante, el análisis de la vida cotidiana en la sociedad azteca de acuerdo con la clase presenta una imagen útil de cómo las personas veían sus vidas y cómo decidían vivirlas. Los nobles eran en gran parte responsables de tareas tales como dirigir el gobierno, poseer tierras y comandar el ejército. Los plebeyos eran mucho más numerosos que los nobles, y se confiaba en ellos para apoyar a la nobleza con alimentos y otros bienes. El éxito de la expansión azteca se debe en gran parte a este equilibrio. Una clase trabajadora productiva y contenta apoyaba a una nobleza que reconocía que su poder dependía de estar atentos a las necesidades de los plebeyos.

El Soberano, los Dignatarios y los Nobles

Las clases dominantes de la sociedad azteca pueden ser estratificadas crudamente en tres grupos. En la parte superior estaba el soberano, con el título de *tlatoani*. Cada ciudad-estado tenía su propio *tlatoani*. Con la formación de la Triple Alianza, se introdujo el título huehuetlatoani para referirse al líder del pacto. El término *tlatoani* se usaba para describir al jefe de una ciudad-estado, y también al jefe del Imperio azteca, dependiendo del contexto en el que esté escrito.

Debajo del soberano estaban los dignatarios, generalmente parientes cercanos o amigos del soberano. Y debajo de los dignatarios estaban la nobleza, o los *pilli*. Estos tres grupos eran responsables de los deberes administrativos, burocráticos y de gobernador del imperio. En los primeros días de la civilización azteca, este grupo era pequeño, pero crecería considerablemente a lo largo de los siglos, expandiendo su influencia sobre los asuntos del imperio.

El soberano

El título *tlataoni* se traduce en "aquel que habla", y puede entenderse que significa emperador. Aunque los primeros *tlatoanis* intentaron establecer el linaje con los toltecas y los dioses, la mayoría de los emperadores fueron elegidos. Si bien *Tlataoni* era el título otorgado al soberano del Imperio azteca, también era el nombre de los dignatarios de alto rango que gobernaban una ciudad-estado y sus alrededores.

Es importante recordar que el Imperio azteca no era un imperio en el sentido tradicional. No tenía un líder designado que pasara el poder a través de su linaje. En cambio, el poder azteca se derivó de la Triple Alianza. Como resultado, es posible encontrar la palabra *tlataoni* en referencia a los líderes de una ciudad-estado específica y también a los jefes de México-Tenochtitlán, quienes, como residían en la capital del imperio, se consideraban los jefes de la "nación" azteca más grande.

Cada ciudad-estado tenía su propio conjunto de reglas para la sucesión de líderes. Algunos siguieron estrictas líneas ancestrales, teniendo cuidado de enfatizar su relación de una u otra tribu en particular, en un intento de atribuir su derecho a gobernar a los dioses. Sin embargo, muchas ciudades-estado eligieron nuevos líderes votando después de que el *tlataoni* anterior hubiera muerto. Esta es una tradición que remonta sus raíces a los primeros días de la vida azteca en el Valle de México. El *tlataoni* que era elegido para gobernar México-Tenochtitlán y el Imperio azteca en su totalidad siempre era electo, aunque a medida que el imperio se expandía, el grupo de personas responsables de esta votación se reduciría significativamente.

Al principio, cuando los aztecas se establecieron por primera vez en el Valle de México, la votación se llevó a cabo en toda la ciudad, y la mayoría de los hombres adultos tuvieron la oportunidad de emitir su voto sobre quién debería ser el líder. Sin embargo, a medida que el imperio se expandía y resultaba imposible reunir a todos para una votación, surgió un colegio electoral compuesto por dignatarios para elegir al emperador. Entonces, a medida que el imperio se expandía, el poder de elegir al siguiente *tlatoani* se fue alejando más y más de la gente. De hecho, cuando los españoles llegaron a principios del siglo XVI, el grupo de personas responsables de elegir al líder del imperio era alrededor de 100. Considerando que la población del Imperio azteca en el momento de la llegada de los españoles era de millones, es claro que el poder y el gobierno aztecas se consolidaron lentamente en manos de una pequeña oligarquía que provenía de los niveles más altos de la sociedad.

Tras tomar el mando, el soberano tenía tres funciones principales: comandante jefe, representante de la clase gobernante, ejecutor de la ley y protector de la gente común. En nuestra comprensión tradicional de las estructuras gubernamentales, el Imperio azteca era una monarquía. Sin embargo, como se mencionó anteriormente, combinaba algunos aspectos de la democracia, como la elección del jefe de estado y el derecho individual a votar. La lenta degradación de estas características a lo largo del tiempo erosionó el reclamo azteca de democracia, pero aún es importante reconocer su presencia.

El nombre *tlatoani* no fue un error. "Aquel que habla" se adapta al emperador azteca debido a la expectativa de que este individuo podría comandar la autoridad en el consejo a través de discursos largos y elocuentes diseñados para influir en las opiniones y perspectivas de los miembros del gabinete. Fue en estas sesiones que el emperador y su consejo debatirían el futuro de los aztecas.

El otro título del emperador, *tlacatecuhtli*, se deriva directamente de la responsabilidad del emperador como comandante jefe de los militares. *Tlacatecuhtli* se traduce literalmente en "jefe de los guerreros". Una buena parte del tiempo del emperador se dedicaba a realizar varias campañas militares. Como las tres ciudades de la Triple Alianza eran todas ciudades-estado poderosas por derecho propio, el soberano azteca tenía una fuerza considerable a su disposición para mandar cuando lo considerara oportuno.

La última gran responsabilidad del soberano azteca era con el pueblo. Si bien los líderes aztecas no proclamaron formalmente un derecho divino para gobernar, el proceso de votación, combinado con las ceremonias de coronación, inculcó la idea de que el soberano no había sido elegido por el pueblo o la nobleza sino por los dioses, específicamente Tezcatlipoca, que es conocido por tener una gran sabiduría debido a un espejo mágico que le permitía ver todo en todo momento.

Defender el templo de Uitzilopochtli era una de las principales responsabilidades de cualquier soberano azteca, además de garantizar que todos los dioses recibieran la debida adoración.

Después de atender sus deberes para con los dioses, los gobernantes aztecas eran responsables ante el pueblo.

El soberano azteca se consideraba tradicionalmente como el "padre y la madre de México". Él era responsable de cuidar a la gente, de ayudar a combatir el hambre y de evitar la embriaguez y otros comportamientos no deseados en las ciudades y pueblos.

La mayoría de los investigadores de los documentos aztecas indican que los gobernantes se tomaban esta responsabilidad en serio. Parece que ha habido una verdadera afinidad entre los gobernantes y los gobernados. A pesar de atribuir su ascensión al trono a la intervención divina, todos los registros apuntan al hecho de que los gobernantes todavía no se consideraban por encima o superiores a sus súbditos. Y hay muchos ejemplos de gobernantes que actúan de una manera verdaderamente benevolente. Por ejemplo, Motecuhzoma I es famoso por haber distribuido unas 200.000 cargas de ropa y maíz a personas de Auitzol para que pudieran recuperarse tras una gran inundación.

Como ocurre con la mayoría de las cosas en el Imperio azteca, es importante recordar la descripción de los cambios soberanos a medida que se mueven por todo el territorio. Este estrecho vínculo entre gobernante y gobernado se sintió principalmente en el centro del imperio, principalmente en México-Tenochtitlán y el valle circundante de México. Esta conexión entre soberano y súbdito era mucho más débil en los territorios provinciales. Los tributos y los impuestos se percibían con mayor dureza y los beneficios de estos se distribuían de manera más restringida, lo que dejó a los asentamientos provinciales con una comprensión de su soberanía muy diferente a la de sus homólogos metropolitanos.

Los dignatarios

Directamente debajo del soberano en la jerarquía social azteca se encontraban los dignatarios. Estas personas eran típicamente familiares o amigos cercanos de los *tlataoni*, y eran responsables de llevar a cabo muchas de las decisiones del soberano.

El título exacto para cada dignatario y sus deberes correspondientes variaban mucho de ciudad a estado y de *tlataoni* a *tlataoni*. Cada puesto se llenó de acuerdo con las necesidades de esa ciudad en particular. O bien, las posiciones se creaban para otorgar títulos y estatus a las personas en el círculo íntimo de *tlataoni* que se consideraban lo suficientemente importantes como para merecer una posición en la corte.

Los deberes de estos individuos iban desde la protección de un templo hasta el manejo de graneros y otras instalaciones donde se almacenaban los impuestos y tributos. Los nombres diversos para todos los títulos diferentes son demasiado grandes para posiblemente enumerarlos. De estos dignatarios, los *tlataoni* elegirían su consejo. Este pequeño grupo fue responsable de asesorar a los *tlataoni* sobre todas las cuestiones importantes relacionadas con la administración del estado. Debían ser consultados antes de cada campaña militar y se necesitaba su bendición antes de comenzar algo nuevo.

Además, estos individuos a menudo formaban parte, si no todo, del colegio electoral que sería responsable de elegir al próximo emperador. Esto representa un cambio radical en la forma en que se elegían los líderes cuando los aztecas se establecieron por primera vez en el Valle de México. Cuando llegaron los españoles, el estado azteca ya no era una democracia sino una oligarquía protegida por un emperador poderoso. El principal efecto de esto fue estratificar aún más a la sociedad. Si bien la movilidad ascendente era posible, un miembro de la clase trabajadora podía ser reclutado entre los nobles si resultaba favorable para que lo hiciera la nobleza, aunque no era común.

En algún lugar de la época de Motecuhzoma I (principios del siglo XV), el título de *Ciuacoatl* entra en los registros de la historia azteca. Curiosamente traducido a "mujer-serpiente", el *Ciuacoatl* era esencialmente el vice-emperador. Era responsable de llevar a cabo el imperio de la ley, principalmente por ser el juez supremo en derecho marcial y penal. Escucharía casos y emitiría juicios sobre apelaciones, decidiría qué guerreros serían recompensados, organizaría campañas militares, administraría las finanzas imperiales, organizaría el colegio electoral después de la muerte del emperador y se desempeñaría como jefe de estado mientras se desarrollaba el proceso electoral. Este individuo tenía gran responsabilidad en la administración azteca. Ser elegido para esta posición era considerado uno de los más altos honores que un *tlataoni* podía otorgar a un individuo.

Nobles

La siguiente capa de la clase dominante es la nobleza, o el *pipiltin* o *pilli*. Junto con el soberano y el dignatario, la nobleza comprendía solo alrededor del 5 por ciento de la población azteca total, pero eran los que estaban a cargo. Los *pipiltin* no estaban tan involucrados en el funcionamiento de todo el imperio como lo estaban los dignatarios y el soberano. En cambio, su responsabilidad estaba en administrar el territorio que se les había dado y en mantener su palacio.

Está claro que el *pipiltin* vio a los plebeyos de la clase trabajadora como sus súbditos, y consideraron que el propósito principal de la vida del plebeyo era el servicio a la nobleza. Sin embargo, no había un nivel uniforme de tratamiento entre la nobleza. Dependiendo de la persona a cargo y las circunstancias de su posición, las condiciones de vida de los plebeyos podrían variar desde apenas una carga hasta la esclavitud limítrofe.

Independientemente de la forma en que los pilli trataban a sus súbditos, la gente común estaba vinculada a su señor local, y eran responsables de proporcionarle ciertos bienes y también de trabajar su tierra. Además, como los aztecas no tenían un ejército permanente, se esperaba y se exigía a cada comunero, específicamente a los hombres, que sirvieran cuando se lanzaba una campaña militar. Desafortunadamente, existe poco en forma de datos numéricos o anecdóticos para ayudar a descubrir el alcance total de los deberes requeridos de los plebeyos a sus respectivos señores.

Una de las características definitorias de la nobleza fueron sus palacios. Era muy importante que el *pipiltin* encontrara formas de distinguirse de los plebeyos y una de las formas de hacerlo era construir una casa grande y lujosa, por lo general en algunas de las mejores tierras agrícolas de la región. Incluso en las pequeñas ciudades provinciales, los nobles locales construirían una gran casa con los mejores materiales disponibles. Como muchos nobles eran polígamos, a menudo construían casas con apartamentos separados para cada una de sus familias.

Sin embargo, nunca se debe olvidar que la nobleza confió en los plebeyos para mantener su posición privilegiada. Se esperaba que cada plebeyo pagara impuestos o deberes a sus nobles respectivos, y los nobles confiaban en que los comuneros trabajaran sus tierras y ayudaran a producir bienes que podían vender y usar para mantener su posición de prestigio en la sociedad.

Al observar la forma en que la nobleza interactuaba con los comunes, es fácil ver cómo la sociedad azteca era bastante desigual. La nobleza era consciente de esto, y dado que mantener su elevada posición social era uno de sus principales objetivos, emprendieron una serie de actividades que ayudaron a fortalecerse como protectores de la sociedad que merecían el tratamiento especial que recibían.

La primera forma en que la nobleza mantenía a las personas satisfechas con la naturaleza estratificada de la sociedad azteca fue a través de las ideas. Al influir en lo que se hablaba en los templos y al controlar la retórica entre la gente, la nobleza azteca fue capaz de afianzar ideas de la gente tales como "todo el mundo tiene deberes que realizar", "el sufrimiento y el trabajo arduo es el estado natural de la existencia humana", y "el destino humano está en manos de los dioses". Estos mensajes ayudaron a sofocar cualquier movimiento desde abajo para desafiar la autoridad de la nobleza.

Sin embargo, necesitaban algo más para apoyar estas palabras e ideas para hacerlas más poderosas e influyentes. La coacción definió gran parte de la interacción entre la nobleza y los plebeyos. Muchos plebeyos estarían bajo el dominio de un noble como resultado de la conquista. El castigo por no pagar tributos / impuestos o por no trabajar en la tierra de los nobles suponía el retorno al conflicto. Y como los aztecas ya habían demostrado su dominio, este camino en particular no ofrecía muchas promesas a los conquistados. Como tal, era una alternativa mucho mejor simplemente someterse al nuevo orden político que molestarse en tratar de hacer algo para cambiarlo.

La tercera forma en que la nobleza se separó de los plebeyos y mantuvo así su posición superior fue el consumo material. Los nobles eran conocidos por llevar la ropa más cara, comer las comidas más exóticas y vivir en las casas más elaboradas. También se establecieron reglas especiales para ayudar a mantener esta segregación. A la nobleza solo se le permitía casarse con la nobleza, y se esperaba que se apoyaran mutuamente en tiempos de crisis.

Por supuesto, había una necesidad de asegurar que los ciudadanos tuvieran suficiente comida y refugios para vivir. Pero más allá de eso, y particularmente a medida que uno viaja más y más lejos de las grandes ciudades-estado en el Valle de México, la nobleza hacía poco esfuerzo para mejorar las vidas de los plebeyos. Los plebeyos eran los súbditos, y se esperaba que sirvieran de la manera que fuera más sensata para el señor y el imperio.

Los plebeyos

La vida de un plebeyo en la civilización azteca se dedicaba casi exclusivamente al trabajo. Desde el momento del nacimiento, los roles de género se asignaban a un niño; se esperaba que los hombres crecieran para ser guerreros y trabajasen en la misma ocupación que su padre, y que las niñas cuidaran de la familia cocinando, limpiando, tejiendo y teniendo hijos.

Debido a que se esperaba que un plebeyo azteca trabajara, eran introducidos a esta forma de vida desde una edad temprana. La evidencia del Codex Mendoza, una de las fuentes primarias más importantes de la época, indica que a la edad de cinco años, los niños ya llevaban leña y otros productos a los mercados cercanos y ya se había enseñado a las niñas a sostener el huso y el giro. A la edad de siete años, los niños capturaban peces y las niñas hilaban algodón.

Estas demandas se aplicaban a los niños a través de un sistema de amenazas y castigos. Los padres ordenaban a los niños aztecas que no estuvieran inactivos, ya que esto provocaría una mala conducta. Para dar un ejemplo, los niños de 8 años que fueran sorprendidos engañando a su padre serían perforados en el cuerpo con púas. Los niños mayores eran golpeados con palos si eran rebeldes. Hasta la edad de los 15 años, eran educados por sus padres principalmente en casa; después de esta edad, se dirigirían a la escuela para recibir capacitación adicional de acuerdo con su género y los roles relevantes que necesitarían cumplir.

Al igual que con casi todo en la antigua sociedad azteca, la escuela estaba dividida por clase. La escuela para plebeyos, conocida como *telpochalli*, se estableció para enseñar a los niños a cantar, bailar y usar instrumentos musicales (para los rituales). La mayoría de los niños también recibirían entrenamiento militar. El servicio era obligatorio para todos los hombres, por lo que, al completar su entrenamiento, la mayoría de los hombres entrarían en el ejército y serían enviados para apoyar la estrategia expansionista del imperio. La nobleza se educaba en el *calmecac*, donde se les enseñaba materias más avanzadas, como religión, escritura, matemáticas, etc.

El matrimonio también era una parte crítica del crecimiento. Por lo general, los padres u otros ancianos formaban parejas y, a la edad de 12 años, la mayoría de los aztecas estaban casados. A partir de entonces, los roles de género se hacían aún más pronunciados. Se esperaba que los hombres trabajaran fuera del hogar, típicamente en la agricultura. Cuando las estaciones cambiaban y la actividad agrícola se desaceleraba, la mayoría de los hombres aztecas serían expulsados de sus hogares. El servicio militar era obligatorio al igual que el trabajo. Si no se enviaba a los hombres a la guerra, se les enviaba a otro lugar para cultivar, probablemente a la tierra de un noble, ya que estas personas estaban exentas del servicio militar y laboral.

Las mujeres aztecas pasaban la mayor parte del tiempo cocinando y preparando la comida. También eran responsables de limpiar la casa, algo que se consideraba más un ritual que una tarea, y también de quemar incienso y mantener el altar de la casa. De esta manera, las mujeres desempeñaban un papel más importante que los hombres dentro del hogar.

Mientras que los deberes y las obligaciones ocupaban la mayor parte del tiempo de un plebeyo azteca, esto no predestinaba por completo su vida. Había muchas oportunidades para que un plebeyo avanzara e incluso posiblemente se uniera a la nobleza. La sociedad azteca fue creada para recibir este tipo de movimiento entre clases. Una de las razones principales de esto fue la forma en que se estructuraba la propiedad de la tierra en la sociedad azteca.

Técnicamente hablando, la tierra no podía ser propiedad individual. En cambio, era de propiedad colectiva bajo la dirección de los *calpulli*, el jefe. Cada hombre recibía derechos individuales para trabajar un pedazo de tierra. Tenían libertad para trabajar como quisieran, pero estaban obligados a pagar impuestos y tributos sobre la recompensa que recibían de la tierra. A cambio, se les permitía votar por el *calpulli* y podrían beneficiarse de los servicios públicos ofrecidos por el *calpull*, como templos más bonitos, acceso a agua dulce de acueductos y seguridad.

La tierra cultivable en el valle de México, sin embargo, era escasa. La mayor parte de las mejores tierras era la que tenía una línea costera con el lago Texcoco, y debido a esto, la gran mayoría de los ciudadanos aztecas vivían una vida urbana, dependiendo de las provincias para abastecer de bienes a las ciudades. Esto a su vez creó otra distinción en la sociedad azteca: provincial / urbana. Ambos pagaban impuestos, sin embargo, el azteca urbano estaba en una posición mucho mejor para beneficiarse de estos impuestos, ya que la mayoría de las mejoras se centraban en las áreas urbanas.

Si bien el uso de la tierra era un derecho de los plebeyos, tenía ciertos privilegios y beneficios, pero estos derechos no eran gratuitos. El derecho a utilizar la tierra estaba acompañado por la expectativa de que se utilizaría. Si pasaran más de dos años y la tierra permaneciera inactiva, el que tenía derechos para trabajar estaría sujeto a severas amonestaciones por parte de los *calpulli* y la comunidad en general. Después de varios años más de inactividad, estos derechos sobre la tierra podrían ser eliminados, dejando a ese hombre y su familia en la clase sin tierra, que gozaba de menos derechos y privilegios.

Si bien esto era una posibilidad, rara vez ocurría. El compromiso con la producción y la relativa autonomía del plebeyo contribuyeron al crecimiento de los aztecas en el centro de México, y son una gran razón por la que se convirtieron en la fuerza dominante de la región. Sin embargo, a medida que los aztecas avanzaban, cada vez se hacían más excepciones al requisito de mano de obra. Menos tierra y más trabajadores significaba que no se necesitaba a todas las personas para trabajar efectivamente la tierra. También ayudó a generar riqueza, lo que expandió la nobleza, diversificó la vida azteca urbana y creó más desigualdades económicas y sociales.

Esta estratificación se produjo en gran medida a través de cambios en los entendimientos tradicionales de propiedad y uso de la tierra. La idea de la propiedad común se erosionó con el tiempo, y se sabía que la nobleza tomaba tierra y asumía el control sobre ella, limitando la capacidad del común para acumular riqueza por sí mismo. Esta situación se intensificó como resultado del sistema de impuestos y tributos. Toda la población de una ciudad pagaba impuestos al imperio, y como no había dinero, esta obligación se pagaba en bienes. El tributo exigido a cada ciudad o área provincial fue determinado por las necesidades de la nobleza en ese momento, así como la disponibilidad de recursos. El tributo abarca desde telas, capas, maíz y aceites hasta plumas de loros y gemas preciosas.

Aunque el tributo fue variado, está claro que trajo una gran riqueza a México-Tenochitlan, fortaleciendo aún más el Imperio azteca. Una buena medida de la riqueza en ese momento es el *quatchtli*, que era el equivalente a 20 cargas de tela. Un *quatchtli* fue considerado el equivalente a un año de vida. En la cima de la reunión de tributos en México, alrededor de 100.000 *quatchili* fueron traídos a México desde ciudades-estado sometidas a los sistemas de tributos de Aztez, lo que significa que 100.000 vidas anuales se contabilizaron en la capital solo a través de tributos de tela.

Parte de la razón por la que estas recompensas de tributos crecieron tanto es que se establecieron en circunstancias hostiles. La conquista era una parte importante de la expansión azteca, y al establecer el dominio militar sobre una región particular, las negociaciones comenzaban entre los aztecas victoriosos y los conquistados. Dado que la amenaza de un conflicto renovado siempre era importante, los aztecas solían encontrarse en una posición ventajosa en la mesa de negociaciones, lo que les permitía imponer demandas extravagantes a los territorios recientemente ocupados y a sus ciudadanos.

La fuerza militar y un sistema productivo de tributos son las razones por las cuales el Imperio azteca pudo crecer tanto en tamaño como en influencia para convertirse en el jugador dominante en la región. Pero en muchos aspectos, fue una de las razones por las que eventualmente caería. La transición gradual de una sociedad donde a cada individuo se le otorgaba el derecho de trabajar un pedazo de tierra a uno que se esperaba que produjera grandes tributos para el imperio central, causó un gran resentimiento hacia el México-Tenochtitlán y la Triple Alianza.

La mediocridad de la vida cotidiana en el México tribal fue reemplazada lentamente. En su lugar llegó una vida en la que la mayoría de los esfuerzos de una ciudad o pueblo se dirigían a satisfacer las necesidades de los dignatarios y la élite imperial. El deseo de volver a la forma en que se manejaban las cosas a muchas poblaciones provinciales para apoyar a Cortés y a los españoles en su intento de destruir el Imperio azteca, era algo que desempeñaría un papel fundamental en el eventual triunfo europeo.

Sin embargo, a medida que el imperio se expandía, comenzaba a surgir una nueva clase que descansaría entre la nobleza y los plebeyos: los comerciantes. A medida que las ciudades y los pueblos se volvían más conectados, la demanda de bienes desde lejos, tanto para uso personal como para cumplir con el tributo, se expandía. Los plebeyos que podían comerciar con éxito bienes entre ciudades se hicieron bastante ricos.

Sin embargo, la ironía de esto reside en que esta riqueza permaneció en gran parte sin ser distribuida. A diferencia de la nobleza, los soberanos y los dignatarios que se esperaba que gastaran generosamente para defender su posición social, los comerciantes no estaban bajo tal presión. Tenían la libertad de ahorrar o gastar sus ganancias de la forma que consideraran adecuada. Ciertamente, vivían con mucho más confort y lujo que un plebeyo, pero de ninguna manera eran tan extravagantes como los de la clase dominante.

Esta clase de comerciantes crecería considerablemente en riqueza, poder e influencia a medida que avanzaba la civilización azteca, pero nunca representarían una amenaza seria para las clases altas. Y debido a que la riqueza acumulada por los comerciantes apenas se distribuía entre el resto de la clase común, seguían siendo un grupo relativamente pequeño dentro de la sociedad azteca.

Si bien es cierto que un plebeyo en los siglos XIV, XV y XVI de México con su capacidad para trabajar libremente en su propia tierra tenía un cierto grado de movilidad ascendente, la realidad más precisa es que la persona promedio dedicaba la mayor parte de su vida al trabajo y al servicio militar. Los hombres pasaban largos períodos de tiempo lejos del hogar, y las mujeres estaban restringidas al hogar. Este status quo fue aceptable durante algún tiempo, pero a medida que se creaban y profundizaban las desigualdades, el resentimiento hacia México-Tenochtitlán y la Triple Alianza se intensificaron, lo que resultó en el colapso de una de las civilizaciones más grandes, no solo en Mesoamérica, sino en todos los continentes americanos.

Los campesinos sin tierra

Entre los plebeyos y el rango más bajo en la sociedad azteca, los esclavos, era otra clase social que vale la pena mencionar: los campesinos sin tierra. La forma en que uno se queda sin tierra es difícil de discernir, especialmente porque formaba parte de la costumbre azteca de que a cada persona se le concediera un terreno para que pudiese pagar los impuestos y tributos necesarios que exigía el jefe local. Sin embargo, con una amenaza de guerra casi constante y con personas desplazadas a medida que sus pueblos y ciudades eran conquistados, esta clase sin tierra creció a medida que avanzaba el imperio.

Estos individuos estaban destinados esencialmente a un estilo de vida nómada; es decir, hasta que pudieran encontrar un noble dispuesto a acogerlos. Los nobles casi siempre buscaban manos extra para trabajar en su tierra, a menudo muy productiva. Un noble podría recibir a un campesino sin tierra y permitirle trabajar a cambio de una renta, que generalmente era una parte de los bienes que producía, o trabajo adicional.

Sin embargo, es importante saber que ser admitido por un noble no otorgaba a un campesino sin tierra los mismos derechos que tenían los demás miembros de la tribu. Por ejemplo, no se les permitió votar en ninguna de las elecciones de la ciudad. Pero había algo de justicia en este arreglo. Aunque no podían votar, los sin tierra no le debían nada al pueblo. No pagaban impuestos y estaban exentos del servicio y las obligaciones militares. Esencialmente, estaba en deuda solo con los nobles que lo habían acogido y le habían dado un lugar para vivir y trabajar.

Los esclavos

La clase social más baja en la sociedad azteca fue, como es el caso en casi todas las civilizaciones, la de los esclavos. Si bien la vida del esclavo no era en absoluto cómoda y lujosa, era mucho mejor que las formas de esclavitud que vendrían a las Américas con la formación de las colonias europeas. De hecho, los relatos de los exploradores y conquistadores españoles muestran la sorpresa de los recién llegados en cuanto al trato bastante benévolo de los esclavos.

En la superficie, la esclavitud azteca es muy similar a otras formas de esclavitud presentes a lo largo de la historia. Un esclavo pertenecía a un hombre y estaba obligado a completar el trabajo que le había dado ese hombre. A cambio, era vestido, alojado y alimentado. Los hombres trabajaban como jornaleros o sirvientes, mientras que las mujeres hilaban o tejían ropa. Muchas esclavas también servían de concubinas a sus amos.

Sin embargo, más allá de esto, la esclavitud azteca comienza a diferir mucho de la versión de esclavitud que surgiría después de que los españoles llegaran y conquistaran a los aztecas, que serían mucho más duros y mucho más castigadores que cualquier cosa que existió durante los tiempos aztecas. Una de las diferencias más impactantes es que a los esclavos aztecas se les permitía poseer bienes, ahorrar dinero, comprar tierras e incluso podrían comprar otros esclavos para ayudarlos a trabajar en estas tierras si tuvieran el dinero para hacerlo. A un esclavo también se le permitía casarse con una mujer libre. Era una práctica relativamente común que una viuda se casara con uno de sus esclavos, convirtiendo a este esclavo en el jefe de la casa. Todos los hijos que tuvieran nacerían libres, al igual que los hijos nacidos de dos esclavos. Uno no podría nacer en esclavitud.

Y a diferencia de lo que se ve a menudo en otras sociedades, los hijos de esclavos no eran excluidos de la sociedad. De hecho, había poco o ningún estigma asociado a nacer de padres esclavos. Itzcoatl, uno de los más grandes emperadores de la historia azteca, era hijo de una esclava. Este estado de ninguna manera afectó su capacidad para ascender en la escala social para asumir una posición de gran estatus y responsabilidad.

Además, la esclavitud no era un estado perpetuo. Había varios caminos muy realistas que un esclavo podía tomar para ganarse su libertad. Por ejemplo, los esclavos eran liberados al morir su amo. No se podían pasar a otro propietario como parte de una herencia.

Los esclavos podían venderse, pero existía una forma de obtener su libertad antes de ser transferidos a otro propietario. En la subasta, eran libres de salir corriendo. Nadie, excepto el amo y el hijo del amo, podrían perseguirlos. Si alguien más los perseguía, el castigo era la esclavitud. Si el esclavo pudiera escapar y llegar al palacio o enclave real cercano, se les otorgaría su libertad de inmediato. Los emperadores también tenían la oportunidad de liberar esclavos. Montezuma II, por ejemplo, fue famoso por emancipar grandes cantidades de esclavos mientras estaba en el poder.

Los esclavos también tenían la oportunidad de comprar su propia libertad. Podrían hacerlo devolviendo a su amo el precio que pagó por ellos. O, en algunos casos, podrían ganarse su libertad encontrando a alguien que ocupara su lugar por ellos. A los hermanos y hermanas se les permitía servir bajo el mismo amo, y las familias se dividían con poca frecuencia. A menudo, una de las imágenes más ásperas de la esclavitud europea es de familias destrozadas para ser vendidas a diferentes amos.

Por supuesto, la esclavitud es esclavitud, pero en el Imperio azteca, fue una versión de esclavitud decididamente más suave que lo que se vio en otros lugares a lo largo de la historia, especialmente en comparación con lo que vendría al Valle de México después de la invasión, la conquista y la colonización española.

En la sociedad azteca, una persona puede convertirse en esclava de diferentes maneras. Los prisioneros de guerra solían ser sacrificados, pero los que no lo eran solían ser vendidos como esclavos. Algunas ciudades-estado requerían a los esclavos como tributo y las ciudades que pagaban tal tributo usualmente buscarían fuera del imperio para que las personas se entregaran a la nobleza.

La esclavitud también era un castigo para algunos delitos. El sistema de justicia azteca no lidió con castigos largos, y eligió castigos más inmediatos y, a menudo, más severos para ciertos delitos. Por ejemplo, si un hombre era sorprendido robando, se vería obligado a trabajar como esclavo de la institución o persona que robó durante un período de tiempo acordado como equivalente al valor de lo que haya sido robado. La única manera de evitar este trabajo forzoso sería pagarle al noble o al templo el valor total de lo que había robado. Como pocos podían hacer esto, la mayoría de los ladrones terminaban en esclavitud en algún momento u otro.

Sin embargo, la razón más importante por la cual una persona terminaría siendo esclava en la sociedad azteca era por elección personal. Borrachos que no podían mantener su tierra (o que estaban a punto de quitársela debido a que permanecían ociosos durante demasiado tiempo), adictos al juego *patolli*, prostitutas que ya no deseaban permanecer en la profesión y deudores que no podrían pagar, entre otros, sacrificarían su libertad de manera rutinaria como una forma de asegurarse de que pudieran llenar sus estómagos y tener un techo sobre su cabeza.

Se convirtió en una práctica común en todo el Imperio azteca el hecho de que las familias entregaran a uno de sus hijos como esclavo como pago de una deuda. Cuando este hijo fuera mayor de edad y pudiera casarse, la familia lo reemplazaría por otro hijo. Este arreglo continuaría hasta que se acordara que la deuda había sido pagada. Si el esclavo falleciera antes de que se completara el pago, la deuda se cancelaría. Por lo tanto, los esclavos que eran pagos de deudas a menudo eran tratados excepcionalmente bien.

Otra diferencia importante entre la esclavitud azteca y la esclavitud europea era que la venta de esclavos no era común e incluso estaba estrictamente regulada. Si un amo ya no era capaz de pagar por todos sus esclavos, entonces él podría intercambiarlos. A menudo, esto implicaría que el esclavo saliera y tratara de encontrar el mejor arreglo para su amo, lo que significaba que no era raro encontrar esclavos que viajaran de forma independiente a través del campo, algo que no se conocía en otras instituciones de esclavitud colonial. Los esclavos también podían venderse cuando se los consideraba inactivos o viciosos. Si el amo podía probar que le había dado al esclavo tres advertencias para que cambiara su conducta y, aun así, el esclavo todavía se negaba a trabajar, entonces se le permitía al amo ponerlo en un collar de madera y llevarlo al mercado para venderlo. Sin embargo, esto no era muy común y solo ocurría en las circunstancias más raras.

Además, los esclavos estaban exentos de pagar impuestos o servir en el ejército. Su único deber era para con su amo, y si un esclavo podía ganarse su libertad, entonces solo estaban en deuda con ellos mismos.

La naturaleza de la esclavitud azteca habla de la fluidez de la sociedad azteca. Si bien es cierto que las clases sociales dividieron a las personas en diferentes grupos según la riqueza, el poder y el privilegio, no había nada que se interpusiera en el camino de alguien que iba desde un esclavo hasta la nobleza. Uno podría ganarse su libertad, asociarse con una ciudad, trabajar y acumular la riqueza y la influencia necesaria para alcanzar una posición más alta en el imperio. Esto, como toda movilidad social, era realmente la excepción en lugar de la norma. Y, como era de esperar, la esclavitud se hizo más prominente en los últimos períodos del Imperio azteca. A medida que la conquista militar se hizo más y más importante, y a medida que más y más tribus fueron forzadas bajo el gobierno azteca, el número de personas puestas en esclavitud aumentó. Este tipo de estratificación social, aunque útil para ayudar al crecimiento del imperio, eventualmente sería una de las desventajas del imperio y es una de las razones por las que era tan vulnerable cuando Cortés y su expedición llegaron al Valle de México en 1519.

Capítulo 6 – La agricultura y la dieta

Para apoyar el tamaño y la expansión del Imperio azteca, que en el momento de la invasión española totalizaba entre 3 y 4 millones de personas, la agricultura debía desarrollarse para poder proporcionar alimentos suficientes para todas estas personas.

Como es el caso en la mayoría de las culturas mesoamericanas, los aztecas no podrían haber llegado a su posición final de dominancia = sin maíz. El maíz es especial por una variedad de razones. Primero, puede crecer en una amplia gama de condiciones de suelo y clima. Se sabe que en Mesoamérica han surgido algunas variedades que se adaptaron específicamente a las condiciones de esa región. Además, el maíz puede ser almacenado. En años de abundancia, las siembras se pueden dejar secar. Luego, cuando se necesitan, pueden regarse y consumirse.

El siguiente alimento básico por debajo del maíz en la dieta azteca fueron los frijoles. La carne no era común en Mesoamérica, lo que ha llevado a algunos a cuestionar la salud nutricional de los aztecas. Pero una dieta llena de maíz y frijoles puede, de hecho, suministrar al cuerpo todos los 11 aminoácidos. Esta designación como "proteína completa" es lo que hace que la carne sea tan importante en la dieta. Pero hay otras formas de adquirir estos nutrientes, que los aztecas parecen haber sido capaces de hacer a gran escala.

El alimento esencial en la cultura azteca, y en gran parte de Mesoamérica hoy, es la tortilla. Estas se hacen mojando primero el maíz en una solución alcalina, generalmente agua mezclada con piedra caliza. Si bien esto se hace por sabor, resulta que este proceso también es útil para liberar aminoácidos adicionales que se encuentran dentro del maíz y que el cuerpo no puede alcanzar por sí solo. Después de que el maíz se haya mojado, se tritura en una masa, se convierte en tortillas planas y se cocina en un horno de arcilla. Se pueden consumir al momento o más tarde. Esto hacía de las tortillas una excelente opción para los hombres que necesitaban viajar lejos por trabajo o para cumplir con su servicio a la nobleza.

Mientras que el maíz y los frijoles representan la mayor parte de la dieta (se comían en casi todas las comidas), la dieta azteca se complementaba con frutas y verduras, como el aguacate, el tomate y el nopal, la fruta de nopal. Los chiles se encuentran frecuentemente en los alimentos aztecas tradicionales y ayudaban a infundir a las personas aztecas las vitaminas A y C, así como la riboflavina y la niacina.

Insectos y gusanos también eran fuentes importantes de proteínas. Otras fuentes de proteínas provienen de las plantas. Por ejemplo, cuando llegaron los españoles, notaron que las mujeres aztecas recolectaban algas de espirulina del lago y las convertían en pasteles y panes. Los extranjeros despreciaban este alimento, pero los aztecas lo apreciaban por su contenido de proteínas y también por sus propiedades medicinales. Los perros, pavos y patos eran los únicos animales domesticados en el mundo azteca, pero se utilizaban con poca frecuencia para la carne. La carne de animales más grandes, como las vacas o los cerdos, era prácticamente inexistente en la dieta azteca.

Para que estos cultivos básicos, frutas y verduras estuvieran ampliamente disponibles en todo el imperio, era importante que la agricultura azteca se adaptara para poder satisfacer la mayor demanda. En general, existen dos tipos diferentes de agricultura: extensiva e intensiva. La agricultura extensiva es pasiva. El riego se realiza con nada más que lluvia, se usa poco o ningún fertilizante, y los agricultores pasan muy poco tiempo desyerbando su parcela. La ventaja de la agricultura extensiva es que requiere muy poco trabajo humano. Pero la principal desventaja es que produce pequeños resultados. En la era azteca temprana, la agricultura extensiva era suficiente, pero a medida que la población se expandía, se hizo necesario adoptar formas de agricultura más intensivas.

La agricultura intensiva recibe su nombre porque es la práctica de trabajar intensivamente un pedazo de tierra para poder maximizar su rendimiento. Los cuatro tipos principales de agricultura intensiva azteca fueron: riego, terrazas, campos elevados y huertos familiares.

La irrigación es el proceso de redireccionar el agua dulce hacia un campo para ayudar a estabilizar el flujo de agua y dar a los cultivos la oportunidad de crecer más rápido. En el centro de México, donde las precipitaciones se producen solo durante la temporada de lluvias, el riego permitió que los aztecas pudieran extender la temporada y también comenzar a regar los cultivos antes de que llegasen las lluvias. Esto les dio una ventaja y les permitió crecer por más tiempo. creando mayores rendimientos que podrían alimentar poblaciones más grandes.

El riego se utilizaba siempre que era posible en el centro de México. Sin embargo, se observaba en mayor grado en el área que ocupa el estado actual de Morelos. Esto es significativo porque muchas de las ciudades en esta área eran las más avanzadas del imperio. La mayoría de los académicos están de acuerdo en que el uso generalizado del riego se produce cuando existe una autoridad central capaz de organizar la mano de obra y administrar los recursos. Cuando los españoles llegaron al valle de México, los aztecas habían aprovechado casi todas las fuentes de agua dulce disponibles. Una mayor intensificación hubiera requerido una coordinación adicional tanto del trabajo como de los recursos de una autoridad central, lo que puede ayudar a explicar por qué los campos irrigados se consolidaron en las partes más prósperas y burocráticas del imperio.

El terraplenado fue otro aspecto importante de la agricultura azteca. Dado que el Valle de México es una región de colinas y montañas, los lugares donde se puede irrigar y cultivar la tierra de forma intensiva son bastante limitados. Las terrazas permitieron a las ciudades y pueblos aprovechar al máximo sus tierras, convirtiendo colinas y montañas en tierras cultivables. La mayoría de las terrazas se hicieron con piedra, pero en algunas áreas donde las pendientes eran menos dramáticas, los agricultores aztecas podían usar plantas trituradas para formar un sólido similar al lodo.

Otro sello distintivo de la agricultura azteca fueron los campos elevados. Muchas de las ciudades-estado que se asociarían con los aztecas vivían en zonas donde los pantanos y las marismas dominaban el paisaje. Para aprovechar al máximo esta tierra, los trabajadores aztecas cavarían una zanja cerca del pantano para drenar el agua. Luego, llevarían lodo y escombros del pantano y lo usarían para rellenar las áreas donde el agua se había drenado. Esto crearía una parcela de tierra sólida que podría ser usada para cultivo.

Estos campos se conocen como *chinampas* y eran conocidos por ser bastante productivos. El lodo y los escombros utilizados para crear el suelo eran materiales orgánicos ricos en todos los nutrientes necesarios para el cultivo. Y como estos campos se construyeron sobre un pantano, había un suministro constante de agua. Además, la mayoría de los pantanos y pantanales se encontraban en la parte sur del Valle de México, que era más cálido y tenían menos riesgo de heladas que muchas otras partes del valle. Estos tres factores hicieron que las *chinampas* se convirtieran en componentes altamente productivos del sistema agrícola azteca. También permitieron la diversificación de cultivos, ya que en la mayoría de las *chinampas* se podían plantar varios cultivos cada año.

El último tipo de agricultura intensiva utilizada en la era azteca fue la jardinería doméstica. Este fue el proceso de usar la tierra en la que vivía una familia para producir alimentos y otros bienes. La mayoría de la evidencia del período sugiere que esta era una práctica común para un ciudadano típico azteca. Los cultivos se fertilizarían con material orgánico del hogar y los miembros de la familia compartirían los deberes de desherbar y cosechar. La productividad de estas parcelas variaba en gran medida según el tamaño del lote y la cantidad de miembros de la familia disponibles para trabajar.

Ninguno de estos métodos de agricultura intensiva era nuevo en Mesoamérica. Habían sido utilizados de una forma u otra durante cientos de años antes de los aztecas. Sin embargo, lo que era exclusivo de los aztecas era la medida en que se usaban estos métodos. La gran mayoría del Valle de México ha sido irrigada o aterrazada en algún momento, y si uno viaja al estado moderno de Morelos, todavía hay *chinampas* en uso o en exhibición para el turismo.

En general, los aztecas lograron expandir la agricultura para satisfacer las necesidades de una población que superaba los tres millones, pero no habían llegado los españoles; vale la pena preguntarse cuánto tiempo habrían durado. La tierra cultivable era escasa y la mayor parte del agua dulce ya estaba en uso. Es imposible saber "qué hubiera pasado si", pero está claro que los aztecas habían aprovechado la máxima capacidad de la tierra que ocupaban.

Capítulo 7 – La religión

La religión jugó un papel importante en la vida de los líderes y ciudadanos aztecas. Crear una lista de todas las diferentes ideologías y deidades dentro de la religión azteca es esencialmente imposible. Esto es en gran parte porque no hay una religión azteca. En cambio, los aztecas combinaron una amplia gama de creencias e ideas de otras culturas mesoamericanas, específicamente los mayas y los toltecas. Sin embargo, hay algunas características definitorias de la religión azteca que ayudan a arrojar algo de luz sobre cómo podría haber sido la vida en el México del siglo XV.

La creación, la vida, la muerte y los cuatro soles

Los aztecas creían que la Tierra en la que estamos viviendo es, de hecho, la quinta Tierra que ha existido. Estas Tierras, o "soles", fueron creadas por los dioses y dejaron de existir en el día que se había predeterminado según la fecha en que fueron creadas. Los seres humanos existían en cada uno de estos soles, pero fueron eliminados por completo por una catástrofe. Esta noción llegaría a definir la religión azteca y también la forma de vida azteca. Esencialmente, creó la idea de que la vida en la Tierra estaba en constante peligro. Si el sol actual en el que vivía la gente no recibía todo su alimento, entonces los aztecas creían que podría dejar de existir y que serían eliminados de la existencia, como cuando se destruyeron los soles anteriores.

El primer sol se llamaba Nahui-Ocelotl, que se traduce como 4-Jaguar. Se eligió este nombre porque se creía que en el primer sol los seres humanos eran destruidos por los jaguares. El segundo sol llegó a su fin debido a Nahui-Ehecatl, o 4-Viento. La creencia era que un huracán mágico convirtió a todas las personas en la Tierra en monos. El tercer sol, Nahui-quiahuitl, 4-Lluvia, terminó cuando Tlaloc, el dios de la lluvia y el trueno, desató una lluvia de fuego sobre la Tierra. Por último, el cuarto sol, Nahui-Atl, 4-Agua, terminó en una inundación que duró 52 años. Se dice que solo un hombre y una mujer sobrevivieron a esta inundación, y fueron rápidamente convertidos en perros por el dios Tezcatlipoca porque desobedecieron sus órdenes.

El quinto sol, que representa a la humanidad actual, fue creado por Quetzalcóatl, el dios de la Serpiente de las plumas. La leyenda habla de que Quetzalcóatl roció su sangre sobre los huesos secos de los muertos, lo que a su vez ayudó a que los huesos cobraran vida y crearan a la humanidad como hoy la conocemos. Este sol actual se llama Nagui-Ollin, o 4-Terremoto, porque supuestamente está condenado a desaparecer en un terremoto gigante en el que los monstruos de esqueleto del oeste, el *tzitzimine*, vendrán para matar a todas las personas.

Los aztecas creían que dos seres primordiales eran responsables de la creación de la vida y de todos los seres vivos, incluidos los dioses. Eran Ometecuhtl, el Señor de la Dualidad, y Omeciuatl, la Dama de la Dualidad. Esta Tierra existe entre 13 cielos, que están por encima de la Tierra, y 9 infiernos, que se encuentran debajo de la superficie de nuestro mundo. Estos creadores supremos viven en el cielo 13, y aunque en gran parte se han retirado de la administración del mundo, todavía son responsables de toda la creación y la muerte.

Los descendientes del Señor y la Señora de la Dualidad fueron los dioses responsables de la creación de esta Tierra. La historia en la religión azteca es que los dioses se habían reunido en Teotihuacán en el crepúsculo, y un dios se lanzó al fuego como un sacrificio. Cuando salió del fuego, se había transformado en un sol. Sin embargo, él no podía moverse. Necesitaba sangre para romper su ociosidad, que los otros dioses proveían voluntariamente sacrificándose. La vida se creó esencialmente a partir de la muerte, una ideología que estaría en el centro de la religión y el pensamiento azteca a lo largo de su período de dominio en el Valle de México.

Las creencias aztecas en la vida después de la muerte son bastante sombrías en comparación con otras culturas y religiones. Según la tradición azteca, cualquier persona que muriera de lepra, hidropesía, gota o enfermedades pulmonares era enviada al viejo paraíso del dios de la lluvia Tlaloc porque se creía que él había sido el motivo de su muerte. Debido a esta selección especial de uno de los dioses, las almas de estos individuos eran enviadas al paraíso.

Después de eso, había dos categorías principales de personas que subían a los cielos con el sol cuando morían. Estas dos categorías eran: guerreros que morían en batalla o que eran sacrificados y los mercaderes que eran asesinados en tierras lejanas, y mujeres que morían dando a luz a su primer hijo.

El resto de la gente era enviada a Mictlan, la tierra de los 9 infiernos que existen debajo de la Tierra. Se dice que se tardaba cuatro años en viajar a través de los 9 infiernos, y una vez que finalmente llegaban allí, desaparecerían por completo. De vuelta en la Tierra, los antepasados darían ofrendas 80 días después de la muerte de alguien, y luego en cada aniversario de su muerte durante los próximos cuatro años. Después del cuarto año, se rompía la conexión entre los vivos y los muertos.

Esta versión de la realidad es sin duda impactante para los lectores de hoy en día, pero ayuda a comprender mejor a los aztecas y su forma de vida. Dos temas importantes emergen de esta historia de la creación. La primera es que los aztecas creían que el mundo estaba en constante peligro. Cuatro mundos habían sido creados antes de este, y no hay razón para creer que este mundo no sufrirá el mismo destino.

La otra versión de la historia de la creación azteca es la importancia de la sangre para mantener vivo este mundo. Desde que el primer dios que se lanzó al fuego se convirtió en un sol pero no podía moverse hasta que recibió la sangre de los otros dioses, los aztecas sintieron que su principal deber era proporcionar sangre a la Tierra para que continuara moviéndose y defenderse de su muerte inminente. Y la versión azteca de lo que sucede después de la vida servía para reforzar esta idea. Nada los esperaba después de la muerte, por lo que la única motivación para vivir era proporcionar sangre para la existencia continua de esta Tierra. Esta es la razón principal por la que el sacrificio humano se convirtió en un aspecto tan esencial de la religión y el estilo de vida azteca, y también por la razón de que la guerra era una parte tan integral del funcionamiento y la gestión del Imperio azteca.

Sacrificio humano

Quizás algunas de las imágenes más influyentes de los aztecas que han salido de Hollywood y de otros medios de la cultura pop son las de un sacerdote azteca, que se encuentra en la punta de uno de sus templos piramidales, sosteniendo el corazón de una persona que acaba de ser sacrificada. Esta imagen no refleja la totalidad del Imperio azteca. Pero sería un error minimizar la importancia de esta práctica para los aztecas y el papel que desempeñó en las decisiones del día a día de casi todos en el imperio, desde el soberano hasta el esclavo.

Dado que el destino de la Tierra dependía de que las personas la alimentaran con sangre todos los días, los aztecas creían que la vida en sí también requería sangre. Negar a la Tierra la sangre que necesitaba para sobrevivir sería matar toda la vida que vivió en la Tierra y, finalmente, la Tierra misma. Debido a esta perspectiva, el sacrificio se convirtió en un deber esencial para casi todos los aztecas.

Los sacrificios se llevaban a cabo de diferentes maneras. Lo más común era que tuvieran lugar en un templo. La víctima estaba tendida de espaldas sobre una piedra circular. Esto dejaría su torso expuesto a los cielos con la cabeza y los pies cerca del suelo. Cuatro sacerdotes serían responsables de sostener al súbdito, y cuando lo aseguraran, un quinto vendría con un cuchillo de pedernal para cortar su pecho y arrancarle el corazón sangrante.

Otra forma de sacrificio se asemeja a la tradición de los gladiadores en la antigua Roma. Primero, la víctima tenía una piedra enorme atada a su pierna para frenarle y limitar su movimiento. Luego se le entregarían armas de madera y se le enviaría a luchar contra aztecas armados con armas normales. Era una pelea injusta por decir lo menos, y generalmente terminaba con el súbdito para ser sacrificado sangriento y herido. Luego lo llevarían a una piedra donde los sacerdotes realizarían una ceremonia similar a la de otras víctimas sacrificiales. Sin embargo, cuando el sacrificio se llevaba a cabo de esta manera, existía la posibilidad de que la víctima pudiera escapar. De tener éxito en luchar contra los guerreros aztecas, entonces se evitarían el sacrificio. Sin embargo, esto rara vez sucedía dada la posición desventajosa del cautivo.

Había otras formas de sacrificar a las personas además de cortar su corazón. Las mujeres eran sacrificadas en nombre de la diosa de la Tierra, y esto se hacía cortando sus cabezas sin sospechar mientras bailaban. Para hacer ofrendas a Tlaloc, el dios de la lluvia, ahogaban a los niños y los sacrificios al dios del fuego se hacían arrojando a la gente al fuego. Para honrar al dios Xipe Totec, los cautivos eran atados, disparados con flechas y luego desollados. Era una práctica común vestir a los que se sacrificarían a imagen de los dioses. De esta manera, cuando se derramaba sangre, era la sangre de un dios que se ofrecía, lo que refleja la forma en que los aztecas entendían la creación de la Tierra y todos los seres vivos que la ocupan.

Este compromiso con el sacrificio humano tuvo un impacto considerable en el curso general del Imperio azteca en una variedad de formas diferentes. Primero, creó la necesidad de una guerra casi constante. La expansión inicial de las ciudades-estado aztecas crearon un gran área de comunidades pacíficas. No habría sido sostenible para los sacerdotes y gobernantes recurrir a su propio pueblo para sacrificar súbditos. Pero la necesidad de calmar la sed de los dioses se mantenía, razón por la cual la mayoría de las ciudades-estado aztecas estaban constantemente en guerra. Fue una fuente de gran orgullo para los guerreros que tomaron parte en estos conflictos poder traer a los cautivos a casa para sacrificarlos a los dioses. Debido a esto, las batallas con los aztecas a menudo parecían bastante extrañas. Muchos de los guerreros intentaban matar a la menor cantidad de personas posible, esperando en cambio llevar a los prisioneros con ellos, ya que esto les daría gloria y respeto.

La otra forma en que la práctica del sacrificio afectaba a la civilización azteca era en la forma en que hizo aparecer a los españoles cuando finalmente establecieron contacto con la civilización del "Nuevo Mundo". Si bien los españoles no eran santos, la imagen de las personas a quienes se les arrancaba el corazón del pecho mientras se inclinaban sobre una piedra era algo difícil de soportar para los recién llegados. Fue por esto que los colonos españoles llegaron a ver a los dioses aztecas como demonios y a la religión azteca como algo del mal. Esto inculcó en ellos la responsabilidad de librar a México y su gente de estos malos caminos.

Si bien la idea del sacrificio humano parece cruel para los que estamos armados en retrospectiva, no sería prudente juzgar a toda la sociedad azteca en base a esta práctica. De hecho, era violento, pero también estaba en línea con su visión del mundo y lo que se necesitaba para preservar su existencia. Las civilizaciones a lo largo del tiempo, incluyendo el presente, han encontrado diversas razones y métodos para matar a grandes cantidades de personas al mismo tiempo. Podemos mirar hacia atrás y cuestionar las prácticas de los aztecas, pero al hacerlo, es importante también observar lo que se está haciendo actualmente que puede verse con el mismo nivel de conmoción y asombro por parte de alguien que llega del exterior.

Los dioses

Está claro que la vida azteca estaba muy centrada en la religión. El principio central de casi toda su expansión militar y civil era asegurarse de que los dioses estuvieran satisfechos y que la Tierra tuviera la sangre que necesitaba para continuar existiendo. Además, uno de los principales deberes de cualquier soberano, dignatario o noble era proteger el templo local para que los dioses pudieran recibir la adoración que se les debía.

La práctica de las religiones formales tenía dos formas: sacrificios humanos y ceremonias que tenían lugar en los templos, y adoración en casa. La mayoría de las ciudades y pueblos tenían un dios protector al que estaban dedicados, y los plebeyos establecían altares en sus hogares con los ídolos de estos dioses para que pudieran adorarlos cuando lo consideraran oportuno. Una de las responsabilidades que las mujeres asumieron como amas de casa era encender el incienso, mantener la casa limpia para los dioses y asegurarse de que el altar se mantuviera lo suficiente, así como reunir ofrendas para cualquiera que haya muerto en los cuatro años anteriores.

Pero, ¿quiénes eran exactamente estos dioses? ¿Cómo entendieron los aztecas lo sobrenatural? Como se desprende de las diversas historias de creación y las razones del sacrificio, los aztecas tenían muchos dioses, casi demasiados para contarlos. Se creía que todos los dioses descendían del mencionado Señor y Señora de la Dualidad. Pero estos dioses estaban muy alejados de la administración real del mundo azteca. En cambio, el Señor y la Señora de la Dualidad se sentaron en el cielo 13, creando dioses, humanos y Tierras como lo consideraron oportuno.

Muchos de los dioses aztecas son manifestaciones de otros dioses aztecas, aunque en formas diferentes, pero muchos otros se destacan por sí mismos como deidades separadas. Entonces, aunque es imposible compilar una lista de todos los dioses que adoraban los aztecas, es posible reducir la lista a unos pocos dioses principales que formarían la base de la religión azteca.

Quetzalcóatl

La historia de Quetzalcóatl, uno de los dioses más importantes de la religión azteca, es vital tanto para el origen como para la eventual desaparición de los aztecas. Los aztecas tenían sus raíces en el pueblo tolteca del norte de México. En esta cultura, Quetzalcóatl era el sacerdote-rey de Tula, la capital tolteca. Como gobernante, Quetzalcóatl nunca ofreció víctimas humanas para el sacrificio, eligiendo en cambio derramar la sangre de serpientes, pájaros y mariposas. Sin embargo, fue expulsado de Tula por otro dios tolteca, Tezcatlipoca. Cuando esto sucedió, Quetzalcóatl comenzó a vagar hacia el sur. Después de caminar a lo largo del "agua divina" (el Océano Atlántico), Quetzalcóatl se suicidó y emergió como el planeta Venus (otra conexión entre la destrucción y la creación).

Hay razones para creer que alguna versión de estos eventos realmente sucedió. Las primeras civilizaciones toltecas practicaban la teología y se centraban en una vida pacífica y no violenta. Sin embargo, los gobernantes responsables de difundir esta cosmovisión fueron derrocados por una aristocracia militar con una perspectiva decididamente más militarista. Los viajes de Quetzalcóatl al sureste podrían referirse a la invasión de Yucatán por parte de los itza, una tribu que estaba estrechamente asociada a los toltecas.

Una de las conexiones más significativas entre Quetzalcóatl y la historia, sin embargo, se refiere a la eventual caída y destrucción del Imperio azteca. La leyenda decía que Quetzalcóatl regresaría de su viaje en un año de 1 Caña (consulte la descripción del calendario a continuación). El año 1519, cuando Hernán Cortés y su equipo de conquistadores llegaron a la costa del Golfo de México fue, de hecho, un año de caña. Esto llevó al gobernante de los aztecas en ese momento, Moctezuma, a considerar la llegada de los españoles como algo divino. Pensó que los recién llegados podrían ser la encarnación de Quetzalcóatl, y esto hizo que los recibiera con los brazos abiertos. Obviamente, esto demostró ser un error fatal, ya que el Imperio azteca se derrumbaría pocos años después de su primer contacto con los españoles.

Quetzalcóatl representó muchas cosas para muchas personas diferentes. Primero fue concebido para ser el dios de la vegetación, o de la tierra y el agua. En este sentido, estaba estrechamente relacionado con Tlaloc, el dios de la lluvia. Después de un tiempo, el culto de Quetzalcóatl comenzó a venerarlo como un cuerpo celestial, vinculándolo con la estrella de la mañana y la de la tarde. Durante el mejor momento de los aztecas, Quetzalcóatl fue el patrón de los sacerdotes, el inventor del calendario y los libros, y el protector de los orfebres y otros artesanos. Y también estaba estrechamente relacionado con el planeta Venus. A Quetzalcóatl también se le atribuye el traer vida a esta Tierra. Él fue el que viajó a Mictlan para recoger los huesos de los muertos. y usó su sangre para darles vida, enfatizando aún más el papel de la sangre y el sacrificio en la creación de la vida.

Huitzilopochtli

Huitzilopochtli, o Uitzilopochtli, como a veces se deletrea, es, junto con Tlaloc, una de las dos principales deidades en la religión azteca. Considerando que Huitzilopochtli era el dios del sol y la guerra, no debería sorprender que ocupara una posición tan prominente en la religión azteca. Los aztecas creían que los guerreros volverían a la Tierra como colibríes, y esta es la razón por la que Huitzilopochtli se representa a menudo en pinturas y esculturas como tal.

Parte de la razón por la que Huitzilopochtli ocupa un papel tan prominente en la religión azteca es que se le atribuye la guía del viaje que los aztecas hicieron desde Aztlán, su hogar tradicional en el norte de México, hasta el valle de México. Los sacerdotes que iban en esta expedición llevaban estatuas e ídolos en forma de colibrí. Se dice que por la noche aparecería Huitzilopochtli y daría órdenes a los viajeros sobre dónde podrían encontrar un lugar adecuado para establecerse. Fue Huitzilopochtli quien les informó sobre el nopal y el águila que marcarían el lugar del asentamiento de Tenochtitlán. Debido a esto, uno de los primeros proyectos de construcción que se llevó a cabo en la nueva ciudad fue un santuario de Huitzilopochtli. Este santuario se convertiría más tarde en un templo y fue ampliado por cada gobernante hasta 1487 cuando el emperador Ahuitzotl construyó otro templo más grande dedicado al dios.

Si bien se consideró que el sacrificio humano era necesario para apaciguar a todos los dioses, tuvo un papel prominente en la adoración azteca de Huitzilopochtli. Ya que él era el dios del sol, y como los soles requieren que exista sangre, era importante que Huitzilopochtli recibiera una cantidad adecuada de sangre cada día.

Si no lo hizo, entonces los aztecas creían que estarían poniendo a todo su mundo en riesgo de aniquilación total. Dado que los aztecas creían que las personas eran hijos del sol, consideraban que era su responsabilidad proporcionar la sangre para que Huitzilopochtli y el sol siguieran existiendo.

Otra forma de ver la importancia de Huitzilopochtli en la religión azteca fue la forma en que organizaron al clero. El sumo sacerdote de Huitzilopochtli, junto con el de Tlaloc, el dios de la lluvia, era la cabeza de todo el clero azteca. Un mes completo del calendario del año ritual era dedicado solo a Huitzilopochtli. Estas ceremonias involucrarían a guerreros que bailaban frente al templo del Dios día y noche. Los prisioneros de guerra y algunos esclavos eran bañados en un manantial sagrado antes de ser sacrificados. Además, una imagen gigante de Huitzilopochtli estaba hecha de maíz, que luego fue matada ceremoniosamente, con el maíz dividido entre los sacerdotes y los novicios. Si uno consumía el cuerpo de Huitzilopochtli, entonces se esperaba que lo sirvieran durante al menos un año, aunque la mayoría de la evidencia sugiere que los sacerdotes extenderían esta obligación de servicio voluntariamente.

Huitzilopochtli fue, de lejos, uno de los dioses más importantes de la religión azteca. Su conexión con la guerra y el vínculo directo entre su apaciguamiento y el sacrificio humano ayudaron a configurar la forma en que el mundo azteca se desarrollaría y expandiría por todo el Valle de México.

Tlaloc

Junto a Huitzilopochtli en la jerarquía divina está Tlaloc, el dios de la lluvia azteca. La palabra Tlaloc se traduce del náhuatl y significa "aquel que hace brotar las cosas". Tlaloc solía representarse como un hombre con una máscara peculiar, ojos grandes y largos colmillos. Se utilizaron representaciones similares para el dios de la lluvia maya, Chac, lo que sugiere una relación cercana entre los dioses adorados durante el período maya y azteca.

La adopción de Tlaloc, no solo como el dios de la lluvia, sino como uno de los dioses principales del panteón azteca representa la naturaleza sincrética de la religión azteca. La evidencia sugiere que las tribus agrícolas en Mesoamérica habían adorado a Tlaloc durante siglos. Al vivir en tierras más fértiles, la guerra era una prioridad menor para estas personas, lo que significaba que les parecía más prudente dedicar su espiritualidad a maximizar los rendimientos que les daba la Madre Tierra. Cuando los aztecas se mudaron al valle de México desde el norte, trajeron con ellos a sus dioses guerreros, pero poco a poco adoptaron a Tlaloc como un igual.

Un total de seis meses del calendario ritual eran dedicados a Tlaloc. Durante estos meses, la gente participaría en una amplia gama de ceremonias y rituales diseñados para honrar a Tlaloc y agradecerle por regalarles lluvia y agua para sustentar la vida. Algunos de estos rituales incluían bañarse en el lago, bailar y cantar con sonajeros mágicos de niebla (dispositivos que hacían un sonido fuerte y ruidoso) para obtener lluvia, y hacer, matar y comer ídolos hechos de pasta de amaranto.

Parte de la razón por la que se prestaba tanta atención a Tlaloc es porque era reverenciado y temido. Aunque era responsable de traer lluvias y de ayudar a que la tierra fuera abundante, también podía ser bastante vengativo. Las sequías, los rayos y los huracanes, entre otros desastres naturales, se atribuyeron a Tlaloc. También podría enviar diferentes tipos de lluvia según su estado de ánimo, y también se le acreditó por ciertas enfermedades, como la hidropesía y la lepra. Debido a que Tlaloc podía ser benevolente o estar de mal humor, los aztecas consideraron que era necesario dedicar tanto más tiempo como energía a su adoración, con la esperanza de que eso lo mantuviera feliz y le impediría desatar su ira contra el pueblo azteca.

El sumo sacerdote de Tlaloc se unió al sumo sacerdote de Huitzilopochtli para formar la cima del clero azteca. Además, el Teocalli (Gran Templo) en Tenochtitlán tenía espacios iguales dedicados a Huitzilopochtli y Tlaloc. Esta importancia compartida entre Huitzilopochtli y Tlaloc nos ayuda a comprender mejor cómo veían los aztecas el mundo. Ellos entendieron su existencia como algo precioso que estaba en constante peligro. Dependía de ellos servir a los dioses lo suficiente para asegurarse de que les darían el tiempo y el espacio para seguir viviendo en la Tierra.

Chalchihutlicue

Como esposa de Tlaloc, Chalchihutlicue es una de las diosas más importantes del panteón azteca. Su nombre se traduce del náhuatl como "aquella que lleva una falda de jade". Chalchihutlicue es la diosa de los ríos, lagos, arroyos y otros cuerpos de agua dulce, y fue la gobernante del sol anterior que existía antes de este. Fue durante su reinado que el maíz fue plantado y cultivado por primera vez; por lo tanto, ella está asociada con este importante cultivo.

Coatlicue

Otra diosa importante es Coatlicue (náhuatl: "Falda de serpiente"). Ella es la diosa de la Tierra, y es tanto la creadora como la destructora. Madre tanto de los dioses como de los mortales, ella ocupa una posición de prominencia que está por encima de la mayoría de las otras deidades. Ella está más cerca del Señor y la Señora de la Dualidad que la mayoría.

Este dualismo de creación y destrucción define la comprensión y representación azteca de Coatlicue. Se usan dos serpientes con colmillos para crear su rostro, y su falda está hecha de serpientes tejidas. Como era responsable de alimentar tanto a los dioses como a las personas, tenía grandes pechos flácidos. Ella lleva un collar que está hecho de manos, corazones y una calavera. Estos artículos se usaron porque se creía que Coatlicue se alimentaba de cadáveres: la Tierra se come todo lo que muere. Debido a su posición de poder y dominio en la religión azteca, Coatlicue aparece en muchas formas diferentes, tomando la forma de Cihuacóatl, la diosa del parto, y también Tlazoltéotl, la diosa de la impureza sexual y el comportamiento incorrecto.

Los dioses aztecas son diversos y numerosos. Pero jugaron un papel central en dar forma a la manera en que los aztecas vivían sus vidas. Gran parte de sus vidas cotidianas transcurrían tratando de apaciguar a los dioses, y uno de los componentes de la estrategia expansionista del imperio era adquirir cautivos para ser sacrificados. Podemos mirar hacia atrás y considerarlo crudo, pero este enfoque estaba en línea con su visión del mundo y su sistema de creencias.

El calendario

Una parte importante de la religión azteca era su calendario. Sí, tenían más de uno. Los calendarios ayudaban a organizar prácticas agrícolas y festivales, pero también eran importantes en la coordinación de ceremonias y rituales durante todo el año. El propósito de este calendario era asegurarse de que cada dios obtuviera la debida adoración.

Los dos calendarios son bastante diferentes. El *xiuhpohualli*, o año, es el calendario agrícola. Se basaba en el sol y las estaciones, ayudando a los aztecas a hacer un seguimiento del tiempo y tomar decisiones sobre cuándo plantar, regar, cosechar, etc. Este calendario había estado en uso en Mesoamérica de una forma u otra desde la época de la Maya.

Este calendario azteca es bastante diferente al que usamos hoy, aunque tiene algunas similitudes. Por ejemplo, los aztecas sabían que un año duraba 365 días; podrían resolver esto siguiendo el movimiento del sol en el cielo a lo largo de un año. Sin embargo, el calendario es diferente en que se divide en 18 meses, y cada mes tiene 20 días. Si hace los cálculos, se dará cuenta de que 18 multiplicado por 20 es solo 360. Los otros cinco días se dejaron para el final del año y no se les dio ningún nombre. Los aztecas consideraban estos días muy desafortunados. Pasarían el final de cada año en los templos haciendo sacrificios para evitar que algo malo sucediera durante estos días de mala suerte.

El *tonalpohualli*, o día, es el calendario ritual de los aztecas. Solo hay 260 días en este calendario, y cada día tiene un número y signo correspondientes. En total, hay 20 signos, y cada uno representa una deidad diferente. Estos incluyen:

- Cocodrilo
- Viento
- Casa
- Lagarto
- Serpiente / serpiente
- Muerte
- Ciervos
- Conejo
- Agua
- Perro
- Mono
- Hierba
- Caña
- Jaguar
- Águila
- Buitre
- Terremoto

- Piedra

- Lluvia

- Flor

El primer día del *tonalpohualli* es 1 cocodrilo. Los números aumentan, alineándose con su signo apropiado, hasta el 13. No está claro por qué se eligió este número. Pero después de 13, los números se reinician. Pero como hay veinte señales, el mes siguiente no comienza con 1 cocodrilo. Así que el primer mes termina en 13 Hierba y comienza en 1 Caña. El segundo mes continúa 13 días y finaliza el 13 de Muerte, y el tercer mes comienza con 1 Ciervo y termina con 13 Lluvia, con el cuarto mes comenzando con 1 Flor. Este ciclo continúa y, después de 260 días, vuelve a 1 cocodrilo y comienza un nuevo año ritual.

Los dos calendarios se ejecutan uno al lado del otro, y el calendario ritual se utiliza como una forma de seguir la pista de qué dios debe ser adorado en una parte particular del año. Los dos calendarios se alinean cada 52 años. Este momento marca el comienzo de un nuevo siglo azteca. Pero el día en que los dos calendarios coincidían era de gran angustia. Cincuenta y dos años se consideraban como un ciclo de vida de la Tierra, y al final de cada ciclo de vida, estaba dentro de los derechos de los dioses tomar todo lo que habían creado y destruirlo. Una vez más, podemos ver cómo la cosmovisión azteca estaba dominada por la creencia de que los dioses podrían destruir este mundo en prácticamente cualquier momento.

Otra forma en que los dos calendarios se unían era en el nombramiento de los años. Cada año en 365 días el *xiuhpohualli* recibía el nombre por el día en el que terminaba el *tonalpohualli*. Entonces, por ejemplo, el primer año en el calendario azteca se llama 1 Caña porque el primer calendario de 365 días terminó en 1 Caña en el *tonalpohualli*. Como cada año termina en un día diferente, cada año tiene su propio nombre. Un año podría ser 12

Cocodrilo, 4 Hierba, 5 Muerte, etc. Esto ayuda a organizar los años y a especificar cuándo ocurrieron los eventos, aunque la mezcla de los dos ciertamente hace que sea un desafío para los extranjeros entender cómo miden el tiempo los aztecas.

Se ha trabajado mucho para intentar recrear completamente el calendario azteca y vincularlo con otros sistemas de calendario mesoamericanos. Al hacer esto, los historiadores y los arqueólogos han podido verificar las fechas de algunos de los eventos más importantes en la historia azteca, específicamente las fechas de nacimiento y muerte de los gobernantes prominentes, las fechas de conquista y las campañas militares, y también las fechas de interacción con el español.

Capítulo 8 - Deportes

Si bien gran parte de la vida azteca estaba ocupada adorando a los dioses, trabajando la tierra y brindando tributo a la nobleza, no todo era trabajo. Había tiempo para la recreación, y un juego de pelota azteca era una de las actividades más populares.

Este juego en particular, que es similar en reglas y naturaleza al voleibol o al racquetball, se jugaba en toda Mesoamérica. Adquirió especial importancia en el Imperio azteca en gran parte porque se usó como escenario para el sacrificio humano, pero también porque estaba relacionado con el entrenamiento militar.

El juego se jugaba en una cancha de piedra y con una pelota de goma. Los jugadores pasan la pelota de un lado a otro utilizando prácticamente cualquier parte del cuerpo que puedan, excepto sus manos. Podrían usar sus antebrazos, piernas, caderas, o cabeza. Había muchas variaciones diferentes del juego, ya que cada ciudad o aldea tenía sus propias reglas de juego.

La importancia del juego también variaba enormemente en Mesoamérica. Se jugaba con frecuencia en entornos informales, con grupos de aldeanos reuniéndose y jugando por diversión. Sin embargo, a medida que avanzaban los aztecas, se construían grandes estadios donde el juego se jugaba frente a grandes multitudes de personas. Estos juegos formales eran altamente rituales, y algunas culturas incluso los ataban al sacrificio humano. Los ganadores, los perdedores o ambos serían sacrificados a los dioses después del juego. Es por esta razón que el juego de pelota azteca, que a menudo se conoce como ulama o pok-a-tok, aunque su nombre original aún se desconoce, ha sido calificado como un juego sangriento, brutal y violento.

Pero la verdad no es que todos los que jugaban el juego lo hacían con el propósito de sacrificarse. Dicho esto, sin embargo, se sabe que el juego causa lesiones graves e incluso la muerte. La bola grande y pesada puede infligir bastante daño en el cuerpo de una persona cuando golpea. Cuando los españoles llegaron a México, se asombraron con este juego, pero rápidamente lo etiquetaron como el trabajo del diablo cuando vieron a algunas personas usarlo como un medio para el sacrificio humano.

Patolli es otro deporte que fue popular entre los aztecas, aunque la gente lo había estado practicando en Mesoamérica durante siglos antes. Es un juego de mesa de azar y habilidad. La mesa tiene la forma de una cruz y los jugadores necesitan mover sus piedras sobre la mesa. Las apuestas eran comunes y en algunos lugares incluso integrales al juego. La gente apostaba piedras, gemas, comida y, a veces, incluso sus propias vidas. Patolli es uno de los juegos más antiguos del mundo y todavía se juega en muchas partes de América Central en la actualidad.

Conclusión

En solo unos pocos cientos de años, los aztecas pudieron avanzar de un grupo de cazadores y recolectores no deseados a una de las civilizaciones más grandes y avanzadas del mundo antiguo. Con el tiempo, una tradición militar dedicada se combinó con la hegemonía cultural y las instituciones políticas efectivas para formar un imperio en pleno funcionamiento y en expansión.

Sin embargo, la civilización azteca estaba lejos de ser perfecta. Su estado despótico requería una guerra constante, y el sistema extractivo de impuestos y tributos, así como una sociedad fuertemente estratificada, significaba que los aztecas tenían muchos enemigos cuando los españoles llegaron sedientos de sangre y oro en 1519. Solo unos pocos años después de que Cortés aterrizara en la costa del Golfo de México, el poderoso Imperio azteca caería y desaparecería en los libros de historia. Pero esto no sucedió antes de que los aztecas hicieran una contribución significativa al desarrollo histórico y cultural de Mesoamérica.

Todavía hay muchas personas vivas hoy en día que pueden rastrear su herencia a los aztecas y el gran imperio forma parte de la identidad mexicana moderna. No se sabe qué pudieron haber logrado los aztecas si no hubieran llegado los españoles o si hubieran tenido inmunidad contra las muchas enfermedades que los invasores llevaban consigo. Sin embargo, a pesar de una derrota repentina e inoportuna, los aztecas todavía se consideran una de las civilizaciones humanas más grandes que se hayan formado.

Bibliography

Hernán Cortés Biography, Biography.com,

The Lost Zapotec: Vibrant Mesoamerican Civilization of the Cloud People, Ancient Origins, 2013-201.

These Zapotec Facts are Really Intriguing, Historyplex, 2018.

Zapotec Civilization, Ancient History Encyclopedia, Mark Cartwright, October 28, 2013.

Zapotec Civilization, Maya Inca Aztec, 2017.

Zapotec Civilization: A Civilization of the "Cloud People," Ancient Civilizations, June 18, 2016.

Zapotec Digs in Mexico Show Clues to Rise and Fall, National Graphic News, John Roach, March 9, 2009.

https://study.com/academy/lesson/why-is-monte-alban-historically-important.html - Image

Adams, Richard E. W. and MacLeod Murdo J. *The Cambridge history of the native peoples of the Americas Volume II: Mesoamerica*, Cambridge, Cambridge University Press, 2008.

Carmack, R.M., Gasco J. and Gossen G.H. *The Legacy of Mesoamerica: History and Culture of a Native American Civilization*, New York, Routledge, 2007.

Coe, Michael D. and Koontz Rex. *Mexico – From the Olmecs to the Aztecs,* London, Thames and Hudson, 2013.

Bernal, Ignacio. *The Olmec world*, Berkley, University of California Press, 1969.

Hassig, Ross. *War and Society in Ancient Mesoamerica*, Berkley, University of California press, 1992.

Koontz R., Reese-Taylor K. and Headrick A. *Landscape and power in ancient Mesoamerica*, Boulder , Westview Press, 2001.

Pool, Christopher. *Olmec Archeology and Early Mesoamerica*, Cambridge, Cambridge university Press, 2007.

Staller, John E. and Carrasco Michael. *Pre-Columbian Foodways: Interdisciplinary Approaches to Food, Culture, and Markets in Ancient Mesoamerica*, New York, Springer, 2010.

Rosenswig, Robert M. *The Beginnings of Mesoamerican Civilization: Inter-regional interactions and the Olmecs*, Cambridge, Cambridge University Press, 2010.

The Olmec and Toltec: The history of early Mesoamerica's most influential cultures, by Charles Rivers Editors, 2016.

Adams Richard E. W. y MacLeod Murdo J., *La historia de Cambridge de los pueblos nativos de las Américas Volumen II: Mesoamérica, parte 1*, Cambridge, Prensa de la Universidad Cambridge, 2008.

Adams Richard E. W. y MacLeod Murdo J., *La historia de Cambridge de los pueblos nativos de las Américas Volumen II: Mesoamérica, parte 2,* Cambridge, Prensa de la Universidad Cambridge, 2008.

Ardren Traci, *Antiguas mujeres mayas,* Lanham, Rowman & Littlefield Publishers, Inc., 2002.

Carmack R. M., J. Gasco y G. H. Gossen, *El legado de Mesoamérica: Historia y cultura de una civilización americana nativa*, Nueva York, Routledge, 2007.

Coe Michael D., *Rompiendo el código Maya*, Londres, Támesis y Hudson, 2012.

Coe Michael D. y Houston Stephen, *Los Maya: Novena edición*, Londres, Támesis y Hudson, 2015.

Foias Antonia E., *Antiguos mayas dinámica política*, Tampa, Prensa de la Universidad de Florida, 2013.

Foster Lynn V., *Manual para la vida en el mundo antiguo del maya*, Nueva York, Hechos en el archivo, Inc., 2002.

George Charles y Linda, *Civilización maya*, Farmington Hills, Lucent Books, 2010.

Goetz Delia, *Popol Vuh: El libro sagrado del antiguo Quiché Maya*, Norman, Prensa de la Universidad de Oklahoma, 1950.

Hassig Ross, *Guerra y sociedad en la antigua Mesoamérica*, Berkley, Prensa de la Universidad de California, 1992.

Koontz R., Reese-Taylor K. y Headrick A., *Paisaje y poder en la antigua Mesoamérica*, Boulder, Prensa de Westview, 2001.

Kurnick Sarah y Baron Joanne, *Estrategias políticas en la Mesoamérica precolombina*, Boulder, Prensa de la Universidad de Colorado, 2016.

Lohse Jon C. y Valdez Jr. Fred, *Plebeyos mayas antiguos*, Austin, Prensa de la Universidad de Texas, 2004.

Mazariegos Oswaldo C., *Arte y mito de los antiguos mayas*, Londres, Prensa de la Universidad de Yale, 2017.

McKillop Heather I., *Los antiguos mayas: nuevas perspectivas*, Santa Bárbara, ABC-CLIO, Inc., 2004.

Sharer Robert J., *Vida cotidiana en la civilización maya*, Londres, Prensa de Greenwood, 2009.

Thompson John S.E., *Historia y religión mayas*, Norman, Prensa de la Universidad Oklahoma, 1990.

Werness-Rude Maline D. y Spencer Kaylee R., *Imágenes, arquitectura y actividad maya: el espacio y el análisis espacial en la historia del arte*, Albuquerque, Prensa de la Universidad de New Mexico, 2015.

Alcock et al. *The Aztec Empire and the Mesoamerican World System* in *Empires: Perspectives from Archaeology and History*, ed. Susan E. Alcock pp. 128–154. Cambridge University Press: New York.

Del Castillo, B. D. (1910). *The True History of the Conquest of New Spain* (Vol. 2)

Getty Research Institute (2010). *The Aztec Calendar Stone*. Los Angeles.

Murphy, J. (2015). *Gods and Goddesses of the Maya, Aztec and Inca*. Britannica Educational Publishing: New York.

Smith, M. E. (2013). *The Aztecs*. John Wiley & Sons.

Soustelle, J. (1968). *Daily Life of the Aztecs*. Courier Corporation.

Villela, Khristaan D., and Mary Ellen Miller (eds.)

Whittington, E. Michael, ed. (2001) T*he Sport of Life and Death: The Mesoamerican Ballgame*. Thames and Hudson: New York.

Vea más libros escritos por Captivating History

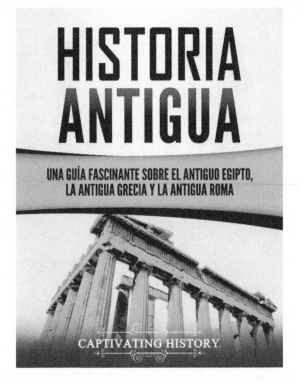